日本語に生まれること、フランス語を生きること

来たるべき市民の社会とその言語をめぐって

水林 章
Akira MIZUBAYASHI

春秋社

基本的人権が自然権であり、いわゆる前国家的権利（*Vorstaatliche Rechte*）であるということの意味は、あらゆる近代的制度が既製品として輸入され、最初から国家法の形で天降って来た日本では容易に国民の実感にならない。（一九六〇年）

丸山眞男「拳銃を……」（『丸山眞男集』第八巻、岩波書店）

日本には、存在するものはただ存在するがゆえに存在するという俗流哲学がかなり根強いようであります。つまり、カントの言葉をかりますれば、事実問題と権利問題，ケスチオ・ファクティ（quaestio facti）とケスチオ・ユリス（quaestio juris）というものの区別の意識が弱い（…）少なくとも何故存在する価値があるのかということを不断に問題にする意識が乏しいように思います。物事が存在するから存在する、こういう考え方が結局既成事実さえ強引に作ってしまえば、一時わいわい騒ぐけれども、結局なんとかかんとか既成事実の上に事態が進行していく、また事態が進行していくことを許す。こういう悪例が積み重なっている。それが私は、岸さんがあれだけ頑強に居直っている一つの根拠なんじゃないかと思います。

過去の例を見ましても満州事変以降の過程というのはまさにそれを示している。この存在するという哲学、ここからして、もうできちゃったものは仕方がない、その上に事態の収拾を考えなきゃいけない、いつもこれで満州事変、日華事変、太平洋戦争と、もう仕方がない、事既にここに至るの連続で谷間に落ちてしまったわけであります。（一九六〇年）

丸山眞男「復初の説」（『丸山眞男集』第八巻、岩波書店）

戦後、『未来』という雑誌を出しましたが、あのとき、そもそもの目的は、自分の専門以外の領域に関心を持たなければいけないという戦後の空気なんです。文学者や芸術家はもっと社会科学に関心を持つ、また社会科学的関心を持って発言しなければいけないし、逆に、社会科学者は文化的な問題について関心を持ち、発言しなければいけないというわけですね。

丸山眞男「読書・映画・音楽」（『定本　丸山眞男回顧談』上巻、岩波書店）

日本語に生まれること、フランス語を生きること　目次

日本語に生まれること、フランス語を生きること

——来たるべき市民の社会とその言語をめぐって

現在の、そして未来の日本語話者に

1　序

なぜフランス語で書くのか

わたしは学部・大学院でフランス語・フランス文学を専攻し、二度のフランス留学の後、大学に職を得て、三十年以上にわたってフランス語を教え、フランス文学を講じた。その間に、辞書や学習書の執筆にも携わったが、仕事の中心は十八世紀フランス文学（特にルソー）とその周辺であり、この分野で五冊の単著と一冊の編著書を世に送り出した。

ところが、生活の基盤が日本にあるにもかかわらず、ある時点から母語である日本語ではなく、大学生になってから必死になって習得したフランス語で書物を著し、その書物が引き起こす数多くの出会い（新聞・雑誌・ラジオ等によるインタビューや書店・イベント等での討論など、すなわち書物に由来するあらゆる社会関係）をフランス語でこなすようになった。日本語で専門的な内容の本を六冊発表したあと、現在までに七冊の作品をフランス語で刊行している。そのなかの六冊目にあたる『壊れた魂』（原題は *Âme Brisée* で、二〇一九年八月にガリマール社より刊行）が、八つの文学賞を受賞し、わたしのこれまでの経験からは想像を絶する販売部数に達したことや、映画化への強い意志をもつプロデューサーが現れたという事情に助けられて、日本でも出版されることになり、フランス語による自分の作品をみずからの手で日本語に翻訳するという、他に多くの類例が見いだされるとは思われない不思議な作業にかかわることになった。日本語版『壊れた魂』の表紙は、著者としてのわたしを「アキラ・ミズバヤシ」と記し、訳者としてのわたしを「水林章」としている。一人の日本人が青年期以降に外国語として習得したフランス語で執筆した小説を自分自身で日本語に翻訳し出版したという事態に遭遇する日本の読者は、なぜそういうことが起こったのかという疑問を抱くに違いない。そういう思いにとらえられたとき、わたしは日本語版『壊れた魂』を手にする読者に対して、いくばくかの説明を提供する必要を感じたのである。わたしはなぜ言語的越境を試みたのか。

わたしの最初のフランス語による作品 *Une langue venue d'ailleurs*（『他処から来た言語』）は二〇一一年一月に上梓された。この本の誕生には小説家ダニエル・ペナックとの出会いが深くかかわっている。ペナックの『学校の悲しみ』（みすず書房、二〇〇九）の翻訳を引き受けたわたしは、その作業が最終段階を迎えていた二〇〇八年の夏、原著者を自宅に訪ね、一週間ほど滞在し、本人に直接質問をぶつける幸運に恵まれたのである。

まる三日間、午前十時から午後一時まで、われわれは差し向かいで『学校の悲しみ』について議論した。その最後の日だったと思う、壁一杯に書棚が据えられている居間兼食堂でJ＝B・ポンタリスのある本のページをめくりながらダニエルを待っていると、彼が現れて、わたしが読むともなく読んでいた本のタイトルを見て、いきなり著者を知っているかと訊いてきた。ラプランシュ・ポンタリスの『精神分析学語彙辞典』には人並みにお世話になっていたし、彼がルソーの『告白』（フォリオ叢書版）に寄せた序文にはいたく心を動かされていたので、そういうことを簡単に伝えると、ダニエルは親友だからぜひとも紹介したいといって、その場で即座にJ＝B・ポンタリス本人に電話をかけた。その結果、翌日、ペナック宅で、ポンタリス夫妻、ペナック夫妻、そしてわたしの五人で夕食をともにする計画があっという間に決まったのであった。いかに親友どうしであるとはいえ、フランス人の社交様式の気軽さに、わたしはあらためて舌を巻いた。

カントは「哲学者にとって独りで食事をするのは健康によくない」という言葉を残しているらしいが、それはこの独身の哲学者が食事を友人同士の語らいと切り離せないものと考えていたからだろう。フランスの友人たちを見ていると、確かにそういうところがある。わたしは食卓を囲んでの五人での会話を大いに楽しんだ。J＝B・ポンタリスとは初対面だというのに、どうしてこれほどまで儀礼とは対極的な、自然な言葉の交換が可能なのだろうかと、いつもの疑問が心の中で立ち上がり、それが学生時代からずっと勉強してきた「啓蒙の世紀」における「会話術」の伝統へと繋がってゆく、そういう言葉の内的反芻をその時も経験することになった。

J＝B・ポンタリスは『学校の悲しみ』の日本語訳者に好奇心を刺激されたようだった。極東の、漢字文化圏の島国でどのようにしてフランス語に出会ったのか、なぜ十八世紀なのか、その中でもなぜとりわけルソーなのか、どうして外国人「なまり」がないのか等々、実に多くの質問を繰り出してきた。わたしはそのひとつひとつに律儀に答えた。楽しい「食事と会話」が終わり、そろそろお開きという段になって、J＝B・ポンタリスはわたしに近寄り、「今日の君の話は優に一冊の本に値するよ」とよく響くバリトンの声で囁いた。

翌朝、二人の親友のあいだに何らかの示し合わせがあってのことだと今にして思うのであるが、わたしはダニエル・ペナックの車に乗せられて、J＝B・ポンタリスの待つ出版社ガリマールに向かったのであった。J＝B・ポンタリスはガリマールの有力なエディターであり、「一方と他方（これとそれ）」という自らが創設した叢書のディレクターを務めている。彼のオフィスに入ると、驚いたことに、その叢書に「自分とフランス語」をテーマに本を書いてみないかという誘いが待っていたのである。

かくして生まれたのが、異邦の言語＝フランス語を単に自分の外部にある道具として使うのではなく、自身の内部に取り込み、血肉化し、それをとおして世界を感じ、他者との関係を紡ぎ、そして生きるということについて考えた『他処から来た言語』なのである。フランス語を使わない日は一日たりともないとはいえ、わたしは日本で暮らし、日本の大学でフランス語教師として働き、『他処から来た言語』の前には十七～十八世紀フランス文学の考察を核とする六冊の書物を日本語で発表していたわけでもあるから、フランス語の本はこの一冊でお仕舞いにするのが自然の成り行きであった。ところが、事はそのようには展開せず、わたしはその後もフランス語で書き続け、結局今日までのおよそ十年間に七冊の単行本をフランス読書界に送り出した。フランス語を表現言語にしている日本人著作家は他にも二～三人いるようであるが、その人たちはいずれも生活の根拠地をパリやモントリオールに定めているので、日本に留まりながらフランス語で書くわたしとは事情が異なる。フランスでは母語ではなくフランス語で作品を書く外国出身の作家はけっこうな数にのぼり、そのなかにはミラン・クンデラのような重鎮中の重鎮もいるが、その人たちに共通しているのは生活の拠点をフランス語圏に置いていることである。

クンデラの場合、母語はチェコ語だが、一九七五年にフランスに亡命し、ある時点からフランス語で書くようになったから、母語（チェコ語）と居住している場所の言語（フランス語）が一致しないという状況を生きているわけである。対してわたしは、東京に住んでいながら、フランス語で（も）書く。いくつかのイベントでわたしのような事例を探す文芸記者に出会ったが、母国に留まりながら外国語で書く他の作家はそう簡単には見つからないということであった。本当かどうか、わたしには分からない。どうしてわたしは日本人であり（わたしはこの言葉に、日本の国籍を有し日本で生活する男女から生まれ、自らも日本で育ち日本の国籍を有しているというほどの意味しか込めない）日本に住んでいるというのに、苦労して習得した、そしておそらくは今も日々習得しつつある——勉強し始めてから五十年たってもいまだに「習得」の気持ちが続いている——フランス語で著作を発表するなどという、考えてみれば相当におかしなこと、いや異常ともいえることに時間を費やすことになったのか。

「日本語に生まれること、フランス語を生きること」というタイトルのもとに書き始めたこの文章の最終的なねらいはこの問いに光をあてることである。何故わたしは、二〇一一年の『他処から来た言語』以来今日まで、日本語を私生活における使用を除いてひとまず括弧にいれ、フランス語で文章を書き、出版し、そのことから結果する社会的な出来事のいっさいをフランス語で生きることにしたのか。四年前にわたしは大学を定年退職し、年金生活者になった。その結果、職場とのやりとりがまるで恐竜たちが忽然と地上から姿を消したように一気に消滅した。メールソフトの受信ファイルはほとんどがフランス語のメッセージというところまで、わたしは来てしまったのである。

どうしてそういうことになったのか。

この問いに満足のゆく答えを出すのは相当に骨の折れる作業になるだろう。道のりは長く、かつ曲がりくねっていて、単純ではない。読者の辛抱強い伴走を願ってやまない。

2 『他処から来た言語』とフクシマ、そしてその後の十年

『他処から来た言語』は二〇一一年から二〇一二年にかけていくつかの文学賞を受賞するなど望外の好評を博したのだが、その前触れであるかのように、刊行直後から新聞・ラジオや書店・文化センター等からのインタビューや講演の依頼、トークショーへの参加の招待があいついだ。わたしはそれに答えるべく、大学の春休みを利用してフランスに向かうことにした。成田を発ったのは二〇一一年三月十一日の午前十一時頃だったと思う。

というわけで、その日の午後東北地方を襲った大地震および津波による大惨事とフクシマの巨大原発事故についての第一報は、パリのシャルル・ド・ゴール空港で知ることになった。それから三月末に帰国するまでの三週間ほどは、不安と緊張の連続であった。東京に住む家族と連絡を取りながら、パソコンの画面に文字通り釘付けになって刻一刻と変化するフクシマ第一に関する情報を集めていたからである。とはいえ、フランス各地で予定されていた自著をめぐるイベントはそのすべてをこなしたと記憶している。しかし、それだけではなかった。マイクに向かって話す機会は予定よりもはるかに多かった。世界中がフクシマを注視していたから、フランス語を話し、おまけに本まで書く日本人

がいるということで、何かにつけて担ぎ出されたのである。そのときに強く印象づけられるとともに激しい違和感を覚えたのは、未曾有の自然災害と苛烈な原発事故という逆境のなかでも「威厳」と「落ち着き」を失うことなく、「市民精神」を発揮して「冷静」に行動する日本人への称賛的な言説が散見されたことであった。「自然とともに生きる日本人」に特有の「諦念」などという地理的環境決定論のごときものが「専門家」の口からまことしやかに語られることにも苛立ちを覚えた。日本のことがまったく分かっていない、事態の本質を完全に見誤っていると思ったのである。

あのときから十年以上の歳月が流れた。二〇一二年十二月の総選挙で民主党が大敗し、自民党が政権の座に返り咲いてからコロナ危機の現在まで、自民党が切れ目なく、そして圧倒的な議席数を誇って君臨しているのであるから、この間の日本は多かれ少なかれ自民党が拵えた日本ということができる。そして永らくその自民党の頂点にあったのは一強といわれた安倍晋三であったから、たとえ二〇二〇年九月以降、総裁の座を菅義偉に譲り、現在は岸田文雄が引き継いでいるとしても、今日の日本を換喩的に指示する最適な表現は——本人はもはやこの世の人ではないのであるが——やはり「安倍晋三の日本」であろうと思う。ならば、その「安倍晋三の日本」とはどのような日本であったか。

二〇一四年七月一日に行われた閣議決定という名のクーデター的憲法解釈変更による「集団的自衛権の正当化」から「森友・加計問題」、「桜を見る会スキャンダル」、「河井元法相夫妻選挙不正・大規模買収事件」等をへて「首相の息子による総務省官僚の接待事件」にいたるまで、「安倍晋三の日本」を特徴づけているのは、政治の徹底した私物化・破壊であり、腐敗である。不正、疑惑、スキャンダルの数と悪質度は異常というほかはない。これに加えてさらに深刻なのは、自民党がこのような前代未聞の頽廃的状況を国会における公共的な議論によって克服する姿勢を見せるどころか、逆に、それを封殺し続けたことである。そして、それはこの文章を書いている今も続いている。その結果、この国の政治では公共空間における言葉の使用が本来の重みを喪失してしまった。国会で平然と嘘をつく首相、心の底から湧き上がる自分の言葉をもたず、ただ用意された文書を棒読みし、あまつさえ、飛ばし読みによってまったく意味をなさない文言を読み上げてもなんとも思わないほど劣化した言語能力しかもたない首相の存在が、それをよく象徴している。

このような安倍晋三的なるもの——いや安倍晋三は自民党の本質的傾向を開示する単なる記号にすぎないであろうから、自民党的なるものと言い換えてもよい——を集中的・極限的に表現しているのが、二〇一二年に公表された「日本国憲法改正草案」であるとわたしは考えている。実際、安倍晋三とその背後にある勢力の究極的な狙いは憲法「改正」にあるように見える。重要なことは、この草案のなかに、自民党が望む日本の姿の根本的特徴が現れているという点である。しかしそれにもまして重要なことは、この憲法草案を掲げる政党がどれほど破廉恥な不正をはたらき、どれほどどす黒い疑惑に包まれようとも、首相が国会で、驚くなかれ、百十八回も虚偽答弁を行ったことが明らかになろうとも、政府が公文書をどれほど改竄・偽造しようとも、またどれほど——フクシマにもかかわらず——従来通りの核エネルギー政策にしがみつこうとも、選挙ごとにこの党が文字通り圧倒的ともいうべき勝利を獲得するのであるから、国民の側がこの草案の日本像を、積極的にあるいは消極的に、共有しているという事実である。安倍晋三的なるもの、自民党的なるものとは、実は日本国民の自画像の本質的な要素にほかならない。

それでは、自民党の「日本国憲法改正草案」が描く日本像とはどのようなものか。この点についてはすでにたとえば憲法学者樋口陽一による懇切丁寧な批判（樋口陽一 2013）が存在するが、ここでは法史学者水林彪（水林彪 2016a・2020a）にしたがって、最低限次の諸点に細心の注意を向けておきたい。

第一に指摘すべきは、草案における至高価値が近代憲法の前提たるところの国民の基本的人権の保障にあるのではないという重大な事実である。現憲法はその第九十七条で、基本的人権を「人類の多年にわたる自由獲得の努力の成果」と見なし、それゆえにこれらの権利は「現在及び将来の国民に対し、侵すことのできない永久の権利として信託されたもの」としているが、自民党草案はこれを全文削除している。そのうえで、憲法制定の目的を、「良き伝統と我々の国家」すなわち「長い歴史と固有の文化を持ち、国民統合の象徴である天皇を戴く国家」を「末永く子孫に継承する」ことに置いているから、草案に内在する至高価値は「天皇を戴く国家」であり、その維持継承ということになる。

第二は、基本的人権が「公益及び公の秩序」に反しない限りにおいて認められるとしている点である。草案の言う「公益及び公の秩序」が日本国憲法に記されている「公共の福祉」という概念とは似て非なるものであることに注意しなければならない。「公共の福祉」の名における人権制限の考え方は、他の諸個人の人権を侵害するような人権行使は認められないことを意味しているが、草案における「公」とは、日本語の歴史においては、天皇や将軍といった権力者を意味しており、したがって、「公の秩序」とは権力によって強権的に維持される国家的秩序のことを含意している。したがって、

「公益及び公の秩序に反しない限り」は「国家の利益に反しない限り」と理解しなければならない。国家が個人に優先するのである。

第三に注意すべきは、天皇が単なる象徴ではなく、国家元首に格上げされているという点である。天皇は人権よりも上位に置かれる国家＝「公の秩序」の体現者として位置づけられ、そうであるがゆえに国家元首と見なされるわけである。「天皇ハ国ノ元首ニシテ統治権ヲ総攬」するとした大日本帝国憲法を思い起こさない人がいるだろうか。もっとも、自民党内には、天皇について「元首」という表現は避けるべきだという主張が少数意見として存在したということであるが、この少数意見は、実は、天皇をば憲法を超えた存在として位置づけようとする意思に対応していることを見逃してはならないだろう。このこと――天皇は憲法によるコントロールの埒外にあるとする天皇の超憲法的ステイタス――は、日本国憲法九十九条が天皇と摂政にも憲法尊重擁護義務を課しているのに対して、改正草案では両者があえて名宛人のリストから外されていることに如実に表れている（樋口陽一 2013：92）。

第四の問題点は、草案では、憲法の第一の名宛人が国民とされている点である。つまり、自民党の考える憲法とは国民に向けられた命令である。そもそも、国民の基本的人権を擁護すべき至高の価値とするフランス「人権宣言」（正式には「人および市民の諸権利の宣言」だが、ここでは通称にしたがう）に発する近代法体系においては、憲法だけでなくあらゆる法律が議会によって裁判権力および行政権力に差し向けられた権力者の行為規範（何が法であるかを最終的に確定するのは裁判官であることに着目して、権力者の行為規範は裁判規範ともよばれる）として制定されるものなのであるが、自民党草案においてはそれが完全に逆転していることに注目する必要がある。近代法体系なるものが臣民の行為規範としての絶対君主制的法体系の否定・転覆のうえに成り立っていることを思えば、自民党の目論みは絶対君主制的法体系の復権にあると言うべきであろう。そして日本の歴史にその等価物を求めるならば、大日本帝国憲法ではなく——というのは、この憲法には限定的ながら立憲主義的要素が含まれていたからである——、なんと江戸幕藩体制における武家法度・触書ということになるのである（水林彪 2016a：81）。法度・触書とは、権力を縛るものであるどころか、それとは正反対に人々に向かって発せられた、ああしろこうしろというあまたの命令の束であったことを想起されたい。

ことほどさように、自民党の憲法改正草案は、「侵すことのできない永久の権利」という思想、すなわちフランス「人権宣言」が「人の譲り渡すことのできない神聖な自然的諸権利」あるいは「時効によって消滅することのない自然的な諸権利」と表現する基本的人権の思想とは真逆の、反立憲主義的・反民主主義的・全体主義的傾向を本質的な特徴として内包しており、したがって、個人の尊厳に根ざす近代的・近代法的価値を徹頭徹尾、確信犯的に唾棄せんとする意思に貫かれていると言わなければならない。これこそが、わたしが先に「安倍晋三的なるもの」「自民党的なるもの」と呼んだものの正体である。

対立軸はきわめて明瞭である。それは社会が何を至高の価値と認めるのかという点にかかわっており、フランス「人権宣言」につらなる日本国憲法のように、基本的人権（個人の譲り渡すことのできない自然的諸権利）とするか、それとも自民党「改正草案」のように天皇を戴く国家とするかという対立である。この国は、明治に入って、大日本帝国憲法の限定的な「立憲主義」が天皇を道徳の源泉とする教育勅語によって骨抜きになる「近代」国家として出発し、その延長線上で天皇制ファシズムが荒れ狂う十五年戦争時代の筆舌に尽くしがたい悲劇を経験した。そうであるがゆえに、戦後はその反省の上にたって、日本国憲法のもとで「民主主義国家」として再生したはずであった。しかし、表層の「民主主義」の下のより深い層には「天皇を戴く国家」的発想がつねに伏在し続けた。そして、結局のところ、それが清算されることなく今日にいたるまで延々と人々の精神を呪縛し続けているのである。それゆえ、国民の基本的人権の擁護を至上価値とする憲法を持つ国でありながら、その最高責任者が臆面もなく「日本は天皇を中心とする神の国である」(森喜朗の二〇〇〇年五月十五日の発言)などと口走るとか、あるいは、驚くなかれ、首相夫人が教育勅語を児童に暗唱させて憚らない学校法人の名誉校長を引き受けるなどという、驚天動地の事態が出現するわけである。このような異常は枚挙にいとまがない。日本国憲法を持つ国の建国記念の日がなぜかつての紀元節二月十一日なのか(まだ中学生だったわたしに、紀元節「復活」が異常な出来事であることを教えてくれたのは、後に少しばかり登場してもらうわたしの父だった)。基本的人権、なかんずく精神の自由ないし思想・良心の自由(あるいは兆民の言葉を借りて、心神の自由=リベルテ・モラール)を至上価値とする憲法を持ちながら、なぜ公立学校の卒業式などで教職員に「君が代」の起立斉唱が強制されるのか。ちなみに、自民党「改正草案」では、第一章「天皇」第三条において、「国旗は日章旗とし、国歌は君が代とする」と規定し、さらに国民に両方の尊重義務を課している。

この国は、国旗と国歌が国民的コンセンサスを得るにはほど遠い稀な国である。一九八九年六月四日の天安門事件の際に、渋谷に集まった数百人の中国人留学生が行った抗議デモの隊列から自然発生的に沸き上がった歌は「義勇軍行進曲」、つまり中国国歌だったという。中国政府の非道と暴力に抗議する若者が、彼等の抗議の意志を、中国国歌を歌うことによって表現したのである（加藤直樹 2019)。フランスでも、政府に抗議する市民たちがラ・マルセイエーズを歌い、三色旗を振りかざすということがありうるだろう。それは、一七八九年六月二〇日のテニスコートの誓いによって実現した、全身分会議の国民議会への変容、同八月四日に決定された封建的諸特権の廃絶、同八月二六日に採択された「人権宣言」等が象徴的に、あるいは換喩的に表現しているフランス革命（ラ・マルセイエーズと三色旗は言うまでもなくその標章である）が、近現代フランスの出発点であるということが自明の事柄としてあまねく共有されているからである。アリアーヌ・ムヌーシュキン率いる太陽劇団が一九七〇〜七三年にかけて上演した文字通り革命的なスペクタークル《1789》が四百回近く上演され、二十八万人以上の観客を動員したという事実が、それを傍証していると言えるかもしれない。[*1]

*1 《1789》の最後の上演の際に、アリアーヌ・ムヌーシュキン自身が三週間かけて撮影した映画《1789》が存在する。この映画はもちろんスペクタークルそれ自体ではないが、この「演劇」がどれほど革新的・革命的であったかを知るにはすこぶる有益である。*1789* « La révolution doit s'arrêter à la perfection du bonheur. » (Saint-Just), un film du Théâtre du Soleil, réalisé par Ariane Mnouchkine.

他方、日本では、自民党政府の不正・腐敗に抗議する民衆が日の丸を掲げ、君が代を歌うなどという光景は、天地がひっくり返ってもありえない。なぜか。日本が言葉の厳密な意味での近代国家ではないからである。日本人が、日本は日本国憲法を最高法規とする近代国家＝公共社会（ルソー的意味でのレピュブリック）であるという認識を持っているならば、国歌＝君が代、国旗＝日の丸という等式の自明性は失われるはずである。建国記念の日も二月十一日ではありえなくなるだろう。したがって、五十年以上も前の、わたしが大学でフランス語を学び始めたころの文章であるが、福田歓一の次の指摘は依然としてその重要性を失っていない。

たとえば今度の戦争に負けましたあとで、国が滅びたという現実をどう理解したかを考えましょう。国が滅びたとは考えたくないひとたちが持ち出したのは、国土であります。たしかに戦争に負けた。われわれのつくっていた政治組織、当時、それは国体と呼ばれましたが、その国体は崩壊した。けれどもこの美しい国土が残っている。この美しい国土が残っている限り、日本は決して滅びないという議論であったわけであります。むしろそれが普通の考え方であったかもしれません。その証拠に、たとえば政府は建国の日というものを、とうとう祝日として制定いたしました。建国の日が、二月十一日に制定されたことは、いったいどういう意味をもつのか。そこでは国家というものは人間の組織であるとは、考えられていないのであります。外国にも建国の日があるから、日本にも必要だという議論がありましたけれども、外国の建国の日というのは、たとえばフランスで申しますならば七月十四日、日本で申しますパリ祭であります。なぜその日を建国の日として祝うかといえば、それは現在のフランス、つまりフランス国民が現在の政治組織をつくりあげた、あの大革命がはじまったという記念日だからであります。中華人民共和国で十月一日を国慶節、建国の日と考えるのは、現在の中国のあり方、組織のしかたが確立した、その記念日だからであります。
現在の日本の場合にそういうものを考えますと、だれが考えましても、日本国憲法が制定されたか、あるいは効力を発した日をおいてはないはずであります。もし国家というものを人間の組織として考えるならば、そうなるのが当然であります。
（福田歓一 1970：102–103 傍点は引用者による）

フランス人は彼らの国家の起源をフランス王国の時代には求めない。フランスの起源はシャルルマーニュでもないし、イングランド軍の攻撃からフランスを救ったジャンヌ・ダルクでもないし、壮麗なヴェルサイユ宮殿を造ったルイ十四世でもない。一七八九年の革命こそ、今日のフランスの礎なのである。フランスの都市を訪れると、市庁舎の壁にはしばしば歴代の市長の名前が年代順に記された記念碑が掲げられているが、初代の市長は決まって革命時代の市長である。今日のフランスの歴史は、まさに人権宣言と九一年憲法によって、社会契約を媒介にしての市民の誕生という考え方を法制化した革命時代に始まるという認識が、定着しているということだろう。

だとすれば、翻って今日の日本の出発点を求める

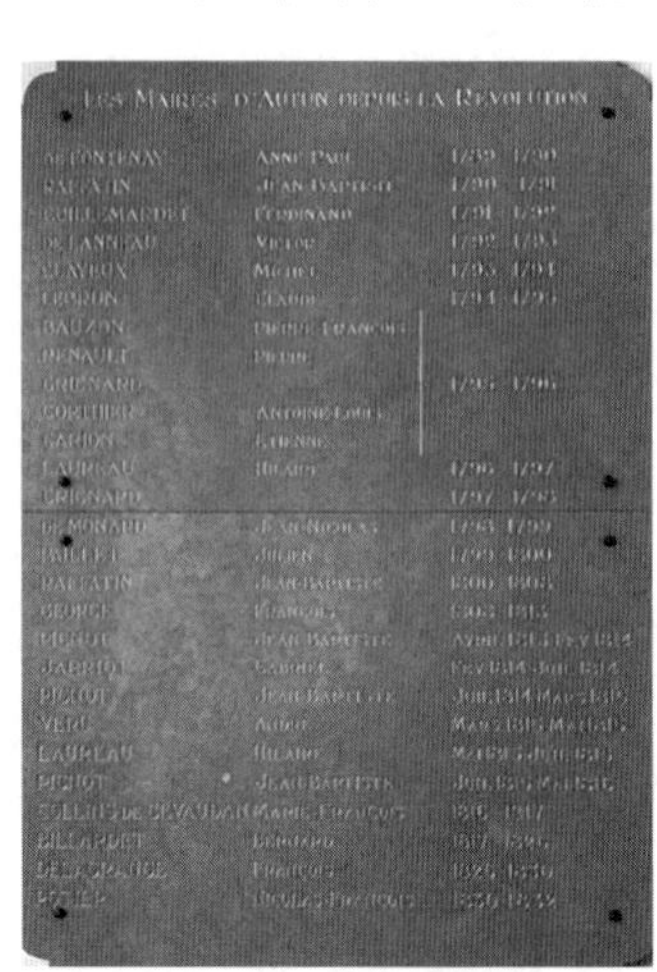

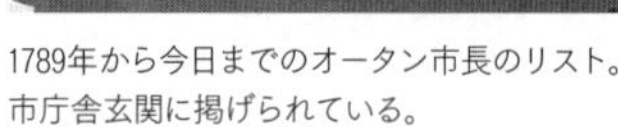
1789年から今日までのオータン市長のリスト。市庁舎玄関に掲げられている。

ならば、福田歓一の言うとおり、日本の歴史において初めて人権宣言に匹敵する内容を盛り込んだ日本国憲法が制定された日、あるいはそれが効力を発した日以外の選択はありえないということになろう。

日本がまともな市民的公共社会（レス・プブリカ）に成長するならば、それにふさわしい国歌と国旗の必要性が感じられるはずである。二月十一日がどのような日であるかは歴史の教科書で記述・解説され、建国記念の日ではなくなるはずである。しかし、当然のことながら、われわれはそのような段階にはない。

一人の自衛隊員が亡くなり、その家族がキリスト教による埋葬を望んでいたにもかかわらず、その意思に反して、国家が死者の霊魂を独占し、護国神社に祀ってしまうなどという信じがたい野蛮がどうして起こりうるのか（石母田正 1988：312）。またこれはごく最近のことになるが、戦前の滝川事件や天皇機関説事件を意識して、立憲主義憲法の標準装備ではないとされる「学問の自由」をあえて明記する憲法を持ちながらも、政府に批判的な日本学術会議の会員候補の任命を政府があからさまに拒否するなどということがなぜ起こるのか。「天皇を戴く国家」に収斂するイデオロギーを信奉する「神道政治連盟」や「日本会議」[*2]と関係の深い議員を驚くほど多数抱える政党（自民党）に、国民はどうしてかくもしゃあしゃあと政権を委ねてしてしまうのか。

＊2　安倍晋三は存命中「神道政治連盟国会議員懇談会」の会長をつとめていた。前首相の菅義偉、現首相の岸田文雄も会員である。また、両名は「日本会議国会議員懇談会」会員であり、安倍晋三も同様であった。自民党の主要「政治家」・国会議員が日本国憲法を敵視する議員連盟の実質を形成しているという異常な事態が異常と認められないことに問題の深刻さの一端が現れている。

「天皇を戴く国家」構想の本質は国家が人間の精神・内面世界に土足で入り込んでくるに等しい暴挙であるから、本来ならば何百万人もの人々が抗議行動に立ち上がっても不思議はないのであるが、この国ではそういうことは決して起こらないし、現下の状況を見るに、これからも起こりそうにない。なぜなのか。

われわれはレス・プブリカを持たない。われわれにはレス・プブリカの成立を寿(ことほ)ぐための、ともに歌う歌がない。黒澤明の『七人の侍』で平八（千秋実）がこしらえた旗、「た」の一文字に加えて六つの○と一つの△からなる、いや、より正確を期せば、大きな「た」の文字と六つの○がその間にある一つの△によって結ばれている、[*3] 新たな共同世界(レス・プブリカ)を象徴するあの旗に相当するものが、ないのである。『七人の侍』には、見るたびに言いようのない感動を覚える。志村喬が見事に演じる島田勘兵衛の率いる五人の侍と三船敏郎が完全に乗り移ってしまった感のある、侍でもあり百姓でもある、いやむしろ侍でもなく百姓でもないと言うべきか、いずれにせよ、そのハイブリッドな性格で圧倒的な存在感を誇る菊千代。この七人と百姓たちがともに立ち上げる公共社会とその公共社会を象徴するあの縦長の、日章旗の寸法とは異なる不思議な旗が、この国の現在にないものを的確に表現しているように思われるからである。黒澤明については、今後何度か触れる機会があるだろうが、彼は日本には稀な共和主義者——後に詳述するように、社会契約によって成立する、同輩の者たちによる共同世界を志向する人という意味での共和主義者——だったのではないか。『七人の侍』を見直すたびに、わたしはそういう感慨にとらわれるのである。[*4]

＊3 「た」は農民たち、○は侍、△は百姓と侍の両面を持つ菊千代（三船敏郎）を表す。念のため書き添える。

＊4 わたしは、フランス語で著した *Petit éloge de l'errance*（A. Mizubayashi 2014）（『彷徨礼賛』）で、『七人の侍』における「共和国」について論じたことがある。

『七人の侍』（1954）：平八がこしらえた旗

3　この国には「社会」がない

このように見てくると、事の本質は、要するに、「時効によって消滅することのない自然的な諸権利」がこの国の人々の意識のいちばん深いところに届いていない、内面化されていない、自家薬籠中のものになっていないということに帰着するのではないか。ということは、別の観点からいえば、そもそもなにゆえに公共社会なるものが存在するのかというホッブスからルソーにいたる近代政治哲学の根本的な問題構成が認識・共有されていないということになろう。西欧近代世界に共通する世界像とはおよそ次のようなものであった。

・歴史を遡れば、人々が政治社会や国家を形成する以前の状態というものが存在したはずであり、あるいはそのような状態を想定することができるはずであり、その状態を自然状態と呼ぶ。
・自然状態の法が書記化されていない自然法であり、それは各人の側から見れば自然権にほかならない。
・自然権とは、諸個人の身体的自由、精神的自由、所有、他者による自由・権利の侵害への抵抗である。

・しかし逆説的にも、自然権は自然状態においては保全されない。諸個人の自然権が衝突し合い、しかもそれを実効的に調整する上位の権力が存在しないから、自然状態は結局のところむき出しの暴力による強者の支配に逢着する。「人類は生き方を変えなければ滅亡」（ルソー）を避けられない。

・そこで、人々は社会契約によって社会という公共的な人格、政治という公共的空間を創出し、自然的諸権利を市民的諸権利として保全する。社会契約を媒介とする自然から政治への移行、自然状態から社会状態（政治社会）への展開によって、人（自然人）は政治社会を構成する市民になる。したがって、そのような政治社会は、市民たちが構成し、担う社会という意味で、市民社会とも呼ばれる。

このような思想と論理を凝縮的に表現しているのが、実はフランス「人権宣言」であり、とりわけその第一条および第二条なのである。「人権宣言」の翻訳には、古くは東京大学社会科学研究所による『一七九一年憲法の資料的研究』（一九七二）（以下『資料的研究』と略記）で読むことができるもの、新しくは岩波文庫版『世界憲法集』第二版（二〇一二）（以下『憲法集』と略記）所収のものなど複数存在するが、ここではあえてわたし自身の訳文を提示する。

第一条　人はみな自らの力（権理・権能）を他者に妨害されることなく自由に、そして等しく発揮できる存在として生まれ、生涯そのような存在であり続ける。市民のあいだにさまざまな社会的区別を設けることができるのは、それが社会のすべての構成員＝市民にとって有益である場合に限られる。

第二条　およそわれわれが、ばらばらになって生きていた自然状態を抜け出し、お互いに結びあうことで、一つのポリス＝公共社会＝政治社会＝市民社会＝国家をつくりだす目的は、人の時効によって消滅することのない自然に由来する権理・権能 droits naturels の行使を保全するためである。ここにいう権理・権能 droits とは、自由（自分の思うがままに行動する力）、所有（自分の物に対する支配力）、安全（自分の身体の安全を確保する力）、他者による侵害行為に対して反撃する力にほかならない。

第一条が今日流布している訳文とは大いに違うこと、したがってその解釈も非常に異なることに気づかれたことであろう。「人権宣言」の第一条の最初の一文は『資料的研究』では、「人は、自由、かつ、権利において平等なものとして出生し、かつ存在する。社会的差別は、共同の利益に基づくのでなければ、設けられることができない」と訳され、『憲法集』では、「人は、自由で権利において平等なものとして生まれ、かつ、自由で権利において平等なものであり続ける。社会的差別は、共同の利益に基づいてしか行うことができない」となっているが、実はこのような訳と解釈には問題がある。どちらの訳でも原文の libres et égaux en droits の droits「権利」が「平等」にのみかかっているという理解であるが、実はそれは誤りで、droits は libres にも及んでいると考えなければならない。この誤りは、おそらく、droits を「権利」と理解してしまったことに発している。人々が「権利」において「平等」であることは理解可能だが、権利における「自由」は意味不明だからである。そこで「人権宣言」のこれまでの訳者は droits を「平等」にのみ関係づけ、「人は、自由、かつ、権利において平等なものとして出生し、かつ存在する」などとしたのだと推察される。

今日の「権利 droits」観念の根底には「法的に保護された利益」[*5]という考え方があるとされるが、「人権宣言」における droits はそのように理解すべきものではなかった。まず指摘すべきは、第一条と第二条は、本質的に、自然状態において人が有している自己統治的権力（Le pouvoir de s'autogouverner）とそのような権力を十全に保全するための方策としての、社会契約を媒介にした政治社会 association politique の形成を語っているという事実である。そして、そのような自己統治的権力を指す言葉が droits にほかならなかった。本文中の私訳・試訳で droits を「利益」を含意する「権利」ではなく、単に「力」とし、補足的に「権理・権能」を括弧付きで加えたのはそのような配慮による。自然状態における droits は、資本主義経済の勃興に呼応して十九世紀後半に登場した「法的に保護された利益」ではありえない。「人権宣言」のこれまでの訳者たちは droits を今日の観念にしたがって「法的に保護された利益」と解したがために、「自由な libres」から切り離さざるを得なかったのではないかと思われるのである。[*6]以上は、この国における「人権宣言」理解に対する根底的な疑問・批判であるが、この本の本筋ではないので、以上にとどめる。

*5　ドイツ法の研究者でイェーリングの『権利のための闘争』（岩波文庫）を訳している村上淳一によれば、ドイツのローマ法学者サヴィニーが一八四〇年代に出版した『現代ローマ法体系』第一巻においては、「権利は「個人の意思の支配領域」ないし「個人の力」としてとらえられている」のに対して、「イェーリングは、『ローマ法の精神』第三巻第一部（一八六五）において、「意思の力」という定義を批判し、権利とは「法的に保護された利益」だという新しい定義を打ち出している」という（村上淳一 1983：171）。

*6　この点で参考になるのは、アカデミー・フランセーズの辞書である。一六九四年の初版から現代の第九版までのすべてを参照し、droit の定義の変遷を追うことは興味深い課題と思われるが、この場はそれが目的ではない。ここでは、初版から第五版（一七九八）まで、droit は一貫して「今日でも依然として autorité, pouvoir の意味で用いられる」と解説されていること、第六版（一八三五）から第八版（一九三五）では「何かをする能力、その物を享受し、自由に扱う能力、それを断固として切望する力、それを強く要求する力」と定義され、かつ「その能力は、私人間に成り立つ関係から自然に導き出される場合もあるし、社会契約、実定法、特別な取り決めにのみ由来する場合もある」と説明されている点が重要である。頻繁に引かれている典型例は、「ローマ人は彼らの奴隷を思うがままに生かし、あるいは殺す力を有していた＝ローマ人はその所有する奴隷に対して殺生与奪の権力を持っていた Les Romains avaient droit de vie et de mort sur leurs esclaves.」である。さらに、現在進行中の第九版では、IIで「しばしば複数形で」としたうえで、「各個人が生まれながらにして par naissance、そして本来的に par nature 持っている自由、権力、力」という定義のあとに、「人権宣言」の第一条そのものが引用されていることに注目したい。以上のことからも、「人権宣言」第一条における droit は今日言うところの「権利」ではなく、自然状態において各人が持っている「支配力」「自己統治権力」として理解しなければならないということ、だとすれば自然人たちはそのような支配力を他者に妨害されることなく自由に行使し、しかもそのような支配力はすべての自然人たちが等しく有していたのであるから、原文の en droits は、広く行き渡っている通常の理解に反して、「平等な égaux」だけでなく「自由な libres」にも及ぶものと考えなければならないということ、以上の二

点は疑いえないように思われる。なお、経済社会の資本主義的発展とともに、力としての権利が「法によって保護された利益」さらには「国家によって付与された権利」へと変質してゆく過程を、村上淳一は注5で引いた著作『「権利のための闘争」を読む』で説得的に論じており、まことに興味深い。以上の指摘と共通する内容を含むより広汎な droit の法概念史については、水林彪 2018a を参照。

第二条に移ろう。社会形成にかかわるこの部分の訳文も一般に知られているものと違ってかなり噛み砕いた言い方になっているが、そのことについては後述する。ここでは何よりも、一七八九年のこの文言に結実する、自然人たちによる生き延びるための方策としての自然状態からの脱出と政治社会＝市民社会の創設という道筋をいち早く決定的なかたちで定式化したのが、『社会契約論』（一七六二）第一編第六章「社会契約について」におけるジャン＝ジャック・ルソーだったという点を強調しておきたい。彼は書いている。

わたしは人々が次のような地点に到達したと想定しよう。自然状態における生存にとって有害なさまざまな障害の威力が、各人が自然状態にとどまろうとして用いる力に勝る、そういう地点である。そのとき、この始原的な状態はもはや存続できなくなる。人類は存在の仕方、生き方を変えなければ、滅びてしまう。（…）

すべての人々の結合によって形成されるこの公共的人格は、かつては都市国家（Cité）という名前で呼ばれていたが、現在では共和国（République）とか、政治体（Corps politique）という名前で呼ばれている。それは、受動的な意味では成員から国家（Etat）と呼ばれ、能動的な意味では成員から主権者（Souverain）と呼ばれる。さらに同じような公的な人格と比較する場合には、この人格は主権国家（Puissance）と呼ばれるのである。構成員は集合的には人民（Peuple）と呼ばれるが、主権に参加するものとしては市民（Citoyens）と呼ばれ、国家の法律にしたがうものとしては国民（Sujets）と呼ばれる。

ルソーの語彙（「国家」「主権者」「人民」「市民」「国民」など）も人権宣言の言葉（「自由」「平等」「社会」など）も、その核心部分は、二百五十年後の日本に生きる現代のわれわれにも馴染み深いものばかりである。もともとは明治時代に作られた異様な翻訳語であったのであろうが、今ではその異様さは消えてなくなり、現代日本語にすっかり定着しているといってよい。しかし、その真の意味が不動の価値基準として人々の意識を構造化するほどに十分に理解されているかとなると、答えは否というべきであろう。[*7]

＊7 「二重言語としての日本語」と題された日本語学者大野晋との対談のなかで、加藤周一は、自由、民権、人権といった言葉が容易に消化されない問題について、それを示す証拠の一つとして抒情詩に西欧に由来する漢語が見当たらない事実を指摘している。「明治以後（…）徳川時代に漢文――和文の使い分けが鋭く意識されていたようには、翻訳語文化――伝統語文化の区別が、意識されなくなったと思います。たとえば、自由、民権、人権といい、民主主義という時に、それは漢字であるために、本来の日本語であるような気がするけれども、実はそうじゃない。（…）（そういった言葉が）完全に消化されたんじゃなくて、置き換えの性質を今なお持っているということの一つの証拠は、抒情詩だと思う。日常の感情生活の

中で、人権、自由、権利、義務という言葉は翻訳概念的性質があり、それは本来の日本語の中で育ってきた概念に比べるとほんとうには肉体化していない面があるようです。歌を作るとか、詩を作るときに、明治以来の新体詩にしても、その中で人権とか権力という言葉は出てこない。(…) ほんとうに明治以後の日本の抒情詩の伝統は、われわれがそれを読んで、ほんとうに感動する、美しい日本の詩だと思うものの中に、権力といい、人民というような言葉は出てこないでしょう。自由という言葉さえ少ないでしょう」(大野晋編 2001：202-203)。至言というほかはない。加藤の発言を読んで、思い出すことがある。最初の留学の際にモンペリエの学生寮で、ラジオから流れ出る、名優ジャン＝ルイ・バローによるポール・エリュアールの詩「自由」の朗読を聞いたとき、わたしは心の奥底から湧き上がる感動に満たされて、溢れ出る涙を抑えることができなかった。

もっとも、ルソーの引用文中の「都市国家 (Cité)」には、実は著者自身による次のような周到な注が付されており、同時代人による完全な無理解ないし誤解が指摘されている。

現代ではこの「シテ」という語の真の意味はほぼ完全に見失われている。多くの人は都市国家 (シテ・Cité) とは都市 (Ville) のことだと考え、市民 (シトワイヤン・Citoyen) のことを都会の住民 (ブルジョワ・Bourgeois) のことだと考えている。そういう人たちは、都会を作るのは住宅であるが、公共社会 (シテ・Cité) を作るのは、市民 (シトワイヤン・Citoyen) であることを知らないのである。

ルソーは都市的規模の公共社会「シテ」とその担い手としての「シトワイヤン＝市民」という古典

古代に発する言葉の組み合わせを、「都市」（家屋の集合）と「ブルジョワ」（町の住人）という別の組み合わせと峻別して、前者こそが政治社会を思考するための概念装置なのだという点を強調している。しかしこれは、市民法的秩序が絶対主義法的秩序に取って代わる一七八九年よりも三十年近く前の発言である。古典古代（ギリシャ・ラテン）の思想的伝統が見失われていることに対する強烈な批判であり自覚である。対して、わたしは、西欧近代が発見し発明した公共社会の構想を引き継ぐ日本国憲法が施行されてから七十年以上が経過した時点に立つ日本人が、先に見た驚くべき内容の「改正草案」を掲げる自民党にあっけらかんと政権を委ねてしまう、その心性をとらえて、「市民」を初めとする政治と社会にかかわる言葉の理解が絶望的に深まっていないことを問題にしているのである。

これまでの記述から明らかなように、本来の意味での「社会」「人民」「市民」は、社会契約の考え方の根底にある自然法・自然権論に根ざしている。日本語では「天賦人権説」がそれにあたる。ところが、残念なことに「社会」も「人民」も「市民」も、実は自然的諸権利を保全するためにわれわれが意思的に望み、作り出した公共社会の別名にほかならないのだということが、敗戦後七〇年以上が経過した現在においても、人々の意識に深く根を下ろしているようには思われない。やや挑発的にいえば、日本には「社会」が存在しない。われわれは、西欧の政治哲学が定義する意味でのパブリックな「社会」、契約的に構成される公共「社会」、いわゆる「市民社会」ないし「市民的政治社会」――それはおよそ〈近代〉なるものの前提である――を知らないのである。

このように書くと「社会」の自明性を疑う妄言か、新奇をてらう軽薄な発言と思う向きもあるかもしれないが、実はそれこそが錯誤である。日本の「近代化」の初発の時点で、『文明論の概略』（一八七五）の福沢諭吉が主題化した重要な論点のひとつがまさにこの問題だったという事実が、厳然と存在するからである。諭吉は、「社会＝ソサエティ」なるもののパブリックな性格に注目して、「ソサエティ」に「人民の交際」という訳語を当てた。日本語で「パブリック」に相当すると考えられがちな「公」は君主や政府などの「お上」すなわち上位の権威を意味するから、日本人の知らない、アカの他人たちがヨコに結び合う「ソサエティ」を示すにはふさわしくないと考えたのである。この国は、アカの他人たちが集まって「演説」を聞き、「討論」する（「演説」も「討論」も福沢の造語である）という、「社会」にとって死活的な実践を欠いているというのが、諭吉の診断であった（丸山眞男1986a：82-84）。

狭いムラ（多分に閉鎖的な集団）を超えた、パブリックな「人民の交際」あるいは「人間交際」という観点から見た場合、現代日本は福沢の時代からどれほどの深化を経験したであろうか。われわれは、町で出会う見知らぬ人と、隣人と、会社の同僚と、知り合いと、政治すなわち共同世界・公共的世界の諸問題・諸課題について（たとえば、憲法「改正」問題について、原発について、政権党の腐敗について、安保法制について、民主主義について、選挙について、公職があたかも家財のように伝承される議員職の世襲制について、などなど）、開けっぴろげに、そして堂々と議論する機会をどれほど持っているだろうか。だれがどう考えても、この国はまったくそういう段階には至っていない。

つい最近のことだが、「朝日新聞デジタル」で、二〇一五年に集団的自衛権の行使を認める安全保障関連法案に反対して立ちあがった学生団体シールズ（SEALDs）の元メンバーについての記事（「隠したい」元SEALDsの過去、若者の声を封じるものは」二〇二三年五月二日）を読んで、わたしはその証拠を見せつけられたような気分を味わった。権力の横暴に対して抗議の声を上げるという、公共社会のメンバーが主権者として行使する当然の権利——民主主義の根幹にあるはずの市民的権利——を行使したかつての若者の多くが、当時の活動を「隠したい」と思っているというのである。デモに参加すれば、侮蔑的に左翼あるいは過激派と見なされ、就職活動で差別される。日本が嫌なら「日本から出て行け」という例の脅し文句を浴びせられる。そういうことが今でも尾を引いていて、平穏な生活を営むことができないということなのだろう。要するに、この国では、アカの他人たちが公共の事柄について堂々と議論することを妨げる隠然たる圧力が働いているのである。その結果、政府がどれほど腐っても、またどれほど圧制的になっても、何事も起こらない。シールズのような運動が一時的に盛りあがっても、その隠然たる圧力ががんじがらめの構造として立ちはだかっており、結局のところ人々は忍従を強いられる。

真の意味でのパブリックな社会がないところでは、政治は私的性格を帯び、したがって利権化する傾向が強い。政党は国民の代表というよりは利権にあずかろうとする徒党となる。明治の自由民権運動が藩閥政府によって国体に反するという烙印を押されて敗北して以来、政党は親分・子分関係で結ばれた徒党集団になりさがってしまった。各人の思想や信条などというものはどうでもよく、親分のイデオロギーがそのまま子分に引き継がれるという閉鎖的な構造が幅を利かせた。政治が閉鎖的なところでは必ず疑獄事件が発生し、公衆（パブリック）の批判が存在しないから腐敗が止まない。日本の、いわゆる待合政治はパブリックな精神の不在と表裏一体の関係にある。

以上は、丸山眞男が一九四八年に「政治嫌悪・無関心と独裁政治」（丸山眞男 1948b：290）で述べていることの要約だが、あたかも今日の自民党「政治」を素材とした記述のように見えるではないか。というのも、その今日の自民党「政治」とは、ジャーナリストの青木理の筆を借りれば、次のようなものだからである。「国会を軽視し、憲法を蔑ろにし、説明もせず責任もとらず、口を開けば嘘や詭弁ばかり。放埒で強権的な人事で霞ヶ関は忖度と、官邸の顔色ばかりうかがう「ヒラメ化」の風潮に席巻され、だからたとえば公文書は隠され、棄てられ、果ては政権の都合に合わせて改ざんされた。すさまじいまでの退廃である」(青木理 2021)。

要するに、パブリックな「人間交際」は、依然として今日のわれわれの課題であり続けていると思われるのである。

この国に生きる人々の「市民的政治社会」についての認識が依然として未熟であるという状況のなかで、ダメ押し的に出てきたのが自民党の「日本国憲法改正草案」である。というのも、この「草案」は日本社会の社会契約的構成の理解を助けるどころか、逆にその成り立ちの根底にあるはずの最重要概念を「全面的に見直し(た)」(改憲案Q＆A)結果として登場しているからである。自民党が「天賦人権説」ないしは「社会契約論」を唾棄する理由は想像に難くない。それは、社会や国家が成立する以前の、ただの人＝自然人(自由で平等な、いかなる社会的・身分的特性も持たない裸形の個人)しかいない状態(自然状態)をまず想定し、そこから社会の成り立ちにかんする議論を組み立てることになると、その論理的帰結として「長い歴史と固有の文化」を持つ「天皇を戴く国家」が跡形もなく吹き飛んでしまうからである。

およそ以上のように要約できる思索は、フクシマを画期として「安倍晋三的なるもの」「自民党的なるもの」がせり上がってきたここ十年のあいだに明瞭な輪郭をともなって形成されたものではあるが、この国における人々の公共に対する無関心、あるいは公共について議論することの困難については、それよりも遥か以前から継続的に関心を持ち続けていた。それは、あえて強調するまでもないとは思うが、わたしが学生のころから一貫して十八世紀フランス啓蒙思想、とりわけルソーの思想と文学的実践に強く惹かれ、そのこととの関連で、フランス革命の思想的・文化的・政治的達成について少なからぬ関心を抱いていたことと切り離せない。十八世紀フランスを経由してのわたしの現代日本への関心は、まずは二〇〇六年七月十四日（偶然のなせる技か、編集者の配慮か）に印刷された編著『思想としての〈共和国〉——日本のデモクラシーのために』[*8]というかたちを取った。レジス・ドゥブレ、樋口陽一、三浦信孝の力を借りて、この国に生きる人々の意識の土壌にしっかりと根をおろしているようには思われない公共＝共和国というものについて考えようとしたわけである。

＊8　初版から十年後の二〇一六年六月に、『思想としての〈共和国〉——日本のデモクラシーのために』増補新版が刊行された。わたし自身も新しく「すべては、人民をつくる政治的結合からはじまる」という文章を寄せたが、眼目は、「今この国で起こっている憲法をめぐる危機の根源を理解する」（筆者の「増補新版のための「あとがき」」）ために、日本国憲法は実は共和国型の憲法なのだという重要な問題提起を含む水林彪の「比較憲法史論の視座転換と視野拡大——ドゥブレ論文の深化と発展のための一つの試み」を紹介し、樋口陽一の反応を引き出すことにあった。翌月に参議院議員選挙を控えての出版であった。

フクシマの際の日本人の行動を「威厳」「落ち着き」「市民精神」といった言葉で語るフランス人の称賛的な論調に対してわたしが本質的な無理解があると感じた理由は、いまや明らかであろう。それゆえ、『他処から来た言語』の出版から数ヶ月後に雑誌『ル・ヌーヴェル・オプセルヴァトゥール』からこの点について質問された際に、わたしはおよそ次のように答えたのであった。自分で自分を引用することになるが、長い回答のほんの一部を紹介しよう。

（西欧人の目に目覚ましいものに見える）日本人の行動は、日本における個人と団体や国家との関係が西欧世界で考えられるようなものとは非常に異なるということと関係があります。図式的にいうと、フランス社会では個人が国家（公共社会）に先行する。経験的事実のレベルでは人は必ずすでに出来上がった社会のなかに遅れてやってくるのですが、フランスのような共和主義的な政治文化の土壌においては、個人が国家（公共社会）に先行するという形而上学的フィクションが社会の編成原理になる。「市民」と呼ばれる個人が集合して共通の利益のために政治社会を創設するというふうに考えるわけです。（…）フランス革命は模範的なかたちで社会の身分制的な編成を破砕しました。たとえば、有名なル・シャプリエ法（一七九一年）は、身分制的特権を敵視しましたから、人々が徒党を組むことを禁じ、結果として諸個人からなる社会の創出に向けて大きく作用しました。歴史家の教えるところによれば、日本にはそのような個人単位の社会を生み出す歴史的経験がなかったように思われるのです。そういう条件のもとでは、期待される人徳は同じであるはずがありません。権威や権力に従順であること、出過ぎた真似をしないこと、他人に迷惑をかけないことなどなど。自分を押し殺す、身の程を知るといった「価値」は、社会的一体性の裏返しですが、良きにつけ悪しきにつけ、大きな力を発揮します。日本的社会の一体性は、公共を軽視するかに見える自己利益最優先型社会に成り下がってしまった西欧世界にとって「手本」のように見えるわけですが、それは同時に戦前の日本で天皇制ファシズムの猛威を可能にしたものなのです。いずれにせよ、西欧のジャーナリズムが注目する日本人の「落ち着き」とか「規律志向」を「市民精神」の現れであるなどと考えるのは、とんでもない誤謬であることを強調しなければなりません。市民精神とは「市民＝シトワイヤン」的精神であり、それはポリス＝公共社会＝共和国の創出を可能にする社会契約の概念と結びついています。そしてそのような社会契約の主体は自然人にまで還元された個人なのですから、そういう個人の思想のないところには市民精神は存在しないと言わざるをえないのです。

（『ル・ヌーヴェル・オプセルヴァトゥール』、二〇一一年五月五日号）

このインタビュー記事が出てからしばらくして、樋口陽一からわたしの発言を読んだ旨を伝える私信が届いたことを思い出す。そのなかで、樋口は全面的な賛意を表明しつつも、わたしが「個人が国家（公共社会）に先行するという形而上学的フィクション」と言っている箇所について、結局は同じことだが、自分は憲法学者だから「法的フィクション」という表現を選ぶだろうと書いていた。日本の問題をフランス人にフランス語で説明する際にどのような言語表現を用いるかは、つねに悩ましい問題である。その意味で、樋口の賛意には大いに勇気づけられたものである。

4 「ウイスキー・モノモタパ」

J＝B・ポンタリスの「月曜会」

わたしは十年ほど前から、週に一度か二度、やはりどうしても週末のことが多いのだが、午後の仕事が終わりこれから夕食の準備が始まるという短いひとときを、一人で、あるいは妻と二人で、またときにはその場に居合わせた娘とともに、またあるときには遠方から訪れた友人とともに、少量のウイスキーをたのしむ。とりたててめずらしいとも言えないアペリティフの習慣だが、わたしの場合は、ある人物との出会いがなければ定着しなかった可能性が大きい。そのある人物とは、すでに登場してもらった、今は亡きJ＝B・ポンタリスである。

J＝B・ポンタリスのことを日本語でどう呼ぶべきか。もっとも日本語らしいのは「ジャン＝ベルトラン・ポンタリス先生」であろうが、これではフランス語を話している時の言語感情にまったくそぐわない。老師の名前をフランス語で表記すると、Jean-Bertrand Pontalis である。高名な精神分析学者、哲学者、作家、エディターとして、フランスの知的世界では人々の尊敬を集め、だれからも一目置かれる存在だった。著作の表紙には、J-B. Pontalis とファーストネームが省略形で書かれていることに由来するのだと思うが、老師は一般には「ジーベー（「J＝B」をこう発音する）・ポンタリス」と、そして奥さんを含むまわりの親しい人たちからは単に「ジーベー」と呼ばれていた。わたしが、「ジャン＝ベルトラン・ポンタリス先生」ではわたしの話し手としての言語感情にそぐわないと言ったのは、わたし自身ある時点から老師のことを——二十七歳の年齢差を超えて——「ジーベー」と呼ぶようになったからである。

フランス語による最初の書物『他処から来た言語』を準備する過程で老師とは何度か会い、議論し、アドバイスを受けた。その過程でわたしは老師にTU（親しい間柄で使う二人称人称代名詞）で話しかけ、老師のことを単に「ジーベー」と呼ぶようになったのである。ガリマール社の三階にあったオフィスで話をしているうちに、ポンタリス老師はわたしに、お互いTUで呼び合うことにしようではないか。ぼくのことを「ジーベー」と呼んでほしい、君のことは「アキラ」と呼ぶからね、ということになったのであった。

「ジーベー」に送ったふたつ目の原稿は、わたしが十二年という無視できない長さの年月をともに過ごした、「犬」という普通名詞で指示するほかはないある存在＝生命体の生と死をめぐって綴った説話的エセーとでもいうべき文章だった。「ジーベー」は大いに心を動かされたと見えて、一字一句の変更も加えずそのまま出版したいと言ってくれた。それが『メロディ、あるパッションの記録』*Mélodie, chronique d'une passion*（Gallimard, 2013）である。サバチカル休暇にあたっていた二〇一二年度のほとんどをパリで過ごすつもりでいたわたしは、『メロディ』の原稿を仕上げた直後の七月にパリに向かい、到着の翌々日には、ジーベーのアパルトマンで『メロディ』の活字化のための打ち合わせをした。

実は、わたしは、老師がウイスキーを愛好していることを聞き及んでいたので、その日のためにあるプレゼントを用意して、彼の自宅を訪れた。そのプレゼントとは一本のウイスキーにすぎないのだが、少々変わった装いのものだった。というのも、「モノモタパの夢 Le Songe de Monomotapa」という名前と老師の写真、それにラ・フォンテーヌの「モノモタパに二人の無二の友人が住んでいた。そのうちの一人が所有するものは、すべて他のもう一人が所有するものでもあった」という引用文が彫り込まれた品物だったからである。もちろん、そんな銘柄のウイスキーなど存在しない。『モノモタパの夢』は、冒頭に「ダニエル・ペナックに捧げる」という献辞が印刷されている、ジーベーが二〇〇九年に上梓した美しい友情論である。そして、ダニエル・ペナックの名前とともに掲げられているのが、たった今引用したラ・フォンテーヌのフレーズなのである。わたしは、形の美しいウイスキーを一本手に入れ、中身を抜き、ラベルを剥がし、すぐ近くでサンドブラスト彫刻工房を開いている職人に「モノモタパの夢」という文字とラ・フォンテーヌの引用文に加えて、老師の写真を一枚彫り込んでもらった。完成し

た瓶を空のままフランスに持ち込み、パリで日本のウイスキーを購入し、中身を「モノモタパの夢」に流し込み、『メロディ』出版に向けての最初の打ち合わせの際に持参したというわけである。

「モノモタパの夢」というめずらしいウイスキーを見つけたので持ってきたと言うと、ジーベーは若干メガネを持ち上げながら怪訝そうに瓶をとって眺め、数秒後に大輪の笑みを咲かせると、これはわが人生で最高のプレゼントだといって喜んでくれた。その日は午後の数時間をずっと『メロディ』の話にあて、その後ジーベーと奥さんのブリジット、そしてわたしとでセーヴル・バビロンヌにあるレストランで夕食をともにし、すっかり日が暮れてもうあとはそれぞれが家に帰るだけということになっても、なかなか別れがたく、バック通りとサン＝ジェルマン大通りの交差点にある小さなカフェで遅くまで話しこんだ。その六ヶ月後にジーベーは八十九歳で、『メロディ、あるパッションの記録』の完成した姿を見ることなくこの世の人ではなくなった。

ジーベーには、毎週月曜日の六時から八時まで自宅を親しい友人に開放し、ともにウイスキーを楽しみながら、談笑する習慣があった。わたしも、『メロディ、あるパッションの記録』以降、この「月曜会」(といっても、こういう名前があったわけではない)の仲間になった。ジーベーの思い出をあえてここに呼び起こしたのは、実はこの「月曜会」を紹介したいと思ったからである。

「月曜会」は友情の空間である。[*9]

＊9　日本の部落(＝ムラ)に深く内在しつつ徹底的に観察・記述したきだみのるは、部落では「友人友情の感情が発達していない」と述べている。「部落や村では個人生活の万般の面に亙って、親類は互いに助

け合う傾向が烈しいが、これは他の弱い半面を持っている。この血縁姻縁主義に患されて友人友情の感情が発達していない。角庄さんは村でいちばん大きい機屋だ。破産も三度か四度やり、終戦後盛り返した人物で、村では珍らしく豪快な印象を与える男だ。機屋は彼の直接支配だったので、私は「支配人はいねえのかね、これほどの機屋で」と訊ねると彼は「そんなものはいねえよ」と答えた。「じやあ頼りになる友達でもいるのかね。君が病気になったりしたとき店を見てくれる」と訊ねると「友達？　そんな者はいねえな。おれが死んだら得をしようと狙っている奴だけだよ」と答えた。この答えは多分村の誰れの口からも洩れてくる答えであろう。資産があると心では一〇〇％の他人もそうでない外見を装うのだ」（きだみのる 1956：93）。フランス語で言うところのアミ ami（友人）、あるいはアミティエ amitié（友情）という感情は、日本社会には厳密な意味では存在しないのではないかという疑問をわたしは抱えているので、この箇所に触れたときになるほどと思ったのである。なお、実は、わたしも、フランス語でアミティエの欠如について論じたことがある。Akira Mizubayashi « De l'amitié — Histoire d'une carence », *Littoral*, no 14, Éditions Erès, 1988.

月曜日の夕方六時から八時まで、ジーベーのアパルトマンの広い居間に、職業的にはやはり精神分析学者、作家が多いのだが、ジーベーのもっとも親しい友人たちが招待を受けることもなく集まってきて、ウイスキー一杯と簡単なつまみだけで、夕べのひとときを一緒に過ごすのである。週によって異なるが、毎週、五人から十人ぐらいが参集する。目的はただひとつ。ジーベーと彼のまわりに集まる人たちとの座談をたのしむことである。フランス十八世紀には女性が主催する「サロン」という文芸的公共性の言説空間が存在したが、「月曜会」はまさに「サロン」とはこういうものだったのかもしれないと思わせるほど、言葉の交換をたのしむ場なのであった。わたしの念頭にあるのは、ユルゲン・ハーバーマスの次のような文章である。

夕食会とサロンと喫茶店とでは、その会衆の範囲や構成において、交際の様式において、議論の雰囲気において、主題的関心において、きわめて異なっていたが、とにかくそれらはすべて、傾向上は私人たちの間の持続的討論を組織化するものである。したがってそれらには、一連の共通な制度的基準がある。まず第一に、社会的地位の平等性を前提するどころか、そもそも社会的地位を度外視するような社交様式が要求される。位階の儀礼に反対して、傾向的には対等性の作法が貫かれる。この対等性を地盤にするときにのみ、論理の権利が社会的ヒエラルヒーの権威に対抗して主張され、やがては貫通されるのであるが、この対等性は、同時代の自己理解においては、「単に人間的なもの」の対等性を意味している。人間 les hommes、民間紳士 private gentlemen、私人 Privatleute は、公職の権力や権利が効力を停止されるという意味で公衆を形成するだけでなく、そこでは経済的従属関係に物を言わすことも原理的には許されない。国家の法律も市場の法則も、ともに効力を停止されるのである。（ハーバーマス 1975：55-56）

職業も年齢も性別も国籍も、その他いっさいの外的要因が捨象されて、参加している人はただ一人の個人として、それぞれの直接的な帰属集団をはなれて、そこにいる。参集者を結びつけているのはジーベーと親しい関係にあるという一点である。そのことだけが接点となって、いかなるヒエラルヒーに配慮することもなく、まことに多種多様なテーマについて、個別に、あるいは全員のあいだで言葉が交わされるのである。家族の近況について、執筆中の著作について、新聞・ラジオ等で話題になっている映画や芝居、書物について、フクシマの原発事故について、フランスの原発政策について、現下の政治状況について、国際関係について、などなど、私的な話題もあれば、公共的な意味をもつテーマも少なくない。「月曜会」は、したがって、友情が交換される場であると同時に、議論の空間でもあるといえる。

ジーベーの「月曜会」はウイスキーを片手に週一回開かれる気軽な座談の場だが、ふつうは食前酒に始まって食後酒におわるディナー、招いては招かれる食事の機会をとおして、このような関係を紡ぎ、広げてゆくのがフランス流社交の基本である。このように言うと、わたしは樋口陽一が『ふらんす――「知」の日常をあるく』のなかで次のような文章を綴っていたことを思い出す。

話をグルマンディーズに戻すこととして、大事なのはみんなが集まって話をすることであって、食べ物なんか持ち寄りでいいんだ、と言う人もいます。もちろんそういうパーティーも結構ですけれども、それだけではつまらない。日本の文化を代表するもののひとつ、お茶事だってそうでしょう。亭主のあらゆる心づかい、それに応えつつ醸し出される和の雰囲気。やはり話が弾むためには、それなりの労力をかけておいしいものをつくり、それに合うお酒を考えて、それで人を招く。人に招かれたら招き返すという中で、次第に紡がれていく人間関係です。これが、一人ひとりが個であって、それが一つの公共をとり結んでいく一番の原点ではないでしょうか。

広げていえばフランス共和国という公共があります。共和国 République は「公共の事」（Res

publica）から来た言葉です。個が結びあって公共をつくる。広げればそこに行くのですけれど、まず食があって、飲むことがあって、人を招くことがあって、招かれたらそれに応えるまた心づかいがあって、そこから始まるのが本当の意味での「ソシアビリテ sociabilité」です。それを「社交」と訳してしまうと、何だかちゃらちゃら、ひらひらしたような、社交界なんていう言葉を連想されてしまうと困るのですが、本当の意味でのソシアビリテというのかな、これが大事なのです。（樋口陽一 2008：90-91）[*10]

まず一人ひとりの個があって、それが次第に公共を形成してゆくという遠心的な社交関係・社会関係の創出。[*11]前章で、わたしは「人権宣言」の最初の二条を市民社会（市民が形成する政治社会という意味での市民社会）の思想を凝縮的に表現するものとして引用したが、ここでもう一度、第二条の最初の文を取り上げたい。というのは、人々の日常的な社交形式のなかに「人権宣言」の精神が脈々と流れていると思うからである。いわく、「およそわれわれが、ばらばらになって生きていた自然状態を抜け出し、お互いに結びあうことで、一つのポリス＝公共社会＝政治社会＝市民社会＝国家をつくりだす目的は、人の時効によって消滅することのない自然に由来する権理・権能 droits naturels の行使を保全するためである」。これまでの一般的な翻訳では「すべての政治的結合の目的は」となっているが、わたしは、大学生はもちろん中学・高校生にも理解してもらえるように、あえて「およそわれわれが、ばらばらになって生きていた自然状態を抜け出し、お互いに結びあうことで、ひとつのポリス＝公共社会＝政治社会＝市民社会＝国家をつくりだす目的は」と訳し換えたいと思う。

原語はassociation politique（アソシアシオン・ポリティック）である。Associationの語尾～tionには本来「～すること」という動態的な意味が込められている。名詞「constitution（憲法）」と動詞「constituer（構成する、形成する、作り上げる）」の関係に似ている。Associer（結びつける）あるいは代名動詞形のs'associer（たがいに結び合う）という行為の結果として出来上がる団体のこともアソシアシオンと言うのだが、アソシアシオンの最初の意味は「人々が結びあう」行為それ自体をさしている。さらに、association（アソシアシオン＝団体）とsociété（社会）が同根であることにも注意すべきであろう。

他方、「政治的」と訳される「ポリティック」については、この語の核心に潜んでいるのが「自然」（ないし自然なものと観念される「家」）に対置されるところの「ポリス＝国家」にかかわるという意味であることに注意しなければならない。それゆえ、「アソシアシオン・ポリティック」の二語は、「人々がばらばらになって生きていた自然状態を抜け出して、お互いに結びつきあうことで、ひとつのポリス＝公共社会＝政治社会＝市民社会＝国家をつくりだすこと」と理解すべきなのである。[*12] 幾重にも強調すべきは、第二条が、「社会」というものはもともとあるものではないということ、人間の意思に先行して自然にあるものではないということ、そうではなく、逆に「社会」は人間が望んだもの、企図したもの、工作したものであるということを自明の前提として承認しているということである。

＊10　丸山眞男はヨーロッパ人の「社交的精神」について次のように書いているが、ジーベーの「月曜会」

を経験し、二〇一一年から今日までの十二年間まがりなりにもフランス語で文章を発表する人間として、そしてそのことに伴うあらゆる社交を経験してきた者にとっては、大いなる共感を誘う言葉である。「社交的精神というのは集まって御馳走を食べたり、ダンスをしたりすることじゃなくて、われわれ相互の会話を出来るだけ普遍性があって、しかも豊穣なものにするための心構えを各人が不断に持っていることだと思う。その意味じゃヨーロッパの小説や映画なんかを見るとどんな下層社会にも「社交」があるね。この間もコクトーの『恐るべき親達』の映画を見たが、親子や兄弟の間でまきちらかされる言葉が実にトリヴィアルな問答まで一つ一つピチピチした生気を湛えているのには全く圧倒されたね」(丸山眞男 1949c：188-189)。丸山眞男がここで問題にしている「社交」とは、前章で触れた福沢諭吉のいう「人民の交際」「人間交際」の別名である。

＊11　丸山眞男の次のような指摘に注意。「A＝君が前に日本人の生活に「社交」がないという問題を出したが、私生活上の「社交」精神は公生活上の「会議」精神に照応するんじゃないか。第一国会だってすぐにポカポカということになるんだから呆れるよ。B＝ポカポカは政治的肉体というよりただの肉体だが、例えば代議士が選挙民に向かって個別的私的利益を直接に満足させるようなアピールをしたり、またある企業とか土地有力者の利害を直接に代表して行動したりするのはまさに政治的精神の次元が独立していない証拠だろう」(丸山眞男 1949c：207)。森有正のように長期にわたってヨーロッパを経験したわけでもないのに、「社交」精神と「会議」精神の連関を見抜いている丸山の感覚の鋭さにはただ驚くばかりである。加藤周一も次のように言っているではないか。「丸山さんは、日本と外国（殊に欧米）との間を、日常的に往復して暮らしてきたわけではない。物理的な往復運動ができなかった理由は、健康上の障害であろう。しかし精神的には、往復運動の習い性となった思想家として、丸山さんに匹敵する人はおそらく少ない」(加藤周一 1995：4)。

＊12　神奈川大学法学部の「外国書講読」という授業で参加学生とともに「人権宣言」の翻訳を試みた経験を語った民法学者清水誠の文章がある。そこには「清水ほか十五人訳」の「人権宣言」全十七条が掲載さ

れているが、わたしが問題にしている「アソシアシオン・ポリティック」はやはり「政治的結合」となっている。「政治的」と「結合」の語義をほどく必要を痛感する者にしてみれば、授業参加者が「政治的結合」をどのように把握していたかが気になるところである（清水誠 1999）。

日本では、市民社会の概念は、ヘーゲル流に、政治的な国家の対極にある経済社会として理解されてきたようであるが（いわゆるビュルガリッヒ・ゲゼルシャフト）、『社会契約論』『エミール』『新エロイーズ』のルソーに発し、「人権宣言」に結実するシヴィルな社会、市民＝シトワイヤンの社会としての市民社会 sociétécivile はそういうものではなかった。ヘーゲルによれば、市民社会（ビュルガリッヒ・ゲゼルシャフト）は欲望の体系としての経済社会であり、したがってそこに生きるブルジョワ＝市民は当然私欲を追求する存在（ホモ・エコノミクス）であるから、公共善としての政治の担い手（ホモ・ポリティクス）になることはできない。これを実現しうるのは、ヘーゲルにとっては、君主とその官僚であるほかはなかった。これに対して、ルソーと「人権宣言」に含意される市民社会（ソシエテ・シヴィル）は、そのメンバーである市民＝シトワイヤンを、社会契約後も「人」homme（オム）であり続けるがゆえに私欲を追求する一面を持つことは当然と見なしつつも、それを超越する倫理的能力を持つ主体としてとらえ（ここに教育の最重要性の根拠がある）、公共善の実現者の地位に押し上げたのである。

飯田泰三によれば、一九六〇年以前の丸山眞男は市民や市民社会という言葉をあまり使わなかったというが、そこには以上のような事情が絡んでいたと考えられる。すなわち、当時の知的世界において「市民社会」といえば、それは何よりもヘーゲル的な「欲望の体系としての経済社会」を指しており、「ブルジョワ自由主義」「ブルジョワ個人主義」「ブルジョワ民主主義」とともに、克服すべき対象と見なされていたという事情である。しかし、政治＝公共善の実現という点にかんして、君主と官僚がいかに当てにならないかは、今日われわれが目の当たりにしている徹底的な腐敗を特徴とする自民党的なるものの隆盛を見れば火を見るよりも明らかである。六〇年安保を境に、丸山は「市民のための政治学」を語り、「親鸞になぞらえて、「在家仏教主義」」を言い、「「在家」の、つまり仏教の専門家である「坊主」＝「出家」ではないアマチュアの」、ということは「政治家や政治運動家など、政治のプロ」ではない、「普通の職業についている人たちの政治参加こそが、デモクラシーの基本だ」という立場に軸足を移したということだが、それは市民社会概念のヘーゲル的理解からルソー的・人権宣言的理解への移行を意味したはずであった（飯田泰三 2006）。

5 日本的社会とは何か

翻って、日本における個人と公共社会の関係、国家形成のとらえ方の特徴はどのようなものか。もちろん、先の敗戦によって、大日本帝国憲法と明治民法を基軸とする「近代」法体系が崩壊し、かわって西欧型近代市民法をモデルとする日本国憲法と新民法を中心におく法体系が採用されたわけであるから、この国は基本的人権や国民主権などの「人類普遍の原理」に帰依することになった。日本国憲法は「前文」で「国民の厳粛な信託」による国政を語り、第十三条で「個人の尊厳」を価値化しているから、西欧の正統な社会契約思想を前提とする個人主義的な性格を有している。それは、しかし、文言の域を出ない。

日本国憲法の核心的価値としての基本的人権の思想がいかに薄弱でお題目に過ぎないかを物語る例を最近の事例に求めるならば、二〇二一年の夏コロナ禍の真っ最中に強行されたオリンピックの際の森喜朗をはじめとする何人かの辞任劇を思い起こせばよい。この国には、社会あるいは国家は、個人の自然的諸権利の保全を目的とする諸個人間の合意＝契約によって成り立っているという了解の定着を妨げる認識論的障害と呼びうるものが存在するかのようである。社会や国家が成立する以前の自然状態を論理的出発点とし、その状態において人々が享受していたはずの自然的諸権利（自由など）を想定することは、思考可能性の境界を超えているのであろうか。

歴史をその起源にまで遡れば、裸形の、人一般としての自然人に出会う、などということはありえない。個人が社会・国家に先行するなどという考えは「妄想の空論」（「人権宣言」を語る伊藤博文の言葉）に過ぎない。というのは、この国では天皇制という支配の仕組み――天皇による支配を天皇の祖先神＝始原の神々による命令として正当化する仕組み――がつねにすでに存在したと考えるからである。このような観念構造を公式のものとし、それを全国民の意識に刷り込んだのが大日本帝国憲法およびそれと一対をなす教育勅語にほかならなかった。帝国憲法に内在する秩序は、限定的な立憲主義を認めながらも、国家神道（天皇祖先神信仰）を至高価値・権威とみなし、それに依拠する天皇が最高権力者として臣民を支配するというものである。これに対して、天皇を道徳の源泉とする教育勅語は、かつて丸山眞男が喝破したとおり、「日本国家が倫理的実体として価値内容の独占的決定者たること」（丸山眞男 1946：63）を示すものであった。「人権宣言」における国家の究極的な目的は私の領域（肉体と内面の統一としての個人）を防衛することにあるが、その基本構図がここでは国家それ自身によってトータルに否定される。「私」の精神は国家によって蹂躙され、完全な隷属状態に置かれるといって差し支えない。

丸山はさらに次のように言葉を繋いでいるが、事態の本質を剔抉する真に鋭利な指摘と言うべきであろう。「我が国では私的なものが端的に私的なものとして承認されたことが未だ嘗てないのである。この点につき、「臣民の道」の著者は「日常我等が私生活と呼ぶものも、畢竟これ臣民の道の実践であり、天業を翼賛し奉る臣民の営む業として公の意義を有するものである。(中略)かくて我らは私生活の間にも天皇に帰一し、国家に奉仕するの念を忘れてはならぬ」といっているが、こうしたイデオロギーはなにも全体主義の流行とともに現れてきたわけではなく、日本の国家構造そのものに内在していた」(丸山眞男 1946:64)。

日本国家が倫理的道徳的価値の独占的決定者となったことは、国際関係という場においても、重大な帰結をもたらした。道徳国家日本 vs 非道徳的世界という二項対立関係が生みだされ、それが究極的には「皇化による八紘一宇」の動力となったと思われるからである。この点は例えば日本国の入管行政に見られる排外的傾向、あるいは基本的人権の思想に対する嘆かわしい無知・無感覚と深いところでつながっているようにも思われるので非常に重要だが、[*13]ここでは藤田省三の重要な考察があることだけを指摘するにとどめ、今は深入りを差し控える。[*14]

*13　二〇二一年三月にスリランカ人女性ウイシュマ・サンダマリさんが名古屋入国管理局の施設で死亡した事件は記憶に新しい。なお、入管行政をテーマにした小説『やさしい猫』の著者中島京子の毎日新聞紙上での発言(WEB版二〇二一年五月五日)を参照。

*14　藤田の次のような指摘だけは引用しておきたい。「日本が道徳を独占することによって、海外諸国を道徳外諸国と化し、国際関係は、道徳国家＝日本と非道徳的世界との交渉として把えられるに至るであろう。ここに、のちになって、積極的には世界教化＝「皇化による八紘一宇」と、消極的には「化外の国」にたいする抹殺が天皇制日本の世界像となって行く論理的核があった」(藤田省三 1966:24)。

天皇制を支える大日本帝国憲法・教育勅語体制はもちろん敗戦とともに崩壊した。しかし、天皇制は生き延びた。象徴天皇制という新しい衣装をまとって、生き延びた。日本国憲法は第十三条で「すべての国民は個人として尊重される」としたうえで、その直後の第十四条で「すべての国民は、法の下に平等であって、人種、信条、性別、社会的身分又は門地により、政治的、社会的関係において、差別されない」と規定しているが、にもかかわらず、そのような市民的政治社会の根本原理とはまったく相容れない天皇制を温存した。天皇制が憲法の市民的精神と絶対的に矛盾するのは、第一にそれが身分制国家特有の世襲制にもとづいているからであり、第二には、世襲制の帰結として、天皇家の人々は基本的人権の核心にある自由（職業選択の自由など）を奪われているからである。[*15] 一人の人間の人生は生まれによってあらかじめ固定されているのではなく、意思と努力によってみずからが望むなにものかになる可能性を含んでいるというのが、近代的自由の要諦のはずである。社会構造の頂点（あるいは中心）に、生まれを原因とする差別と自由の欠如が刻み込まれていることの社会的・心理的効果は計り知れない。[*16]

この点を押さえたうえで、明治天皇制国家の影が、さらに、個人の団体への組み込まれ方にも及んでいることに注意する必要があろう。「万世一系の皇位」が主権の担い手であるとする国家像（いわゆる国体論）は父子関係を基調とする家制度・戸籍制度とあまりに深く結びついていたから、国体の下請けをなす日本的家は、大日本帝国の天皇制が象徴天皇制に取って代わられた後も、民法の家制度それ自体がなくなったにもかかわらず、一方では個人を強力に取り込む日本型家族として生き残ったし、また他方では、家経営体の発展的変異体としての会社経営体という形をとって存続した。「人権宣言」の国では当たり前の夫婦別姓制度が、それを選択する自由を認めるという消極的なかたちですら成立しない現状（つまり、婚姻は個人間の契約であるはずなのに、民法は改正後も婚姻後の姓の統一を強制し——夫婦同氏強制制度——、実際の運用面では妻が自分の姓を捨て夫の姓を名乗るというかたちが大多数を占めているという現実があり、しかもそれが伝統の名においていささかも問題視されないということ）や、会社への滅私奉公的献身が引き起こす連綿と続く過労死の事例は、天皇制のコロラリーとしての国家に従順な「国体的家」の残存を示唆するものであろう。

＊15　加藤周一は、一九五七年に、世襲制度について次のように書いている。「そもそも世襲制度そのものが、不合理を含み、ごまかしを前提とする。遺伝的に癌を接種しやすい実験動物の系統をえらび出すことができるが、実験動物についてさえ、それ以上複雑な性質の何が次の世代に出てくるかを予想することはできない。ましてすぐれた皇帝の息子にどういうならず者が生まれるか知れたものではない。一方、教育心理学も、国中の偉い学者が集まって、子供にわかりそうな話を毎日繰り返していると、その子供がどういうふうに成長するか、いったい何をはじめるのか、予想できるところまでは発達していないだろう。国によっては、大衆の大部分が世襲制度のそういう馬鹿らしさをはっきりと知っている。また他の国では、少数者だけがそこまではっきり考えている。しかし、いずれにしても王制が続く限り、またすでに無くなってしまったところでさえ、半ば信じ、半ば疑い、しかし世襲の王の権威を信じているかのように振る舞うことで、利益を獲得する者、不正をかくす者、また無邪気に暇つぶしの種にする者がいるのである」（加藤周一 1946b：142）。「人々の精神を屈服させるすべてのものを押しつぶして、自分自身の力で考えようとする」ディドロ的折衷主義を彷彿とさせる加藤の合理的思考は、今日まで日本国民の意識にほとんどいかなる影響も与えなかったかのごとくである。天皇制批判がタブーであり続け、いわゆる世襲議員が雨後の竹の子のように並ぶ政権党のありさまを見れば、それは明らかである。ディドロ的折衷主義については、とりあえず、水林章 2007 のエピローグを参照。

＊16　先頃、女性差別発言によって、東京オリンピック・パラリンピック組織委員会会長森喜朗が辞任に追い込まれたが（二〇二一年二月十八日）、首相の職にありながら、「日本は天皇を中心とする神の国である」と平然と言ってのけた人物の確信犯的差別発言が象徴しているように、女性差別が常態化し、ジェンダーギャップ指数（グローバル・ジェンダー・ギャップ・レポート二〇二一では一五六ヶ国中一二〇位、二〇二三年にはさらに下がって過去最低の一二五位というありさまである）がいっこうに改善されない根本の原因は、社会構造の頂点ないし中心に、憲法第二十四条における「家庭生活における個人の尊厳」および「両性の本質的平等」にかんする規定と激しく衝突する世襲制の実際（男系継承）が頑として存在していることと深く関係しているのではないか。ジェンダーギャップ指数が公表されるたびに、政治学者が是正の必要を声高に叫ぶが、日本の著しい後進性を天皇制に縁取られた社会の根本的構造との関係で論じる政治学者はいないように見受けられるが、どうであろうか。

ことほどさように、この国は「私＝個」を徹底的に脆弱な存在にしている。「私＝個」が徹底的に弱いということ、あるいは国家が「私＝個」を守るどころか、「私＝個」のなかに、「私＝個」の内面にまで侵入してくるということ、これは裏返せば、「私＝個」が進んで「国家」に隷属するという構造ということになる。丸山眞男が先の引用で「日本の国家構造そのもの」という表現で指していたのは、このような歴史貫通的な天皇制的国家構造のことであるに違いない。

それにしてもしかし、どうしてそういうことになってしまうのか。なにゆえに、帝国憲法から日本国憲法へという政治体制の「巨大な」と形容できるはずの転換があったにもかかわらず、「日本の国家構造そのもの」は克服されることなく生き延びてしまうのか。「日本の国家構造そのもの」は社会の隠された深層に潜んでいて、表層の変化の影響を蒙らないということなのか。

わたしは、ここ十年来の「安倍晋三的なるもの」「自民党的なるもの」の隆起を前にして、このような問いかけを持つにいたったのだが、日本の歴史にも天皇制にも暗いわたしには扱いきれない難題である。そこで納得できる答を求めて参照したのが法史学者水林彪の仕事であった。

自民党の「日本国憲法改正草案」が近代法秩序の転覆をたくらむ性質のものであることはすでに指摘したが、そのような歴史の逆行を前にして、国民の側から有意味かつ実効的な抵抗が起こらないという厳然たる事実に集約される状況を、水林彪は端的に「市民法の不全」と名付け、その淵源をたどる作業に学問的情熱を傾け、これまでに数多くの業績をあげている。彼の研究の核心にあるテーゼを乱暴であることを承知の上でひとことでまとめるとすれば、「市民法の不全」現象をトータルに理解するには、大日本帝国の時代に遡るだけでは不十分で、直接的には江戸の幕藩体制を視野に収める必要があり、その上でさらに歴史的遠因を求めるならば、七世紀末から八世紀初頭にかけての古代律令天皇制成立の時代まで遡及しなければならない、ということになろうかと思う。

たとえば、「日本的社会」を確立した近世幕藩体制は、普遍的超越者の否定という観点からおよそ次のような体制として描かれる。

このようにして幕藩体制は朝廷―幕府（諸藩―家臣・諸寺院組織）―民衆という形態のヒエラルヒーとして、すなわち「ひとつの朝廷・幕府と多くの藩・寺院」という形で編成されることになった。しかもそれは、朝廷によって権威づけられた幕府が、在地の自律的勢力を否定し、宗門人別改めなどの制度を通じて人々の信仰の自由を否定し、仏教を世俗権力による民衆支配の道具として編成しきる体制として形成されたのである。そのような権力構造に照応して、仏教は超越的絶対者の宗教であることをやめた。「自分は国王や父母のためには祈らない」（親鸞）、「家を捨て国を捐てることが行のはじめである」（道元）などの超越者の観念を堅持する仏教は、もはや存立する余地がなかった。どの宗派もイエを容認し、イエ[*17]の祖先を仏だと説いた。家職に励むように諭し、そうすることでイエを国家に奉仕する団体に仕立てようとした。

幕藩体制における超越者の衰退は「天道」観念の変容にも見られた。（…）それは十七世紀後半にはいって、儒学者たちによって「子にとっては父が天、妻にとっては夫が天、臣にとっては主君が天」という教説に矮小化されたのである。個々人が個々に普遍へとつらなってはならない。家長や主君、要するに人々の帰属する団体の長、「親分」が団体成員にとって最高の価値である。そういう団体を統合することで、幕藩体制は安定するのである。イエは、普遍的超越者に対しては固く閉じられた存在であった。その普遍的超越者とそれが定立したと観念される法のもとで、国家の経営に参与するということがないという意味でも、それは閉鎖的な団体であった。ただその国家を唯一排他的に代表する君主の権力に対してのみ、開かれていたのである。

（水林彪 1987：460）

この国の現在を生きる人々は、この引用の記述のなかに、みずからが日々経験している社会の鋳型を掴んでいるという手応えを感じるのではないか。あるいは社会の根本的な骨格を映し出す一種のレントゲン画像を見ているという気持ちを抱くのではないか。具体的には、たとえば仏教との接点が、多くの場合、葬式の際に限られることや仏を祖先と同一視する心性などを思い浮かべれば、しみじみと納得がゆくのではないか。わたしは先ほど丸山眞男の「我が国では私的なものが端的に私的なものとして承認されたことが未だ嘗てないのである」という言葉に共感し、「私＝個」が徹底的に弱いという点に日本社会の特質があると考えていると述べたが、「私＝個」の弱さ、「私＝個」の強者・上位者に対する自発的隷属（日本語はこれを「長いものには巻かれろ」[*18]と表現する）が、ここでは「「親分」が団体成員にとって最高の価値」[*19]と言い表されている点にも、この国で生きる人間の生活感覚を捉えるものがあると思う。要するに、「私＝個」が弱いのは、人々がイエを起源とする家や企業などの団体に強力に組み込まれているからであり、そのような事態は幕藩体制時代に確立した自律的諸権力の否定とその諸権力の国家への緊密な統合に由来しているということなのである。そのような意味で江戸時代は「日本的社会の確立」を見た時代なのであった。

*17　「イエ」とは、「家産を基礎に家業を営み、家名によってその団体性を対外的に表示するところの経営体であり、その担い手は、血縁ないし疑似血縁の線でつながる縦の親族共同体」（水林彪 1987：204）を意味する。

*18　わたしは、注4で言及したフランス語による著作 *Petit éloge de l'errance*（彷徨礼讃）のなかで、「長いものには巻かれろ」を克服する農民の姿を描いた黒澤明の共和主義的映画『七人の侍』（一九五四年）について論じたことがある。野武士の襲撃に憤激し抵抗を主張する利吉（土屋嘉男）に対して、万造（藤原釜足）は「できねえ相談だ、そんなことは。（…）長えものには巻かれるだよ」と言い返す場面があるが、興味深いことに、肝心要のこのせりふがフランス語字幕では訳されていない。日本人の意識の深奥から立ちあがるこの表現の深淵な意味をとらえそこなっているのである。

＊19　この国の政権党の機能様態をうかがうに、派閥の領袖やドンと呼ばれる高齢の（あるいは極めて高齢の）人物がどれほど重要な役割をはたしているかに驚くが、それは誰もが多かれ少なかれそれぞれの生活環境において知り経験している現実なので、当たり前のこととして自然化し、問題として意識化されなくなるようである。なお、丸山眞男の次のような鋭い指摘に注意。「日本ではまだまだ前近代的な社会関係が根強く残っている。だから元来近代的な組織や制度がただ本来の機能をしないために硬化する危険性だけでなく、抑々はじめからそうした組織媒介を経ないで社会的調整が行われる「場」が非常に広いんだ。赤裸々な暴力、テロ、脅迫にはじまって、ボス・大御所・親分・顔役などの行使する隠然たる強制力に至るまでみんなこれは直接的な人間関係を地盤とする問題処理の方法だろう」（丸山眞男 1949c：206）。昨今の世界的コロナ危機の状況のなかで、きわめて若い女性政治家が行政府の長をつとめる国家（フィンランド、ニュージーランドなど）が注目を集めているが、此方との相違には眩暈を覚えるばかりである。

因果関係を明らかにすることはもとより不可能であるが、後に問題関心の中心を占めることになる日本語の構造が日本における個の脆弱性に独特の光をあてているという事実は、やはり注目すべきことのように思われる。日本語を外国人学習者に三十年以上の長きにわたって教えた経験を持つ山下秀雄は、その結晶ともいうべき『日本のことばとこころ』という著書の中で、日本語の名詞——例えば、「親」「こども」「人」など——には「単数・複数の区別」がないという点に注目して、「ことさらに単数・複数の区別を立てると、日本語らしい自然さが損なわれてしまう」と指摘している。社会が複雑化すればするほど、「個人」にかかわることか、「複数の人間」にかかわることかを明確化する必要が強まることは確かだが、「個の存在を厳密に区別しないもう一つのものの見方」が日本語から消え去ることはないというのである。山下によれば、「日本語の名詞の奥にあるものの考え方は、まずその実在を問うことであって、実在の仕方を「個」か「個の集まり」かと問いただすことにはない。関心は、「個」を取り出すことにではなく、「「個」と「全体」との連続性や融合性」の方に向かう。したがって、「個の尊厳」を掲げ、民主主義を標榜しても、勢い「日本の「個」は「全体」への融和へ」と傾く。まず自己を主張する多数の「個」があり、それらが「協調をはかり、契約によってたがいの関係を維持」することに基礎をおく市民的政治社会ないし市民社会がこの国で育ちにくいのは、このような言語の特性にも関係しているということであろうか（山下秀雄 1986：33-40）。

幕藩体制が、西欧の絶対君主制と同じように、幕府が大名に対して、そして大名が家臣と領民に対して、日常生活のあり方にまで立ち入って命令を下すシステムであり、その法的な表現が法度・触書であったという点については、自民党の「改正草案」において憲法の宛名人が国家権力の執行者たちではなく国民になっていることとの関連ですでに触れたが、ここでもう一つ重要なことは、このような権力秩序を最終的に正当化する存在が天皇であったという点であり（徳川権力の法的名義「征夷大将軍」は天皇に仕える官職）、さらには先の命令と服従のシステムの起源が「「大化改新」（六四五年）において企図され、大宝律令の制定・施行（七〇一年）によって成立する律令天皇制」（水林彪 2016b：326）にまで遡るという、文字通り気の遠くなるような歴史の重みである。

よく指摘されることだが、日本社会は頻繁に冤罪を生み出す。つい最近（二〇二三年三月）も、袴田事件の再審が確定したばかりである。無実の人間を人生の大半に及ぶほどの長期にわたって収監するがごとき異常・不正義がどうして頻繁に起こるのか。専門家によれば、冤罪が生み出される背景には刑事手続法の運用における長時間におよぶ密室取調や自白の偏重があるという。その起源をたどるならば、何とも驚くべきことに、江戸時代の町奉行の手法、さらには遠く奈良時代に継受された律令にまで行き着くというのである。二十一世紀に入った今日にいたっても、アンシアン・レジームすなわち「旧体制」がまったく克服されていないことに唖然とするのはわたしだけではあるまい（水林彪2013および2016b：注30）。

6　中世的世界

とはいえ、古代律令天皇制から今日までの歴史の全体が、端から端まで、律令制的・幕藩体制的な支配構造によって一色に塗りつぶされていたというわけではなかった。古代と近世に挟まれた中世においては、支配と服属の垂直的編成とラジカルに対立する、構成員間の契約にもとづく水平的結合を特徴とする一揆的権力秩序が存在したからである。律令制国家の公地公民制は、社会が未開的な段階にあった七世紀の日本が、高度に発展した古代中国帝国の脅威に震撼しながら、その法的仕組みを輸入し移植した非自生的で人工的な仕組みであった。それゆえ、一方で中国の脅威が弱まり、他方で原始的共同体の解体と私的所有の形成が進み、在地領主制＝中世武士団が成立・展開すると、おのずと弛緩の一途をたどったという。

こうして、十世紀後半以降に顕著になったのが、社会全域における諸主体の自律性を基調とする分権的な権力秩序であった。そのような秩序を石母田正は「中世的世界」（石母田正 1946a）と呼んだのであったが、その核心を形成していたのが平等な同輩者たちが一揆契状と呼ばれる契約によって作り出す政治的秩序だったのである。署名した人々が互いに同輩の関係にあることは、もろもろの署名を円形に配置する傘型連判によって示された（図参照）。またさらに、一揆によって結合した領主たちが彼らのなかの第一人者でありその資格において彼らの上にたつ守護大名と契約的関係に入り、その権力行使を制約するという、中世イギリスのマグナ・カルタを彷彿とさせる立憲主義的構造が存在したことも注目されるところである（水林彪 2017）。

ここでとりわけ重要なことは、一揆契約の時代としての中世社会に特徴的な法観念が「天」という超越的普遍者に根ざした「道理」であったという点である。そしてこの「道理」の思想を集約的に表現したのが、石母田正をして「農村から出発した中世が古代を克服した典型的なものとして、わが国の中世的世界の本質的な構成要素をなす」（石母田正 1946：335）と言わしめた、鎌倉時代の武家法『御成敗式目（貞永式目）』にほかならなかった。[*20]「道理」は、律令制時代の天皇による天皇の祖先神によって正当化される支配の構造を覆す、巨大な思想的転換を意味した。というのも、「天」に根拠をもつ「道理」には、丸山眞男がいみじくも指摘したように、「上下の権力・勢力関係、あるいは自然的親疎関係に左右されない規範性と、獲得された事実上の占有関係を尊重する事実主義と（の）二面性」があり、それゆえ「権力とか権威とか上からの事実上の力にたいする対抗物」と見なされ、「まさにそのことによって、御家人〈・領主・百姓の事実上〉の

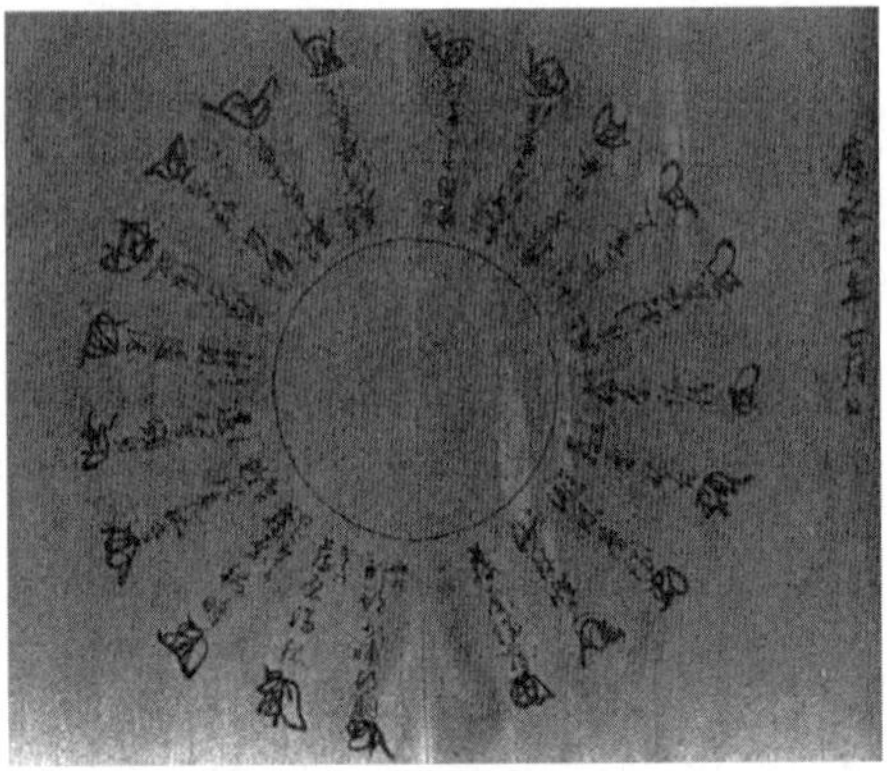

15世紀の国人一揆契状（国立国会図書館蔵）

獲得された私的権利と離れがたく結び」（丸山眞男 1999：131）ついたからである。ということは、道理的世界においては、「訴権が中核となり、秩序は紛争の排除〈によるシステムの維持のなかにあるの〉ではなく、訴訟手続の合理化による紛争解決の、つまり権利の侵害と回復の動的なプ、ロ、セ、スのなかに」あるという市民法的特徴を呈するということである。それゆえ、丸山は「貞永式目制定期は、驚くほど、（…）市民法的考え方によって全体の法思想が浸透されていた時代であった」（丸山眞男 1999：121）と結論づけることができたわけである。こういう次第であるから、例えば、戦国大名六角氏の、水平的に結合した家臣団が「天」に由来する「道理」の論理によって起草した「六角氏式目」において、律令制国家に連なる〈天皇—将軍—大名〉という命令的垂直構造が消滅するという事態が生じるのである。[*21] 中世は、「私＝個」の弱さを基調とする律令天皇制以来のこれまでの日本の歴史のなかにあって、例外的に市民的「私＝個」が自己を力強く主張した時代であったといえようか。

＊20　石母田は、さらに「『貞永式目』と『平家物語』と『歎異抄』は日本の中世的世界を支えている三本の柱である」（359）と述べ、内面的に深い連関をもつ浄土教思想と散文文学が「古い貴族的秩序から解体されようとしている個人の反省と内面化」という共通の特徴をもっていることを指摘すると同時に、「浄土寺を中心に結合した在地時宗門徒」が公然と東大寺に対捍することができたのは在地有力者が「神社と神人のもつ絶対的な権威」から解放されていたからであると述べている。また、後に触れる丸山眞男の「古層」論がきっかけとなって生まれたらしい丸山眞男と加藤周一の対談において、二人が次のような言葉を交わしているので紹介しておく。「〔丸山〕内面化された宗教というのはいちばん鎌倉仏教にでている。世界宗教と本当に対決した時代は日本でいうと、中世だけなんじゃないか。共同体宗教のように、「いえ」とか部族を単位とした「みんなの」、あるいは「われわれ」の宗教じゃなしに、死なら死の問題を通して、

たった一人の個人を絶対者に直面させるのが世界宗教の歴史的役割でしょう。(…)〔加藤〕鎌倉仏教は仏教が超越的世界観として、本当に日本人の中に入っていった、最初にして最後のものじゃないですかね。あそこで、日本歴史に対する超越的世界観のくさびが打ちこまれたという感じがする。しかし十四世紀になるとそろそろ「日本化」しはじめて、此岸的・文化的な面が強調されてゆく。あの時代はそういう意味で例外的な時代だった」(丸山眞男 1972：247)。

*21　石母田正は「『更科日記』の著者は、「天照御神を念じ申せ」といわれたき、「いづくにおわします神仏にかはなど、さはいへどやう〳〵思ひわかれて」というほどの知識しかもたなかったが、これはこの時代一般的であったらしく、それを人に問えば「神におはします、伊勢におはします、紀伊の国に紀の国造と申すはこの御神なり」と教えられる始末であった」と書いているが(石母田正 1946a：344)、これなども浄土宗の時代には天皇の存在が相当に稀薄であったことを物語るものであろう。また、石母田は「中世における天皇制の本来的・古代的性格を著しく喪失せざるを得なかった。天皇はもはや貴族に対する超越的な権威ではなくなった。『古事記』『日本書紀』が創り上げた天皇の神話的起源にたいする信仰と超越的権威にたいする畏怖の念は稀薄となり、記紀はほとんど忘れられ、平安の貴族は伊勢神宮が誰を祭っているかさえ知らないという有様で『愚管抄』からはすでに神代史が消えている。天皇は藤原氏によって自由に廃止される貴族の利用しやすい手頃な玩具となり、比較的素性のよい貴族の一人として尊敬されているにすぎなかったから、当時の物語作者は天皇を中心とする宮廷の放縦淫靡な頽廃的生活を描写して憚るところなく、読者もそれを現代の官僚のごとく不敬とも考えずに悦び読んだのである。藤原摂関政治の進歩的意義の一つは古代の神権的天皇政治からその神秘的な光耀を剝ぎ取り政治というものを現実的・人間的なものに引き降したことである。ここにもまだ天皇と皇室は存在した。しかしそれは体制としての天皇制ではなく、貴族に超越する独立的な政治権力ではなかった。日本歴史において体制としての天皇制は本質的にはこの時代はすでに滅亡していたのである」(石母田正 1946b：21)。

しかしながら、すでに述べたように、このような「中世的世界」は日本的社会を確立した徳川幕藩体制によって徹底的に否定されたのであった。徳川時代について、一般には封建制という言葉がよく使われるが、「武士の土着性を否定し、自律的な中間諸勢力を圧服し、キリシタンを徹底的に弾圧し、真宗を含む仏教勢力を統治の道具として使い切る」（水林彪 2002：33）幕藩体制は、自律的諸権力の分散を特徴とする本来の意味での封建制とはまったく異質であった。西欧の中世封建制社会に比せられるのは、むしろ幕藩体制が否定した「中世的世界」の方だったのである。

アベ・シエイエスが、フランス革命の号砲とも言うべきかの『第三身分とは何か』（一七八九年）のなかで、国民 nation を「共通の法のもとで生き、同一の立法府によって代表される同輩者たちの集団 un corps d'associés である」と定義したことはよく知られている。わざわざ断るまでもないこととは思われるが、ここで「同輩者たちの集団」と呼ばれているものは、市民たちの共同体 communauté de citoyens の別名にほかならない。これと類似のものを日本の歴史に求めるならば、主体は「市民」ではなく「領主」であるという根本的相違はあるけれども、水平的に結合した同輩者たちの集団という類似性を共有する、[*22] 中世的世界の「一揆」をあげることができる。ということは、徳川幕府が儒教的道徳（三綱五常、五倫）[*23] を媒介にして人心を整然とした階層的支配関係に組み込むことで完全に摘み取ってしまったのは、一揆への意思であり、人々が同輩者として水平的に結合し一個の政治社会を志向する精神のありようそのものだったということである。そして、何よりも強調すべきは、現代の日本人が依然としてこの歴史的大転換の圏内にあり、いまだにそこから抜け出せないでいるという事実なのである。

＊22 同輩者的集団の水平性を可視化しているのは、図版に見られる傘型の連署である。円形が序列・ヒエラルヒーの不在を示唆している。

＊23 本書でわたしは「儒教」ないし「儒教的」という言葉を何度か用いることになるであろうが、それが指しているのは、本来の儒教、すなわち中国の宋学ないし朱子学ではない。共同体の解体を前提とする、個人を単位とする社会に固有の思想である宋学＝朱子学は、日本に移植されると、原型をとどめないほど甚だしい変容を蒙り、結局のところ江戸時代に石田梅岩が打ち立てた石門心学のごとき自らの分限に甘んじることを説く道徳になってしまったという。わたしが言う「儒教」とは、丸山眞男を経由して受け取った福沢諭吉の宿敵としての「儒教」であり、今日の日本人の心的世界をなおも拘束し続けている、それとは意識されない思惟ないし道徳教義のことを指している。なお、注62を参照。

実際、徳川時代以降のこの国の人々は、みずからが主体的・意思的に秩序の作り手になる一揆的伝統を忘却しているのではないか。そのことを「自由」をどのように把握するかという問題に引きつけて論じたのは、丸山眞男（またしても！）であった。「日本における自由意識の形成と特質」（丸山眞男 1947a）をわたしなりに咀嚼すれば次のようになろうか。

1 絶対主義的勢力と「新興市民階級が血みどろの抗争をくりひろげていた」十七世紀イギリスにはふたつの自由観念が拮抗していた。一つはロバート・フィルマー卿とホッブスに見られるもので、自由とは端的に「運動を妨げる一切のものの欠如」、「拘束の欠如」であった。これに対して、名誉革命の思想家ジョン・ロックは、自由を「理性的な自己決定の能力」ととらえた。そして、拘束の欠如としての自由が理性的な自己決定としての自由へと転化したとき、歴史は新しい秩序形成に向かって動いた。

2　日本における自由意識の変遷を検討するには、日本のアンシアン・レジームの精神を代表する儒教における規範意識の変容をたどる必要がある。徳川社会の儒教的規範としての五倫は当初は人間の内面的本性と合致するものと考えられていたが、それが次第に他律的な拘束として意識されるようになると、公的政治的なものとしての儒教規範と「一切の規範的拘束から離れた非合理的感性」、すなわち「人欲」との対立が生じた。この矛盾は徂徠学において頂点に達した。したがって、アンシアン・レジームにおける儒教的規範意識の崩壊は、元禄文化に現れているように、「人欲」の解放（たとえば「専ら官能的な悦楽の描写に終始する「人情」本」）いうかたちを取った。以後、近世史は、「万事権現様の御定通り」と「人間は欲に手足の付たる物ぞかし」（西鶴）の対抗＝依存関係として展開した。

3　「人欲」の解放は、新しい秩序の形成に向かう「理性的自由」に転化することはなかった。明治維新以降についても基本的に同じことがいえる。「文明開化」とともに登場したのは、「旧体制下に抑圧せられていた人間の感性的自然の手放しの氾濫」であった。このような「感性的自由の無制約的な謳歌」からは、近代国家を主体的に担う精神は生まれない。明治天皇制絶対国家が確立すると、拘束の欠如型の自由意識は、一方では「一切の社会的なものから隔絶された矮小な小市民生活のなかに」（いわゆる「私小説」の領域）、他方では「日本国家の対外的膨張」のうちにその発露を見いだした。

丸山が「帝国大学新聞」にこの文章を寄せたのは一九四七年八月のことであった。日本の課題は、「明治維新が果たすべくして果たしえなかった、民主主義革命の完遂」であるとし、今後それを担うのは「労働者農民を中核とする広汎な勤労大衆」であるという。そして、その際問題となるのはその勤労大衆が、単なる感覚的な解放を超えて、新しい規範意識、秩序形成型の理性的自由をいかにして獲得するのかという点に帰着すると結論づけている。丸山の洞察から七十年以上の歳月が流れたが、問題は完全に手つかずのままわれわれの前に残されていると感じるのはわたしだけであろうか。

本書を執筆中に、憲法学者、故芦部信喜が一九四六年十一月に弱冠二十三歳で書いた論考「新憲法とわれわれの覚悟」が発見されたという新聞記事に出会った。一部を引用しよう。

論考の冒頭で芦部氏は、個人の自由・権利よりも権力を持つ者に従うという「封建的心情」を国民自らが改める必要性を述べた上で、「若し封建時代から継承された他力本願的な気持ちを清算出来ないならば(略)明治憲法に比し飛躍的な近代的性格を持つ新憲法を時の経過と共に空文に葬り去ってしまう。(…)何らの節操もない為政者を(国民)が選出して異とも感じない考え方が依然として改められず相変わらずの被治者根性に支配されて主体意識を取り戻さぬ限り、新憲法の下に再び過去の変改が繰返される」と懸念を示した。

（「東京新聞」二〇二一年八月十一日夕刊）

日本国民の課題を丸山が「新しい規範意識、秩序形成型の理性的自由」の獲得としているのに対して、芦部は「封建的心情」と「被治者根性」の克服と「主体的意識」の覚醒を語っている。表現は違うが、言わんとするところは同じだろう。

「天皇を戴く国家」像を志向し、基本的人権の思想（天賦人権論＝社会契約説）を敵視し、不正と腐敗の限りを尽くす政党が居座り続ける現状を鑑みるに、戦後の知的世界において歴史に残る重要な業績を残した政治学者と憲法学者が表明した日本国民の課題は、依然として巨大な課題としてわれわれの前に横たわっているのである。

7 「致命的な障害」と「印象的な記憶」

丸山眞男が「日本における自由意識の形成と特質」を発表した一九四七年といえば、日本国憲法が施行された年である。日本人は日本国憲法を得たにもかかわらず、どうもそれだけでは、民主主義革命の完遂のために不可欠な、新たな秩序形成へと向かう自由意識をついに手に入れることができなかった。なぜなのか。何が妨げているのか。別言すれば、「個人を唯一の自然的実在とし、社会関係をすべて個人の目的意識的な産物として理解する」（丸山眞男 1949c：197）社会契約説がこの国の人々の意識下に定着し、行動へのエネルギー源として作用するという事態の現勢化を困難にしているのはいったい何なのかということである。

こうしてわたしは、最初の問いにもどってきた。これまで書いてきたことは、はからずも、二〇一二年十二月に成立した安倍政権以降に露わになった政治の極度の劣化と腐敗を目の当たりにした一市民＝シトワイヤンの思考が右往左往した軌跡を綴ったものになったが、その出発点にあったのは、日本国憲法施行後七十年以上が経過したというのに、なぜ国民は未曾有の犠牲と引き換えに手にしたはずの近代憲法を葬り、ぬけぬけと「天皇を戴く国家」を掲げる勢力に加担し続けるのかという問いであった。そして、その問い自体のきっかけとなったのはフクシマであり、その際の日本人の「規律」と「威厳」にあふれた行動を「市民精神」というお門違いもはなはだしい言葉で形容したフランスメディアの無知・無理解であり、原発事故の災厄を集団的記憶から抹消しようとし（オリンピック）、あまつさえその犠牲者（避難民）を棄民して恥じない政権党を支持し続け、さらにその政党が政治（＝公共の事柄）をどれほど破壊し腐敗させても微動だにしないかに見える日本人の政治意識・公共意識の未成熟度であった。政権の頽廃は目に余るものがあるが、それは裏返せばそれを可能にする国民の側の頽廃をも意味しているはずである。

　要は「自由」をどうとらえるかである。われわれにとってこれほど重要な問題はないであろうから、今度は丸山が引いたジョン・ロックではなく、わたしがこれまでいちばん長く親しんできた思想家ジャン＝ジャック・ルソーのいうことに耳を傾けながら、今一度近代的自由の根本にある考え方を確認しておきたい。[*24] ルソーは専門家以外にはほとんど知られていない『山からの手紙』という著作のなかで、自由を次のように定義している。

> 自由とだれにも依存しないこと indépendance を混同してはいけません。この二つはまったく別のことで、互いに排除しあう関係にさえあるといってもよいのです。自分に都合のよいことは、他者には迷惑ということがしばしば起こります。これでは自由な状態とはいえません。自由とは、自分がやりたいことをすることではなく、他者の意思に隷属 soumis しないということ、さらには他者の意思を自分の意思に隷属させないということなのです。どんな人間でも支配者 maître

の地位にある者は自由ではありません。支配するとは従うことなのです。(…)したがって、法のないところに自由はないのです。法の上にだれかがいるようなところにも自由はありません。人間は万人に命令する自然法 loi naturelle のおかげで自由であるに過ぎないのです。自由な人民は従い obéir ます。しかし奴隷のように仕える servir わけではありません。人民には上に立つ人 chef はいますが、支配者 maîtres はいないのです。人民は確かに法に従います。しかし法にしか従わないのです。つまり、法の力によって人民は人間に従わなくてすむのです。

(ルソー 1979：385 訳文は若干改変、傍点は引用者による)

「人民は確かに法に従います。しかし法にしか従わないのです」とルソーは書いているが、「法」という言葉の前に「みずからが決めた」と付け加えると彼の趣旨はいっそうはっきりすると思われる。この文言を加えてもルソーの思想を裏切ることにならないことは、『社会契約論』第一編第八章「市民的状態について」のなかで、端的に「欲望だけに動かされるのは奴隷の状態であり、みずから定めた法に従うのが自由である」(ルソー 2008：51)と述べていることからも明らかである。ルソーは自由を、人々のあいだに隷属関係がないこと、ある人が別の人に命令する・別の人から命令されるという支配・服従関係が存在しない状態のことであるとしている。人々はみずからが決めた法に、しかもそれのみに従うが、そのことによって彼らは人による支配をまぬがれるのである。根本法は万人に命令する自然法である。そして自然法を目に見えるかたちに書記化したものが法律＝実定法にほかならない。人々は法律を媒介にして自分で自分に命令する自己統治的な秩序を形成するのであり、したがって、ルソー的社会とは支配のない社会という形容を許すのである。法は人々がみずからが定めるものであり、そのみずからが定めた法にみずから従うのであるから、そこには支配関係なるものは存在しえない。

＊24　秩序形成への理性的な自己決定としての自由については、「日本における自由意識の形成と特質」の二年後に書かれた「ジョン・ロックと近代政治原理」のなかの「近代的自由の中核としての自己立法の観念」でも詳しく展開されている。この項の最後の一文は「規範的自由という観念を純粋に押進めて行ったのはいうまでもなくルソーからドイツ観念論への発展であった」（丸山眞男 1949b）である。なお、両論文は『戦中と戦後の間』（丸山眞男 1976）でも読むことができる。

ここでぜひとも思い起こしておきたいのは、マックス・ヴェーバーが展開した「正当的支配の三類型」と「正当的秩序の四類型」にかんする水林彪の所論である。「正当的支配の三類型」とは、①制定規則に基づく官僚制機構支配、②古法（伝統）に基づく家父長的家産制的支配、③神法（啓示法）に基づくカリスマ支配の三つであり、これには「正当的秩序の四類型」の①実定規則秩序、②古法秩序、③神法秩序がそれぞれ対応している。ところが、「正当的秩序の四類型」には「正当的支配の三類型」の中に対応物を見出すことのできない「支配とは別種」の秩序があり、それをヴェーバーは自然法・自然権に基礎付けられた自己統治的秩序（民主制）として把握し、具体的には一七八九年の「人権宣言」が構想するごとき政治的市民社会をイメージしていたのではないか、というのである（水林彪 2016c/p. 139-141）。たしかに、「人権宣言」に内在する社会、あるいはそこから論理的に帰結する社会とは、同輩者たちによる社会であるという点で自己統治的社会と形容しうるものであるから、それはまた法の力によって生み出される、上に立つ人 chef はいるけれども支配者 maître は存在しないルソー的社会、すなわちみずからが生み出した法にみずから従うことによって、人間の人間に対する支配・服従を極小化する社会とも言いうるものである。そしてその際肝腎なことは、そのような第四の秩序――「支配とは別種」の秩序、自然法的自己統治的秩序――の等価物を日本の歴史に求めるとすれば、規模の相違は歴然としているが、徳川幕藩体制が圧服した中世日本の「一揆」にたどり着くということなのである。

「支配とは別種」の秩序としての「一揆」。そしてそれを破壊し尽くした幕藩体制。ここで忘れてはならないのは、幕藩体制の垂直的権力秩序を最終的に正当化していた存在が、ほかならぬ天皇であったという事実である。だとすれば、究極の規定要因は天皇制ということになるのではないか。藤田省三は、明治の天皇制国家について、「憲法上の権利義務関係による政治体制（コンスティチューション！）の建設が意図されているとしても、憲法そのものが君権の道具とされているのであるから、そこでは「法が国家の中にあるのではなく、国家が法の中にある」ことを原則とする法の支配は成立しえない」といい、さらに「ここでは「法は最高権力からのみ生まれる」」と鋭く指摘した（藤田省三 1966：20）。これはルソーが説明する「法の支配」と「支配のない社会」の構想とは真逆の事態である。

ここで思い出されるのは、「昭和天皇をめぐるきれぎれの回想」に残した丸山眞男の次のような言葉である。

敗戦の翌年二月頃に、私は創刊されたばかりの雑誌『世界』に吉野編集長の委嘱によって「超国家主義の論理と心理」を執筆し、これは五月号に掲載された。この論文は、私自身の裕仁天皇および近代天皇制への、中学生以来の「思い入れ」にピタリと終止符を打った、という意味で――その客観的価値にかかわりなく――私の「自分史」にとっても大きな劃期となった。敗戦後、半年も思い悩んだ揚句、私は天皇制が日本人の自由な人格形成――みずからの良心に従って判断し行動し、その結果にたいして自ら責任を負う人間、つまり「甘え」に依存するのとは反対の行動様式をもった人間類型の形成――にとって致命的な障害をなしている、という帰結にようやく到達したのである。

（丸山眞男 1989：35）

丸山は一高生だったころ、「かなり熾烈であった左翼運動に実践的になんらかかわりをもたなかったにもかかわらず、特高の張り巡らした網にかか」り、本富士署で取り調べを受けた。その際に「「唯物論研究会」の講演会に出席した動機を訊ねられ」たので、父親と長い交流のあった長谷川如是閑の名前を出したところ、「馬鹿野郎、如是閑なんて奴は戦争でもはじまれば真っ先に殺される男だ」と怒号を浴びたという。丸山はこのときの「殺される」という言葉が「裁判で死刑になることではなく、虐殺を意味していた」ということ、「国家公務員が平然と「殺す」という言葉を口にできたこと」、「「国体」を否認する「国賊」は法の正当な手続などお構いなしに抹殺して差し支えないという考えが私のようなチンピラ学生を取調べた特高にとっても常識になっていたこと」等を十分に意識しつつも、[*25]なおも「立憲主義的天皇制を肯定する立場」に立ち、昭和天皇に対しても決して悪いイメージを持っていなかったという。引用文における近代天皇制に対する「中学生以来の「思い入れ」」とはそのことを指している。この「思い入れ」が、戦後の出発点を印す画期的な論考によって吹っ切れたわけである。

＊25　このときの特高による「虐殺」の「常識」はことのほか強烈だったようで、丸山は後年「回顧談」でも「如是閑なんて奴は云々」を思い出しつつ、印象深く語っている（丸山眞男 2016a：76）。

こうして丸山眞男は「超国家主義の論理と心理」の執筆をとおして、「日本人の自由な人格形成」を阻む「致命的障害」としての天皇制という視座を手に入れ、「古代からの持続的な契機の理解なしには、近代も現代も把握できない」という確信とともに、古代に遡及し、いわゆる「原型・古層・執拗低音」問題を扱うことになったのであった。[*26]

＊26　日本近代法史の研究から入り、次に日本近代の法のあり方の特徴をもとめて近世幕藩体制の国制研究にいたり、さらには西欧封建制に比すべき中世的世界が近世的国制に転回する論理を明らかにすべく、律令天皇制へと遡った法制史家水林彪は、丸山の問題意識を共有しつつも、その原型（古層）論を批判し、古層・新層融合論とも言うべき考察を展開している（水林彪 2002）。

このような丸山の古代日本への立ち返りがもう一人の炯眼な過去への遡及者の注意を惹かないはず

はなかった。「日本の知識人の精神構造の伝統的な型」を求めて日本の古典を系統的に読み、ついには『日本文学史序説』を書いた加藤周一である。この二人の「歴史意識と文化のパターン」をめぐる対談のなかで、丸山が「みずからの良心に従って判断し行動し、その結果にたいして自ら責任を負う人間」というものが具体的にどういう人間なのかを語っている箇所があるので、それを引用・紹介しておきたい。「歴史は自由な個人が「つくる」ものだという」ブルジョワ思想の根幹に対するアンチテーゼとしてのマルクス主義に言及した加藤に対して、丸山は一つの「印象的な記憶」を紹介している。

一九三三年にナチが天下を取って、授権法を出したわけです。共産党の国会議員は全部、ライヒスタークの放火事件で逮捕されていた。社会民主党はまだ合法政党だったけれども、一部分は逮捕されていた。結局、ナチと中央党が賛成して社民党だけが反対して授権法が通った。あれはヒットラー独裁の法的基礎になるわけですね。あの時に、社会民主党首のオットー・ウェルズの反対演説というのがすごいんですよ。何しろ国会の回りは武装した突撃隊員がぐるりと囲んでいる。傍聴席はほとんどナチ党員で、彼らの野次と怒号で演説はほとんど聞きとれない。そういう中で顔面蒼白になってやってるんです。(…)「この歴史的時間において、私は自由と平和と正義の理念への帰依を告白する……」そのあとに「いかなる授権法もこの永遠にして不壊なる理念を滅ぼすことはできない」といって、以下「全国の迫害されている同志に挨拶を送る……」と続くんです。(…) 明日にも強制収容所ゆきになるかもしれない。しかも見える限りの人民はあげてハイル・ヒットラーでしょう。国家権力対人民なんていう二分法はまったくアクチュアリティがなくなっている。ウェルズは、そういう重たい、いまの歴史的現実にたいして、自由と平和と正義を「永遠不滅の理念」として対峙させた。（…）ぼくなんかの学生時代の教養目録では、エンゲルスの『反デューリング論』でしたからね。自由・平等の理念の永年性についてのブルジョワ的幻想とおしゃべりをこきおろして、そういう「観念」の歴史的制約を暴露したのが頭にこびりついている。それだけに、（…）戦前の最後のマルクス主義の世界観政党の首領が、「歴史」に追い詰められた絶体絶命の場で、「永遠にして不滅なる理念」へのコミットメントをうめくように洩らしたのは強烈な印象だったんです。ちょうど大学生時代にかけて日本は雪崩をうったような転向時代でしょう。（…）そういうなかで、ずっとぼくの頭からはなれなかった問題は、歴史をこえた何ものかへの帰依なしに、個人が「周囲」の動向に抗して立ちつづけられるだろうか、ということです。

（丸山眞男 1972：256–257）

オットー・ウェルズの演説から四十年近くたっているというのに、それをドイツ語で諳んじることができるほど感動した丸山の前にいる対話者は、あの「戦争と知識人」の著者である。丸山は本富士署で取り調べを受けた際の特高の怒号とその特高が平然と言ってのけた「殺す」という言葉を思い出していただろう。対する加藤周一は、ウェルズの姿に、十五年戦争の時代の「天皇神格化の時代錯誤とそれに伴うすべての理性的思考の破産という」現実を前にして、「天皇・民族・国家をひとまとめにした「日本」を超える」何らかの価値に依拠できたきわめて少数の日本人[*27]の顔を重ねていたに違いない。

＊27　加藤周一が挙げているのは、永井荷風、矢内原忠雄（無教会派キリスト教徒）、渡辺一夫（フランス文学者）、宮本顕治・百合子夫妻（共産主義者）、大内兵衛・有沢広巳・脇村義太郎（マルクス経済学者）といった人々である。天皇制国家を超えることを可能にしていたのは、概して「ブリッジ」が換喩的に指示しているイギリス的なもの、「七月十四日」が象徴的に表しているフランス的なもの、要するに西欧近代的な価値――自然権＝至高の価値としての精神の自由は国家に優先するという考え方、いや、さらに正確を期せば、国家はそのような価値を保護するためにこそ存在するという考え方――への自己同一である。とりわけ、狭い学者や知識人の世界を別にして、「高級官僚、財界、海軍部内、またおそらく貴族の一部も含めて、戦争に反対した人々の名前を手当たり次第に思いうかべるとき」、彼らに共通する一点が「イギリスで教育を受けたということである」という指摘は興味深い。そのなかには、驚きだが、戦時中憲兵に追い回されていたという吉田茂もいたという（加藤周一 1959a：388）。

「戦争と知識人」は「超国家主義の論理と心理」から十三年後の一九五九年に書かれた文章だが、これには一九七九年に書かれた「追記」があって、それは次のような記述で閉じられている。

この追記を書いている一九七九年、すなわち「戦争と知識人」という私の作文の二十年後、その戦争の指導者たちは靖国神社に祀られ、元号は法制化された。そういうことはひるがえって戦争と日本の知識人との関係について、また日本人とそのカミとの関係について、多くを語るだろう。それは特殊日本的な現象である。たとえば、今日の西ドイツで、かつての戦争指導者たちがいかなる意味でも祀られるということは、到底想像できない。

（加藤周一 1959a：403）

加藤はこの「特殊日本的現象」のなかに、日本国憲法下に生きる日本国民の苦々しい敗北を認めているように見える。実際、これが敗北でなくてなんであろうか。それは、たとえば建国記念の日制定以来経験してきたあまたの敗北のひとつに過ぎないかもしれないが、敗北は敗北である。この敗北はわたしにもうひとつの敗北を思い出させる。石母田正の『中世的世界の形成』第四章「黒田悪党」の最後のページに読まれる黒田悪党の敗北である。いわく「黒田悪党は自分自身に敗北したのである。板蝿の杣の寺奴の血と意識が、中世の地侍の中から完全に消え去っていたとは誰もいい切ることは出来ない。子々孫々同一土地において同一支配者を戴き、同一の神仏を礼拝する場合、数世紀は数十年に等しいのである。地侍が悪党であることをやめ、庄民がみずからを寺家進止の土民であると考えることをやめない限り、古代は何度でも復活する」（石母田正 1946：417 傍点は引用者による）。

岩波文庫版『中世的世界の形成』の巻末には、石井進による解説がついている。そのなかで、解説者は、石母田自身の「戦前、私にとって最大の課題は天皇制の問題であった。それは一言でいえば天皇制に呪縛された多数の日本人民との対決の問題であり、同時に自己との対決であった。（…）人民の力と意識の停滞、後退は、歴史の発展を停滞または後退させる」という言葉を引いたうえで、「古代的支配者＝東大寺のもとに蹉跌と敗北、その結果としての「古代の再建」をくり返してきた小世界（伊賀国黒田庄）」は石母田の目に映じていた戦前の日本社会の投影であり、「寺奴の論理をふりかざしてこの小世界に君臨し続けた東大寺」とは「天皇制の暗喩」にほかならないと指摘している（石母田正 1946：459)。つまり、「古代は何度でも復活する」の「古代」を天皇制と読み替えて、天皇制は何度でも生き返る、国民がみずからの隷属状態を自覚しない限り、決して死ぬことはないと理解すべきなのである。

「すべての歴史は現代史である」という言葉があるが、『中世的世界の形成』、とりわけ「黒田悪党」の章を読むと、わたしにはそれが確かにひしひしと感じられるのである。

8 日本語を問う

「致命的な障害」としての天皇制という認識（丸山眞男）、「天皇制的なものを糾弾し、断罪することだけによっては解決されないその基盤を、どのようにしたら根こそぎにできるのか」という問い（石母田正）、事の核心はどうもここにあるようである。戦中・戦争直後の時点で二人の巨匠級の学者によって剔抉された問題は、その後国民的な規模でまっとうに受け取られることなく、時間が今日まででいたずらに経過したということなのであろうか。天皇の「お言葉」を発端とする平成から令和への移行の際に、天皇制について、もしくは象徴天皇制について、学問の世界、あるいはより広汎な新聞紙上等で、丸山や石母田の問題提起を受けた本質的な議論はあったのであろうか。わたしは寡聞にして知らない。

天皇制的なものは、今日、自民党的なものというかたちをとって、しぶとく狭義の政治の世界（*la politique*）だけでなく、人々の集団的・共同的意識と行動（*le politique*）のレベルにおいても、それと意識されない強烈な呪縛力を発揮している。今や、かつての教育勅語のように、学校で強制力をともなって子どもの意識の奥深くに刷り込まれるようになった国旗（日の丸）と国歌（君が代）については、あらためて指摘するまでもなかろう。国際的なスポーツイベントで金メダルを獲得した選手が日の丸に身を包んで喜ぶ姿——ぞっとする光景——を目にすることがあるが、その選手はみずからの行為が天皇制と地続きであることを意識してはいないだろう。日本人の時間意識が天皇の代替わりによって元号が変わるというかたちで天皇制に縛られているという、世界的に見てきわめて珍妙な事実も存在する。わたしの住む町に新しくできた小学校の名前は「令和小学校」である。そこで六年を過ごした子どもたちは「令和」を当然のごとくに受け入れ、長じては愛着を禁じ得ないだろう。日の丸・君が代・元号を法制化した権力の意図は明らかすぎるくらい明らかである。

さらには、新聞で春と秋に報じられるので日常化し当然化した叙勲・叙位の制度がある。これは、紆余曲折を経ながらも、古代律令天皇制成立以来今日まで延々と続いている制度である。位階は垂直的階層構造における「天皇との距離を示す」印であったから、戦前の日本では非常に大きな意味を持っていた。今日では、死没者に与えられるというかたちで存続している。明治以降、天皇大権の一つとして重要な役割を果たした勲位の授与は、敗戦後の生存者叙勲の復活により、最大の栄典制度として今日に及んでいることを忘れてはならない（網野善彦1993終章「列島の社会と国家」）。

また、われわれには姓があるが天皇にはそれがないということに、どれほどの人々が自覚的であろうか。歴史家の教えるところによれば、「律令国家が確立し、天皇の地位が確立すると、かつて「倭」を姓としていたとみられる天皇は、氏名（うじな）・姓（かばね）を臣下に与える立場に立ち、自らはそれを持たなくな（った）」という。要するに、全国的な戸籍の作成によって、「氏名、姓を天皇が賜与するという形」（網野善彦1989）が制度化されたわけである。これが、「すべての日本人が天皇ないしその祖先神に帰一するという、戦前、実際に強調され、信じこまれてきた虚構」(網野善彦 1993：411)の根拠であるにちがいない。

それからさらにもうひとつ、一九六一年に遡るが、藤田省三と大江志乃夫との鼎談における石母田正の発言を、コメントを一切加えずに紹介しておく。

皇太子の結婚式のとき、テレビで見ていると、顕官連中にまざって、大内兵衛、有沢広巳という人たちまで招かれて列席しているのだ。たまたまぼくは大内、有沢両氏とは個人的にもよく知っている間柄なので、ひとしお感慨深かった。そしてテレビ解説者も、戦前、天皇制の弾圧を受けた大内、有沢氏らも本日はこの席に招かれています、などと言っている。いったいこれはどういうことであるかと考えさせられた。これがひとつです。それからもうひとつ。この結婚式は、現憲法の建前からいっても、違反なんです。明らかに私事であるのに、それが国家の行事にされている。だから、天皇制に賛成か反対かは別として、私生活上の事柄が国家の行事にされること自体に対して、まず原初的な批判がなされるべきなのに、それがあまりないように思われた。公と私との弁別さえも、これも古代からあるようなものだが、それが何故原理的にでてこないのだろうか、そういう疑問が起こった。

(藤田省三 1963：195)

天皇制の呪縛は今も抗しがたく続いていると言わなければならない。

後に詳しく触れるが、竹内好は、天皇制について、日本の「一木一草」に宿り、日本人の「皮膚感覚」にまで達しているという語り方をしている。言い得て妙であるが、それは、おそらく、天皇を頂点とする命令・服従的秩序が日本人の意識の深奥にまで入り込み、自然化し、したがって対象化されることなく人々の精神と身体を知らず知らずのうちにまるごと捕縛しているということであるに違いない。その点で、上下の命令・服従的構造が、律令天皇制を正当化する根本法というべき『古事記』の始原的神話世界をすでに打刻しているという事実は注目に値する。高天原の最高神高御産巣日神とそれに次ぐ天照大御神のもとに、八百万の神々があり、最高の二神の命令を受けて日子ホノニニギ命が「葦原中国」に天降った後には、「多くの国神・海神たちが、順次、ニニギ命およびその末裔たちに服属する」（水林彪 2018b：79）という経緯がそのことを示している。

高天原の神々の内部秩序が「命令と受命の秩序」であったことが命名の仕方に現れているという点も見逃すことができない。高御産巣日神と天照大御神の命令を受けて天降る神はニニギ命であるが、末尾の「命」は「重大な事柄を受命する神であること」を意味し、そうであるがゆえに、命令を下す最高神である高御産巣日神と天照大御神には「命」の文字は使われないのである。高御産巣日神・天照大御神の末裔はみな「〜命」と呼ばれ、「「天皇」という王号も、丁寧に書けば「天皇命（すめらみこと）」（古事記）である」という。[*28] 要するに、天皇制律令国家の構想とは、漢字表記の厳密な差異化をともなうほど強固な命令・服従型機構であったということになろうか。

*28　明治の国家神道においては天照大御神のみが最高神とされた。このことを水林彪は、高御産巣日神が

日子ホノニニギ命の母方の祖父であるのに対して、天照大御神は父方の祖であったという事情によって説明している。つまり、男系主義の思想が働いていたということである。

上下の命令・服従的構造の呪縛性は、古代律令制国家の「近代」的変形・再編形態としての明治天皇制国家においても変わるところがなかった。根本法は国家神道であり、そのもとで〈最高神（天照大御神）─皇祖神─天皇─臣民〉というヒエラルヒーが構築された。そして、「小学校祝日大祭日儀式規定」（一八九一）に示されているように、御真影への最敬礼と教育勅語の奉読等をとおして、臣民をば天皇を頂点とする差別的階層構造のなかに取り込んだ。大日本帝国憲法・教育勅語の両方によって構造化される明治国家は、一方では国家神道を根本法とする神権国家であったが、他方では民選議員による議会と裁判所を持ち、臣民の権利を規定し、国家の専制的支配が及び得ない自由の領域を確保せんとする立憲主義的側面をも有する体制であった。その結果、憲法学は神権憲法学（上杉慎吉）と立憲主義憲法学（美濃部達吉）の対抗という形をとった。どちらが勝利したか。言うまでもなく前者である。天皇機関説事件を含む十五年戦争時代の、究極のカタストロフにいたる全過程は、「臣民ハ本来統治権ニ対シテ権利ヲ有スルモノに非ス、唯タ一般的ナル服従ノ義務ヲ負フノミ」（水林彪 2018b：91）という上杉の主張の「正しさ」を完璧に証明するものであった。

究極のカタストロフを代価として手に入れた感のある日本国憲法が国家の最高法規となった一九四七年以降も、天皇制は象徴天皇制という形で存続した。根本法はもはや国家神道であるはずはなく、諸個人の自由と平等を謳う自然法であるが、それとは絶対的に矛盾する天皇制という名の世襲システムが温存された。日本国憲法は、明治天皇制のなれの果ての反省に立って、天皇を「日本国の象徴」「日本国民統合の象徴」と定義し、前者としては国民の目に触れることのない「国事行為」と規定されるごく少数の行為のみを行い、後者としては何も行わない、憲法学者宮沢俊義の表現を借りるならば、「ロボット的存在」にした。にもかかわらず、戦後の歴史は、国民の目の前で行われる、公的行為ないし象徴的行為と呼ばれる公開的行為（正月一般参賀、園遊会、被災地慰問など）の恒常的な肥大化の道をたどった。それは一九七〇年代以降、特に著しい。[*29] 天皇と〈最高神（天照大御神）――皇祖神〉の繋がりは頻繁に行われる皇室祭祀を通じて確認・更新される一方で、天皇と国民の上下敬卑の関係は本来的には違憲のはずの公開的行為によって無限に再生産される仕掛けが生み出された。皇居の中に置かれた壮大な神道礼拝施設で行われるあまたの皇室祭祀は建前としては「私的神事」であるが、「大祭のうちのいくつかは内閣総理大臣、国務大臣、国会議員、最高裁判事、宮内庁職員らに案内状が出されており、これら国政の責任者や高級官僚らは出席すると天皇とともに礼拝を行う」から、祭祀が、「国民には報道されない」とはいえ、「私事」の枠を大きくはみ出し、実質的な国家的行事として挙行されていることにも注意しなければならない。

*29　天皇の「公的行為」ないし「象徴的行為」の膨張が日本国憲法からの逸脱であるという点については、水林彪 2017b を参照。また、首相らの靖国神社参拝問題に関する憲法学説や判例等に向けられた次のような批判的指摘にも注意。「統治機構において要職をしめる人々の行為一般について、〈職務的―非職務的〉軸〈公費使用か私費負担か〉を基準に評価されることが一般であり、肝腎の、〈公開的（öffentlich）―非公開的（privat）〉概念を軸に議論されることは例外的であるように見受けられる。（…）統治機構において

要職をしめる人々については、公開的（öffentlich）な行為こそが res publica（公共的状態＝国家）次元の行為であることを、正確に認識すべきではなかろうか」（水林彪 2018b：112）。

天皇・皇后の葬儀や皇太子の結婚式も、石母田正の言うとおり、完全なる私事であるが、行事は神道祭祀の形を取り、マスメディアがその様子を細大漏らさず国民に見せつけるので、神道祭祀は、大祭の場合よりもいっそう国家行事的な性格を帯びざるを得ない。「規模は格段に縮小した」が、国家神道は「今も生きている」「解体していない」と言われるゆえんである（島薗進 2020）。加えて、すでに指摘した、栄典制度の存続、「建国記念の日」の制定（一九六六）、「元号法」（一九七九）――一世一元制の法制化――「国旗国歌法」（一九九九）の制定や歴代首相による伊勢神宮参拝の慣例化等に見られる、天皇制を媒介とする国民統合政策の拡大・強化の隠然たる影響も忘れてはなるまい。

こういう次第であるから、天皇制――ほとんど集合的な無意識と化した命令と服従のシステム――は、今日においても、なおもわれわれの存在の仕方を深く規定する生の枠組であり続けていると考えなければならないのである。

「政治的主権は家長権の延長であり、国家は家族の拡大であるという説、従って子が永遠に父を崇めねばならぬと同じく、臣民は君主の命令に絶対服従する義務をもち、之に違反する者は祖先に対する背反であると同時に神意に対する反逆である」とするロバート・フィルマー卿の説を紹介しつつ、天皇制について触れたバートランド・ラッセルの文章がある。いわく「恐らく日本を除けば、政治権力をなんらかの意味で親権と同等に扱う様な考え方は近代人には思いも及ばぬだろう。なるほど日本では、フィルマーに酷似した説が今日でも通用し、あらゆる教授や学校教師はそれを教える義務があることになっている。ミカドは天照大神からの一系の相続者である。（…）それゆえ、ミカドは神聖であり、彼に対する一切の抵抗は瀆神である。この理論は一八六八年に発明されたものだが、現在では世界創造以来伝統によって連綿として受け継がれてきたと信ぜられている」。

　このラッセルの『西洋哲学史』からの引用文は、すでに言及した丸山眞男の「ジョン・ロックと近代政治原理」で知った。丸山によれば、ラッセルはこのあと、「現在の文明世界ではこうした考え方がいかに馬鹿馬鹿しく思われようとも、人類発展の一定の段階においてはそれはきわめて自然なのである。スチュアート時代の英国はすでにこの段階を通過したが、近代日本はまだだというだけのことだ」（丸山眞男 1949b：186）と結んでいるという。ラッセルのあっけらかんとした物言いが印象的である。英国がフィルマーの馬鹿馬鹿しい族長権説をロックの時代に葬ったように、日本もいずれは「ミカドに対する一切の抵抗は瀆神である」とする「理論」を克服するはずであるという、歴史の段階的発展についての底抜けに楽観的な見通しのゆえである。

　それにしても、英国の近代はフィルマーを葬ることから始まったというのに、ラッセルはどうしてフィルマーの説に酷似する考え方を信じる日本に「近代」という言葉を冠することができたのだろうか。真実は、ラッセルが考えていたほど単純ではない。丸山が日本人はフィルマーに対するロックの「微に入り細をうがった批判」を精読しなければならないと述べているのは、日本国憲法の時代になっても日本人が近代的思惟の何たるかを学ぶ必要性と重要性は少しも減じていないという認識があったからであろう。

国土の半分が消滅する危険の瀬戸際まで行った二〇一一年の出来事への行政府の対応とそれに根本的な異議申し立てをおこなわないどころか、安倍晋三的なもの・自民党的なものの突出を許してしまう国民の様子を窺っているうちに、わたしはそういう現象のすべてを空気のように媒介している日本語という言語を漠然と意識するようになった。「過去の言語体系は牢固として日本人の思考の運営をしばり、依然として、いわゆる日本的発想の類型に日本人をとりこめようとする」（大野晋 1978 まえがき）という日本語学者大野晋の言葉が妙に心に響いたことが蘇ってくる。既存の秩序の再生産に少なからぬ役割をはたしているはずの言語の役割に意識的になったとき、わたしはいったん意識的に日本語の外に出てみるという冒険心に身を任せる誘惑にかられた。それは逆にいえば、フランス語とフランス語が媒介する社会関係の襞のなかに入り込む、深く内在するということである。日本語以外の言語で自分がそのなかで動けると感じられる言語は、わたしの場合フランス語しかない。『他処から来た言語』刊行の後も、フランス語で文章を書くという決して楽とはいえない作業に挺身し、フランス語で書物を著すというフランス社会における社会的行為とそれが引き起こすあらゆる出来事を身をもって生きてみる決心をした背景には、大袈裟に聞こえるかもしれないが、天皇制の呪縛に対するそのような、フランス語を四十年以上も勉強し続けてきた一フランス語教師としてのこだわりがあったのである。

実をいえば、わたしは、このこだわりについて、すでに一度語ったことがある。『思想としての

〈共和国〉』の増補新版に寄せた「すべては、人民をつくる政治的結合からはじまる」という文章の最後の部分がそれである。目前に控えた参院選の結果しだいでは憲法改悪の現実味が一挙に増すことが危惧されていた二〇一六年初夏のことであった。やや長くなるが、あえて引用する。

最後に一点だけ付け加えたいことがある。それは言語問題の重要性についてである。わたしは、市民社会・政治社会を成り立たせる「政治秩序形成原理」を自治的秩序原理とし、その構成要素として社交様式と言語実践のふたつをあげた。社会と言語の関係は複雑極まりないが、確かなことは、社会が言語を生み出し維持するという側面と言語が社会を再生産し続けるという側面の両方が存在するということである。垂直的・階層的・命令的秩序はそれに対応する言語態を持つ。そして、そのようにしてできた言語態は逆にそれを生み出した垂直的・階層的・命令的秩序を再生産し補強する機能をはたす。だとすれば、日本的共同態の「政治秩序形成原理」を改変するということ、言い換えれば「垂直的・階層的・命令的秩序」を変容させるということは、言語態それ自体に揺さぶりをかけるということでもあるだろう。つまり、いずれは固有の秩序を再生産する日本語それ自体が問題化されなければならないのである。

ハンナ・アーレントも言うように「言語の中にあるひとつの言葉が存在しないということは、その言葉に相当するものを思考できないということを意味する」。わたしたちは、西欧との出会いを経験するまで日本語のなかに存在することのなかった「個人」「人民」「市民」「市民社会・政治社会」といった言葉の思考内容を、今では思考できるようになったのだろうか。こういう、フランス語ではきわめてありきたりの語彙ですら、実はこの国においては人々の意識に深く根を下ろしているなどとはお世辞にも言えない状況なのではないか。「わたしの言語の境界（限界）は、わたしの世界の境界（限界）を意味する」（ヴィトゲンシュタイン）ということなのだろうか。

日本語の問題化は、わたし個人の場合は、日本語の外に出るという極端なかたちをとった。二〇一一年以来、わたしは、今書いているこの文章（と「あとがき」）を唯一の例外として、およそ文章なるものをフランス語でしか書かなくなったからである。そしてこれまでに三冊の著作をガリマール書店より上梓した。フランス語の語彙のひとつひとつを自分のものにすること、文法の厳格な規則体系のなかに自分の身体をあわせるように滑り込むこと、名詞中心の合理化・抽象化のプロセスを感得すること、文章の構成美学に慣れ親しむこと、言語の音声的効果に対する感性を磨くこと、そしてフランス語で書くことに随伴するすべての作品内的人称関係・作品外的人間関係が形成している社交様式のいっさいを引き受けること、つまりは、日本語とは違って、表現主体による発話行為がどのような状況のもとで展開するのかということに左右される度合いがきわめて低い確固たる「物の世界」とその分節化形態をわがものにすること、そういった言語的実践のすべてをとおしてフランス語を真に内側から経験することは、わたしにとっては、つまるところ、西欧の市民的政治社会の根底にあるものを思考する経験なのであり、さらには、不可視の――日本人にはもちろんのこと、いまやフランス人にさえも不可視の――西欧的「政治秩序形成原理 *le politique*」を触知するための必死の努力にほかならないのである。

（水林章 2016）

この引用文の肝心要は、「日本語とは違って、表現主体による発話行為がどのような状況のもとで展開するのかということに左右される度合いがきわめて低い確固たる「物の世界」」という箇所である。

二人の日本人が会話をしている場面を思い浮かべてみよう。二人は話し手と話し相手の役割を交互に引き受ける。日本語では、だれもが経験しているように、話し手による語彙の選択と構文の組み立て方は誰が話し相手なのか、話し相手の社会的地位、職業、年齢、性別等によって微妙に、あるいは大きく変化する。学生が先生に話をするのと、仲間の学生に話をするのとでは文の姿が大いに異なる。たとえば、同じゼミの仲間には「昼ご飯、もう食べた？」と言うだろうが、先生に対しては「昼食はもうお食べになりましたか」とか「昼食はもうお済みですか」というような感じになる。この例で、昼の食事をとったかどうかという単純極まりない事実を話題にする言語行為が、それが埋め込まれている具体的な状況・場面にはなはだしく依存しているということがよくわかるのではないか。一般的な規則（文法）があって、それがあらゆる状況に超越しているのではなく、逆に規則は多様な具体的状況に下降的に内在し、言語外的事実（目上・目下の関係）に規定されながら普遍的（ユニヴァーサル）な性格を失い、個別具体的（パティキュラー）事例に分解してしまう。話し手と話し相手をともに包含する客観的世界（それをわたしは「物の世界」と呼んだ）があり、それに両者が共通の言語規則を用いてアクセスするというのではなく、複雑で多様な具体的状況ごとに規則がはてしなく細分化するわけである。いかなる言語も状況と無関係に使われるわけではないから、依存がまったくないということはありえない。ただ、状況・発話場面への依存度が高いか低いかという違いはあるわけで、日本語はフランス語に比べると途方もなく高いといえるのである。

加藤周一は記念碑的な『日本文学史序説』の本格的な叙述の前に、正当にもまず日本語についての一般的な考察をおいた。加藤の次のような指摘——それはこの希有な知性がアメリカやカナダでは英語で、ベルリンではドイツ語で、そしてパリではフランス語で講義し、当地の知識人と交流した経験とそこに発する実感に根ざしているはずである——は、わたしが述べたことを補強して余りあると思う。

日本語の文はその話手と聞手との関係が決定する具体的状況と、密接に関係しているということ。たとえば極度に発達した敬語の体系は、話手と聞手の社会的関係に直接呼応している。またたとえば、主語が話手である場合、またあきらかに聞手である場合に、主語の省略されることも多い。文中の主語が明示されるかされないかは、その文が話される具体的状況によるのである。文の構造、すなわち言葉の秩序が、具体的で特殊な状況に超越し、あらゆる場合に普遍的に通用しようとする傾向は、中国語にくらべても、西洋語とくらべても、日本語の場合、著しく制限されている。そういう言葉の性質は、おそらく、その場で話が通じることに重点をおき、話の内容の普遍性（それは文の構造の普遍性と重なっている）に重点をおかない文化と、切離して考えることができないだろう。その文化のなかでは、二人の人間が言葉を用いずに解りあうことが理想とされたのであり、主語の省略の極限は、遂に、文そのものの省略にまで到ったのである。またおそらく文の構造が特殊な状況に超越しない言語上の習慣は、価値が状況に超越しない文化的傾向とも、照応している。

（加藤周一 1975：19–20）

発話状況への極度の依存性をもっとも雄弁に示しているのは、西洋人には想像しがたい日本語における人称の複雑怪奇さであろう。[*30] 日本語には一人称・二人称を示す語がきわめて多い。三輪正によれば、ベトナム語、タイ語、カンボジア語、マレー語、インドネシア語、チベット語にも多くの一人称・二人称があるそうだから、日本語だけの特徴とは言えないが、日本語が世界でもっとも多くの一人称・二人称をもつ言語の一つであることは間違いないようである。[*31]

*30　語の選択が発話の状況に極度に依存しているという点についての、森田良行（日本語学・日本語教育専攻）の次のような指摘も重要である。「日本語は発話の場面と相手との人間関係によってさまざまに言葉を使い分ける言語なのである。いってみれば、その相手を自分がどのように受け止め待遇しているかを先方に知らせる「己の視点」と「受け手の心」とが常に表現の底にあり、それによって言葉選びを決め、そこから抜け出せない民族といってよかろう。Miss や Mrs. のような、話者の視点を離れた客観的なとらえ方をする言語ではないのである。（…）聞き手である相手次第でどの語が適切か変わってくるというように、日本語は、使用者が絶えず自分と相手との人間関係や発話の場面を計算しながら語彙や表現形式の選択を行っていかなければならない言語なのである」（森田良行 1998：68–69 傍点は引用者による）。外国人学習者による日本語習得の困難の核心は、この点にあると思う。普遍性の欠如あるいは個別的状況の無限性という事態を前にして、異邦の知性は途方に暮れるのである。

*31　三輪正によれば、日本の古代から現代までの一人称の数を五十一個、二人称のそれを八十一個とする研究者がいるとのことである（三輪正 2005：21）。また同じ著者の『日本語人称詞の不思議』（三輪正

2010）をも参照。

日本語における一人称・二人称の多数性は、例えばI-YOUだけの英語、JE-TU/VOUS（わたし――君・あなた）しかもたないフランス語と比較した場合、著しい特徴である。具体的にいえば、話し言葉、書き言葉の両方で現用と思われるものだけに限っても、一人称単数としては、ワタシ、ワタクシ、アタシ、ボク、オレ、ワシ、アッシ、ジブン、ショウセイ（小生）などがすぐに思い浮かぶ。二人称単数として馴染み深いのは、アナタ、アナタサン、アナタサマ、アンタ、キミ、オマエ、オマエサン、オタク、ソチラ、テメエ、キサマ、タイケイ（大兄）、キケイ（貴兄）、ガッケイ（学兄）だろうか。これだけでも使い分けが大変だが、日本語には親族名が二人称として転用されるという現象がある。先日、わが家を訪れた東京ガスの人なつっこそうな職員が壁に飾ってあるデッサンを見て、「これ、オトウサンが描かれた？」と言ったので、その現用性をあらためて確認したということがあった。オトウサンのほかにも、オカアサン、オクサン、オカミサン、オネエサン、ネエサン、ニイサン、オニイサンなど、商店街を歩いているとよく耳にする表現である。いや、二人称に転用されるのは親族名だけではない。三人称の敬称や呼称が二人称になることも見逃せない。センセイ、オヤブン、オヤカタ、タイショウ、オキャクサン、オジョウサン、ダンナ、ボッチャンなどである。二人称として使われる親族名のなかには一人称に反転するものがあるので、それもまた具体的使用法を複雑にしている。たとえば、父親が遠足に行く子どもに向かって「オトウサンも行きたいな」などと言う場合である。さらに、これとは反対に一人称が二人称の代用になる場合も頻繁にあるので、事態はいっそう錯綜する。迷子の子どもに「ボクはひとりなの？　お父さんとお母さんは」と尋ねる場合や、若奥さんが亭主に「ボクきょう何時に帰る？」と聞くケース（大野晋が引いている例）などがそれにあたる。

また次のようなこともある。手紙やメールを送る場合、受け手を明示してから本文を書き出すわけだが、その受け手の名前のあとにどういう接尾語を付けるかが日本語ではつねに問題になる。何も付けないという選択は呼び捨てになり、まずありえない。行政的な文書では「～殿」が一般的だが、私的場面で最も一般的なのは「～様」であろう。しかしこれを漢字で書くか、ひらがなで「～さま」とするか、だれでも迷ったことがあるに違いない。教えを受けた人なら相手を「～先生」と呼び、医者や弁護士などに対しても「～先生」というのが常識である。教師が学生に書くのであれば「～君」となる。一通のメールを複数の受け手に送る場合などは、「～先生」「～さん」「～君」が混在しても少しも不思議はない。さらに、先生と生徒・学生の関係、「～先生」＝「～君」と呼び合う関係は固定的だということも無視できない性質である。つまり、小学校のときの「先生」はいつまでたっても「先生」であり、別様に呼ぶことは難しい。大人になってからのクラス会や同窓会でだれもが経験することのような事実は、一度出来上がった上下の社会関係が変容する可能性が非常に限られていることを示している。そして、それを不動のものとして支えているのがほかならぬ一人称・二人称語なのである。

こういう具合に、日本語の一人称・二人称は対話者がだれなのか、どういう属性の持ち主なのかという発話状況の特殊性・具体性に深く依存している。西洋人がこの規則ならざる規則を習得するのは至難の業のように思える。外国人が人称システムの複雑さを意識して、それを完璧に使いこなしたいと望むからなのか——あるいは使いこなせることをひけらかしたいからなのか、へりくだって——あるいはそれが過ぎて——今日の日常的場面ではもはやだれも口にしない「拙者」や「愚生」などを使用してしまう場合があるようだが、そういう外国人が望まずして演じてしまう滑稽はむしろ彼らの言語感情の欠如・不十分さを逆証していると言えるだろう。

森有正（一九一一～一九七六）という哲学者・作家がいる。幼少のころからフランス語に親しみ、長じてデカルトとパスカルの専門家になったが、一九五〇年にフランスに渡り、結局はパリに住み着き、一九七六年にパリで帰らぬ人となるまでパリ大学東洋語学校で日本語を教えること二十年に及んだ。フランス語にもっとも深く内在することのできた稀な日本人の一人だろうと思う。森の日本語についての思索についてはあとでもう一度十分な紙幅を割くつもりだが、ここでは、ただ、彼が「日本語は、共同体そのものの中に半ば埋没した言葉であり（…）、文法的性格が絶無であるとは言えないが、かなり稀薄」な言語で、したがって日本文法がヨーロッパ語の文法に刺激されて出来上がったとしても、それが「実際に日本語を使用し、書くためには殆ど役に立たないものであることは、教授の実際上痛切に体験した」と言っていることを紹介しておきたい。

日本語は「文法的性格が絶無であるとは言えないが、かなり稀薄」であるという表現には問題があると思うが（というのは、文法のない言語は存在しないからである）、森がこのようないかにも極端な言い方を用いて示唆したいのは、加藤周一の場合と同じように、「文の構造、すなわち言葉の秩序が、具体的で特殊な状況に超越し、あらゆる場合に普遍的に通用しようとする傾向が（…）著しく制限されている」という事実なのだろうと、わたしは推測する。フランスでフランス語に深く沈潜し、フランス語で日記を綴ると同時に日本語でも旺盛な執筆活動を絶やさなかった知識人が「痛切に体験した」ことは、日本人フランス語教師やフランス人日本語教師の呑気な感想とは次元の違う重みを持っているはずである。森は「日本語を学ぶのにもっとも有効な方法は、出来るだけ沢山の重要成句を暗記させることである」という。これは要するに、場当たり的に、片っ端から例文を覚えるしか方法がないということで、このこと自体が「日本語の複雑性には言語外的要素が多く働いている」（森からの以上の引用は森有正 1969：217–218）ということ、つまり加藤周一にならえば「言葉の秩序（＝文法）」が「具体的で特殊な状況」に超越しないということを示唆しているといえよう。森の場合、このことが「文法的性格が絶無であるとは言えないが、かなり稀薄」であるという感想を導き出しているわけである。

十六世紀末に日本を訪れたポルトガル人イエズス会士のジョアン・ロドリゲスが、『日本大文典』という大部の日本語解説書を著している。日本語教育の片鱗さえ存在しない時代に、日本語を習得するだけでなく、これだけの知識を体系化して一書を完成させるとは凄い人がいたものだとただただ驚くばかりだが、その中の「動詞に接続する尊敬及び卑下の助辞に就いて」という章を、ロドリゲスが次のような言葉で閉じていることがわたしの注意を惹く。「要するに、尊敬及び丁寧の言ひ方に関しては多くの特殊な事柄がある。その一つ一つが基づくところの規則を学ぶよりは、むしろ、よく知ってゐる人たちが如何に使ってゐるかに注意し、習慣によって学ぶのが勝ってゐる。さうすれば、必要なことを記憶することができるであろう」（ロドリゲス 1955：601）というのである。ロドリゲスもまた、彼から三百五十年後に『日本語教科書』（森有正『日本語教科書』大修館書店（一九七二））を書いた森有正と同様に、「共同体そのものに半ば埋没」している日本語は「習慣によって学ぶ」以外にないとの結論に達したようなのである。興味深い一致ではないだろうか。

9　一人称と二人称

日本語の一人称・二人称の特異性を逆照射する例がある。

都内のある外資系企業に勤める女性から聞いた話である。障害のある人を一定の割合で従業員として正式に雇わなければいけないとする法律にもとづいて、知的障害をもつ若者が働くことになった。外見上は二十歳の男性だが、精神的には十歳そこそこのいわゆる知的障害をかかえる若者だ。彼の仕事は会社に届いた郵便物を所定の部署や個人に届けることで、それが終われば帰宅する。作業に慣れた青年は、上は社長から下は長期アルバイトまで、相当な数にのぼる社員全員と顔見知りになり、一人ひとりの名前を記憶するにいたった。社員の注意を引くのは、この青年がみなの名前を記憶しているということではない。それも驚きだが、それ以上にはっとすることがある。青年の言葉使いである。彼は郵便物を渡す相手が社長であろうと誰であろうと、その人が会社のヒエラルヒーのなかでどういう地位を占めているのかということにはいっさい配慮せず、一様に相手を「アナタ」と呼ぶのだそうだ。「コレ、アナタノユウビンデス」といった感じであろうか。誰に対しても一様に、普遍的に「アナタ」を使用して憚らない、青年の自然な態度に、わたしにこの話をしてくれた女性を含むまわりの社員は感嘆すると同時に、何とも言いようのない、微笑ましくもあり、また爽やかでもある不思議な気分を味わうのだという。「普通」の社員なら、身の程を知り、自分をわきまえて、話し相手の格によって二人称を使い分けなければならないのだから、何と非常識なという憤慨に近い反応を引き起こすところだが、この場合、青年が抱えるハンディキャップが作用して、誰も彼を責めたり、咎めたりはしない。むしろ個別（パティキュラー）の束として存在する世界で汲々とする人々は、普遍（ユニヴァーサル）の世界を悠々と泳ぐ青年を羨ましく思っているふしがある。そういう想像が働いてしまうのは、話者と対話者がともに日本人でも、育った国が英語圏だったなどの理由から両者とも英語が達者な場合には、自然に英語が選択されるということがしばしば起こると、普遍的に「アナタ」を使用する青年の話をしてくれた女性が言っていたからである。

似た経験はわたし自身にもある。フランス語で本を出すようになってから、文学フェスティヴァルや書店での討論会などに呼ばれるようになり、フランス各地を頻繁に旅行するようになったが、そういう活動の過程で、わたしは五十年近くフランスで生活している日本人の画家Tさんと知り合いになった。画家を目指して十代の終わりにフランスに渡り、そのままフランスに住み着き、フランス人女性と家庭を持ち、子どもを育て、しまいにはフランス国籍まで取得した日本出身の男性である。その人と初めて会って話をしたときは、日本語で話したが、その後は、はっきりした合意を経ることなく自然にフランス語を使うようになった。わたしの連れ合いがフランス人であることや、Tさんを囲む友人たちの多くがフランス人だということが作用していることは否めないが、それは主要な理由ではない。なぜなら、Tさんとのメールのやりとりはつねに百パーセントフランス語だからである。Cher

T／Cher Akira と書くのと、T様／水林様と書くのでは、紡ぐ関係の質が同じではないということを両人とも十分に意識しているからに違いない。

国語審議会が一九五二年四月に文部大臣天野貞祐に提出した「これからの敬語」という建議書がある。この文書には「自分をさすことば」について「「わたし」を標準の形とする。「わたくし」は、あらたまった場合の用語とする」とあり、また「相手をさすことば」については「「あなた」を標準とする。(…)「きみ」「ぼく」は、いわゆる「きみ・ぼく」の親しい間柄だけの用語として、一般には標準の形である「わたし」「あなた」を使いたい。したがって、「おれ」「おまえ」も、しだいに「わたし」「あなた」を使うようにしたい」と書かれている。また、言語学者・ラテン文学翻訳家として知られる泉井久之助も、まったく同じ時期に、二人称詞としては「あなた」を使い、動詞は「です」「あります」に統一し、「露骨な敬語意識と繁用はぬぐってゆくのが妥当であろう」(三輪正 2000：131) という発言を残しているという。

それから七十年におよぶ歳月が流れたが、建議書を草した人たちと泉井の希望は完全に裏切られたというほかはない。「あなた」と「きみ」の標準的使用はまったく定着せず、一人称・二人称システムの複数性と複雑性は牢固として崩れる気配さえない。当然といえばあまりに当然である。言語は、なかんずく日本語の人称詞は社会における人どうしの関係と切り離すことができない、いや関係そのものにほかならないのであるから、当の関係が変わらない限り言語を人工的に改変することなどできるはずがない。

人称のことを英語ではパースン、フランス語ではペルソンヌという。パースン＝ペルソンヌの語源はラテン語のペルソナで、ペルソナは演劇で俳優がつける、声がよく通るように特殊な仕掛けをほどこした仮面を指している（ペルソナ＝仮面自体は「響く」という意味の動詞ペルソナーレから来ているらしい）。仮面の本質的な機能は、役者の個性的な表情を隠して彼を劇世界における役割に還元することにあるが、実は人称詞についても同じことがいえる。英語、フランス語の一人称詞（人称代名詞）とは単に「話す人」を意味する機能語に過ぎない。「机」や「椅子」のごとき普通名詞に固有の事物的・事象的意味をもたないのである。二人称詞についても同じである。「ユー you」や「ヴー vous」には「聞く人」以外の意味はない。言語学では、発話の具体的状況と結びつくことではじめて意味を生じる一連の語彙（「いま」「昨日」「右」「左」「明日」「昨日」など）をまとめて「指呼詞」ないし「指示詞」（デイクティック déictiques）と呼ぶが、「話す人」「聞く人」といういわば内容なしの機能だけに還元される一人称・二人称詞も当然このカテゴリーに入る。

ところが、日本語の一人称・二人称詞は純粋な意味での「デイクティック」とは言いがたい。というのは、日本語人称詞は、西洋語とは著しく違ってその数がはなはだしく多く、無表情・無感情の「話し手」ないし「聞き手」という仮面の役割をこえて、それぞれが不可避的に固有の感情や心理状態を表意するからである。たとえば、一人称詞についていえば、日本社会のなかで日本的社会関係を内部から生きて育った人間ならばすぐに、ワタシ、ワタクシ、アタシ、アタイ、ボク、オレ、ジブン、ワシ、ワッシ、ワタクシメ、ワタクシドモ、テマエドモなどといった言葉を思い浮かべることができるが、その知識の根底には一つ一つの人称詞に固有の、独特の「感じ」「感情」がある。二人称詞のアナタ、キミ、アンタ、アンタサン、アナタサマ、オマエ、キミ、キサマ、テメエ、オヌシ、オタク、オタクサマ、センセイなどについても同様である。このような人称詞を自由に使い分ける、あるいはすべてを使わないにしても（それは稀だろう）、そこに付着した「感じ」「感情」を感じることができなければ、本当の意味で日本語を知っている、こなしているとはいえない（三輪正 2005：104–105）。それでは、この「感じ」「感情」を感じるとはどういうことだろうか。それは状況ごとに適格な一人称・二人称詞を使って実際に振る舞うことができるということ以外ではないだろう。実際、日本語話者は、多くの場合、自分と相手との関係をもっぱら上下、尊卑、強弱の関係として認識し、そのようなものとして行動し生きている。たとえば、相手が困っている様子なので、助けを申し出る場合、相手を自分との関係においてどのように見るかということが言葉のかたちを大きく変えてしまうという事例がある。相手の表象（相手が自分よりも上か下か）によって、日本語話者は動詞表現を瞬時に変える早業を本能的にこなしている。この点について三輪正は、英語ならば誰に対しても May I help you ? ですむのに、日本語では普遍的に通用する言い方がなく、相手によって（相手が実際にどういう人なのか、あるいは相手をどういう人と見るかによって）、次のような多様な表現が要請されることを指摘している（三輪正 2000：95）。

・お手伝いできることありますか。
・お手伝いしましょうか。
・手伝いましょうか。
・手伝おうか。

・助けてやろうか。

これに「お手伝いいたしましょうか」「手伝う?」「助け必要?」「助っ人になろうか」などを付け加えてもよいかもしれないし、さらにほかにも考えられよう。それはともかく、ここで重要なことは、このような表現の多数性を丁寧さの度合いの複数性と混同してはならないという点である。英語やフランス語の場合、丁寧さの度合いに応じて言い方がわずかに変わることはあるが、相手を上下に格付けし、その結果として言葉の様相が一変するなどということはない。

さらに、このこともまた非常に重要なのだが、人称詞の使用に鮮明に現れるように、日本語の運用は対称的・相称的ではないという点にも注意しなければならない。英語やフランス語では言語を中心軸にして話者Aと対話者Bがほぼシンメトリーの関係にあり、同じ言葉、同じ言葉づかいで向き合うのが基本である。日本語ではそうはいかない。たとえば、平社員と部長のどこにでもありそうな次のような会話を想像してみればよい。

部長「この企画について、ワシにも考えはあるが、キミはどう思うかね。言ってみたまえ」
平社員「ワタシの意見を申し上げる前に、ブチョウはどうお考えなのか、まずそれをお聞かせください」

あるいは、街の文房具店で実際に耳にした年配の男性客と女主人の会話は次のような具合である。

客「オタクはチョークはあるかね」
女主人「はい、ございます、ワタシドモは白だけになりますが。こちらでございます、オキャクサマ」

丁寧な言い方、乱暴な表現という対称軸はおそらくあらゆる言語に共通する現象であろう。このこと話者・対話者を上下に格付けする敬卑・強弱表現のシステムを混同してはならない。ここでわたしが問題にしているのは言語表現が丁寧かそうでないかということではない。ここであげた部長と平社員の例、客と女主人の例に関して言えば、いずれの場合も話者と対話者はそれなりに丁寧な話し方をしていると言えるだろう。しかし、その丁寧さとは別のより本質的な次元で、両者は上下・貴賤・強弱の階層的秩序の中に位置づけられているのである。

フランス語でアナタ vous とワタシ je のあいだで、「言う dire」あるいは「持つ avoir」という共通の動詞を中心に構築される関係が、この二例では人称のうえでも、動詞の使用のうえでも非対称的であり非相称的であること、一目瞭然である。「ワシ・キミ」「ワタシ・ブチョウ」「言ってみたまえ・お聞かせください」と「一人称省略・オタク」「ワタシドモ・オキャクサマ」「ある・ございます」という非対称性・非相称性が正確に反映しているのは、部長と平社員および客と商人の上下＝強弱関係であり、したがって話者と対話者の不平等ないし非対等的関係である。売り手（商人）と買い手（客）の場合、買い手が上ないし強で、売り手が下ないし弱となるのが普通だが、戦時中のように物不足になると、この非対称的関係が逆転して、売り手がぞんざいな言葉づかいになり、買い手がへりくだるという事態も起こりうる。実際、三輪正が引いている坂口安吾（『敬語論』）（三輪正 2000：93）によれば、「戦争中の商人は、オメエ何が欲しくってオレのウチへ来たんだい、という調子」だったという。要するに、日本語では対称的・相称的関係が成立しにくいのである。

今日の日本語話者が権利において平等な存在と見なされる政治体制に生きていることは言うまでもない。そういう法的建前とはまったく別の次元で、日本語は彼らの関係を上下に組織される強者と弱者の不平等な関係として表象する。フランス語では会社のなかに役職のヒエラルキーが存在することと、人称詞の相称性と動詞の共通性によって具現化する言語世界における平等とは、何の矛盾もなく両立するのであるが[*32]、日本語では諸個人の言語における平等、あるいは「法の下の」という言い方にならっていえば、「言語の下の平等」がどうあがいても確保されない構造になっているのである。

＊32　分業的必要からの上級者と下級者の職務的・客観的相違を超えて、前者が後者よりも価値的に上位であり、「えらい」と見なされることを、福沢諭吉が「権力の偏重」と名付け、「日本文明の病理」としたことについては一三三ページ参照。

対話における非対称性・非相称性を示す言語現象はほかにもある。たとえば、男女関係。男と女は同じようには話さない。西欧語でもそういうことはあるに違いないが、いわゆる言語における男らしさ・女らしさは、今日では、日本語の場合とは比較にならないほど目立たないというべきである。非対称性・非相称性は即不平等ということにはならないのかもしれないが、この国における長期にわたる女性差別の歴史を考慮に入れると、対話における男女差に由来する非対称性・非相称性は「言語の下の平等」を阻害する付加的要素といえるのではないか。最近（二〇二一年二月）の森喜朗元首相による女性差別発言問題をきっかけに、「わきまえる」という言葉が注目を集めているようであるが、[*33]日本社会では、物事をわきまえ、分相応に、つまり上下に構造化されたそれぞれの「身分」——厳密な意味での儒教的イデオロギーによって正当化された身分制社会における身分という意味ではないが、その残映であるところの、十分にヒエラルヒッシュな心理的表象としての「身分」——に応じて振舞うことが善いこととされるのであり、それは男女に共通していえることなのだが、女性に対してはさらに輪をかけて女らしい「わきまえ」が言語的にも要求されるということなのである。ジェンダーギャップ指数が最下位に近い国における「わきまえない」女性の自覚的登場は喜ばしいことだが、「わきまえる」ことが女性にのみ強要される足かせのように理解されるとすれば、それは真実の一面のみを極大化することになる。

＊33　例えば、雑誌『週刊金曜日』二〇二一年三月十九日号の表紙には、「「わきまえない女」でいこう」とある。

「わきまえる」こと、「分限」をわきまえて分相応に振る舞うことを要請されているのは女性だけでなく、すべての日本人＝日本語話者だからである。注の23で名前をあげた石田梅岩の教えのとおりに、各人がみずからの分限に甘んじる、すなわち自分を「わきまえる」ことによって成り立っているのが日本社会である。男は男らしく、女は女らしく、若者は若者らしく、子どもは子どもらしく（いや、むしろ男の子は男の子らしく、女の子は女の子らしく）、上の者は上の者らしく、下の者は下の者らしく

（そして果ては、日本人は日本人らしく）などなど、日本社会においては「〜らしく」の無言の教えが隅から隅まで貫徹している。

いつだったか、わたしは、妻のかつての学生で、フランスを生活の拠点とし、フランス人男性とパックス（PACS：一九九九年に制度化された「連帯市民協約」のこと。性別に関係なく、成年に達した二人の個人が安定した持続的共同生活を営むために結ぶ契約）を交わし、今では九歳の子どもが一人いる日本人女性に、不必要になったPCモニターを譲ったことがある。しばらくして、その女性から妻のスマートフォンに一分に満たないヴィデオが届いた。九歳の女の子がPCモニターのことでお礼を言っている。ヴィデオゲームが大きな画面でできるので嬉しいというのだ。こちらはそういうつもりでの譲渡ではなかったが、驚いたのは、その日本で言えば小学三年生ないし四年生の小児がわれわれ夫婦をそれぞれのファーストネームで呼び、礼を言っているのである。そして、最後に人称代名詞vous（あなたがた）を使って「なるべく早く会いたい」と付け加えている。構築された文には一片の「らしさ」もない普遍的な（つまりすべての言語主体に共通の）表現である。子どもは言語によって形成される。フランス語の子どもは日本語の子どもように大きくなるわけではない。

アベ・シエイエスは一七八九年という人類史にとって決定的に重要な年に「第三身分とは何か」と問い、「全てである」と答えたが、第三身分がみずからの「分限」に満足せず、それを乗り越えて「全て」であろうとしたとき、身分制社会は崩壊せざるを得なかったという事実に、われわれは思いを致すべきであろう。*34

＊34　「下層身分の構成原理が支配身分のそれに必ずしも倣わなくなり、アベ・シエイエスの有名な言葉に象徴されているように、第三身分が「分」に甘んぜずして「全て」であることを要求したとき、身分社会は維持し得ざるに至る」（丸山眞男 1952：17）。

このように書くと、記憶の奥底から否応なしにせり上がってくる映画作品がある。伊丹十三の『タンポポ』（一九八五）だ。伊丹が、各人が自分を「わきまえる」ことによって機能している日本社会を一瞬の光景に凝縮し、ものの見事に笑い飛ばしていたことが強烈な印象となって記憶の深層に刻印されているのである。高級ホテル内のレストランの個室に、六人の男性だけからなるグループが入ってくる。そのうちの三人は専務と常務とその部下で、大きなテーブルのドアとは反対側の上席に腰をおろす。ドアに近い方には、接待側の会社の三人が座る。接待側の三人の上下・敬卑関係は、最上位の者が「ここはシーフードが有名なんですよ」と言い、持たされた荷物を落としてしまう最下位の若い社員を中位の者が無言のうちに殴りつけるという形で示される。

ところが、食事の注文の段になって、このヒエラルヒーが完全にひっくり返る。というのも、最下位の若い社員は、みずからの分限をまったくわきまえない人物だからである。「わきまえない」傾向は、専務や常務が着席する前に座ろうとするところを、中位の上司に首根っこをつかまれて制止されるという細部でも暗示されているが、食事の注文のシーンはそれを何倍にも増幅している。核心は、専務以下の五人が全員、右へ倣えで判を押したように「舌平目とコンソメとビール」を注文するのに対して、最下位の若輩がフランス料理とワインについての知識をありったけ披露し、最下位の立場をわきまえずに、実に手の込んだ注文をするという点である。中位の上司は隣の部下を何度も足で蹴るが、彼は料理とワインに夢中になっていて、いっこうに態度を改めようとしない。そしてこの時、一同の驚愕に満ちた表情が映し出される。わきまえない人間を見せることによって、「わきまえる」ことが当然の「日本」が浮かび上がる見事な瞬間である。こういう問題意識を持っているからこそ、伊丹十三は、後にわたし自身が正面から取り上げる森有正の日本語論に関心を抱き、ひいては、すでに紹介した山下秀雄の『日本のことばとこころ』を読み、あえてその「解説」を引き受け、それを森有正の日本語論の簡単な紹介から始めるということさえしているわけである。

言語使用の非対称性・非相称性が対話者間の上下・強弱関係に対応するという点についてさらに考察を続けるならば、授受関係を表す動詞群にふれないわけにはゆかない。

二人の人間のあいだで物の授受がある場合、フランス語では donner（与える）と recevoir（受け取る）という動詞を両者が同じように——対称的に——使うことが可能であるが、日本語の事情ははるかに複雑である。まず話者から対話者への物の移動（授）にかんしては、「アタエル」「アゲル」「ヤル」「サズケル」「サシアゲル」「ケンテイスル」「シンテイスル」といった複数の動詞がただちに思い浮かぶ。英語で、話者と対話者の双方が I give you. / You give me. と言え、フランス語でも双方が Je vous donne ceci. / Vous me donnez cela. と言う具合に同じ一つの動詞を使えるのに対して、日本語ではそのようなシンメトリーが存在せず、両者の上下関係が動詞の選択を不可避的に決定づける。注目すべきは、話者と対話者の関係を明確に水平的なものとして表象するニュートラルな動詞が「アゲル」のみだという点である。ただし、「ボクはこの本をキミにアゲルよ」とは言えても、「キミはボクにこの本をアゲル」とは言えず、「キミはこの本をボクにクレルかい？」と言わなければならないから、どちらを主語にしても動詞は不変という英語・フランス語に見られる言語の共有現象は存在しない。これは、物の授受をAからBへの単なる移動ととらえるのではなく、恩恵関係——その限りでの上下関係——の成立と見なすところから来ているからなのではないか。「アゲル」以外について、「アタエル」「ヤル」「サズケル」は上位から下位へを表し、「サシアゲル」「ケンテイスル」「シンテイスル」はその逆で下位から上位への運動を示していることは、あえて言うまでもなかろう。日本語では、動詞の選択に、さらにそれぞれの動詞にふさわしい人称詞選択の問題が付け加わるから、語用論的な複雑さは並大抵ではない。対話者から話者への物の移動（受）についても、同様の指摘がなされよう。「ウケトル」「モラウ」「イタダク」「タマワル」「ハイジュスル」などはいずれも現用の動詞だが、「イタダク」「タマワル」「ハイジュスル」が上位者から受け取る際に使われ、「ウケトル」「モラウ」は下位者ないし同位者からの受領に用いられる。「受」にかんしても、同位者用の表現が貧しいことが特徴である。

しかし、同じではないのは、実は動詞だけではない。授受の対象となる物それ自体も同じ言葉では指示されないという点も重要である。たとえば、わたしが論文を書いて、雑誌の編集局に送るとしよう。わたしは「拙論をお送りいたしますので、ご査収ください」と書くだろう。これに対して、わたしの文章を受け取った編集担当者は「御論文、確かに拝受いたしました」と返事を寄こすだろう。御論文ではなく、御論考かもしれないし、場合によっては玉稿（「玉」は「玉音」とか「玉体」に現れているように、天皇の身のまわりのものを指すときに用いる接頭語だから、ここには天皇制の影が差している）

かもしれない。こういう具合に、同じ物・対象を話者と対話者は同じ言葉で指示することができないのである。「わたしの論文を送ります」「あなたの論文を受け取りました」というようなやり取りが可能であり、普通でもあると感じられる日がいつかは来るのであろうか。それともそれは日本語が貧しくなることを意味するであろうから、けっして好ましいことではないということになるのであろうか。

授受関係について最後にもうひとこと。日本語には、「シテクダサル」「シテイタダク」「サセテイタダク」といった授受関係動詞を助動詞のように扱うことが頻繁にあり、あらゆる行為が授受・恩恵関係に擬せられる傾向が濃厚である点を指摘しておきたい。主体の行うことをみずからの決断による、自発的な行為としてではなく、上位のものからの贈与の結果として表象するわけである。「休む」と言わずに「休ませてイタダク」、「書く」ではなく「書かせてイタダク」、「読む」ではなく、「読ませてイタダク」、「参加する」ではなく、「参加させてイタダク」といった具合である。行為の主体が相手であれば、「休んでクダサル」「書いてクダサル」「読んでクダサル」「参加してクダサル」となる。

例示は省くが、授受関係以外の、例えば「行く」「来る」等の往来関係の動詞、あるいは「言う」「見る」「聞く」「食べる」「着る」といった日常生活の基本行為についても、話者と対話者のあいだに存在する、あるいは想定される上下・強弱関係によって、動詞がさまざまに姿を変えることは、日本語話者ならばだれもが承知し、無意識のうちに実践している。

さきにわたしは、日本語の「文の構造」が「具体的で特殊な状況」に超越しないという加藤周一の観察や日本語の共同体への極度に埋没的性格を強調する森有正の指摘を紹介した。そのうえで、これまで、冗長の危険を冒しながらも、日本語人称詞や日本語運用の非対称性・非相称性にかんして例示をまじえた考察を加えてきたのは、加藤と森による多分に抽象的ないしは直感的な物言いをわたしなりに敷衍したいと思ったからである。

10 「ゴム人形」と「百千年来の余弊」

前章で取りあげた言語現象は、一般には「敬語」の範疇に属することと考えられているようである。しかし、それでよいのであろうか。そんな疑問を持つのは、「敬語」はどんな言語にも存在すると主張する人がいるからである。たとえば、井上ひさし。

『私家版　日本語文法』のなかで、『吉里吉里人』の小説家は、「敬語は日本語だけにある」と信じ込んでいる人に向けて、「人びとの間に〈力＝上下関係〉のある国、そして人びとの間に〈連帯＝親疎関係〉の存在する社会ならば」、敬語は「どこにも有り得る。べつにいえば、人びとが社交を行っていればかならずそこには敬語が存在するので、なにも日本だけが「敬語の国」ではないのである」（井上ひさし 1984）と書いている。小説家は、このすぐあとで「戦前戦中のわが国の皇室用語、たとえば〈お身体→玉体・聖体〉、〈お顔→天顔・竜顔〉、〈お年→宝算・聖寿〉、〈お考え→叡慮・聖旨・宸襟・懿旨〉などは、固定した身分制の生んだ絶対敬語であるからこれは論議の外にはずし」、話を「相対敬語」に限るとしているから、「相対敬語」に収斂するあらゆる言語現象が、遠くは天皇制律令国家の位階制、近くは徳川幕藩体制の、いまだに清算されていない遺制なのではないかという視点ないし疑いは持ち合わせていないようである。人称詞や言語運用の非対称性・非相称性という、わたしにとっては本質的と思われる特異な現象がそれ自体として意識されていないことに、わたしは驚きを禁じ得ない。

非対称性・非相称性という問題がどれほど把握しにくいのかということは、実は、日本の文学や歴史を専門にするフランス人とのやりとりのなかでも思い知らされた。『壊れた魂』刊行後の三ヶ月間、わたしは数多くの書店に招かれ、読者と言葉を交わす機会に恵まれたのだが、ある日の討論会会場に一人の日本文学翻訳家が参加しており、日本人が「敬語」をとおして行っていることをフランス人も非常に微妙で繊細な表現によって実践しているのだという内容のことを発言したのであった。会場にいる人のほとんどは日本語を解さない読者なので、その人だけを相手にした、こみ入った話になることと必定の応答は避けざるをえなかったが、正直いって、日本語あるいは日本の「専門家」と称する人にしてこの程度の理解というか、これほどの無知・無理解なのかと、呆れはてたことを覚えている。本書を執筆するにあたって、わたしはそういう「専門家」たちをも意識した丁寧な記述を心がけたつもりではあるが、日本語に深く沈潜し、この言語を内部から感じ理解しているようには思われない人々にどれほどのことが通じるのか、まことに心細いというのが正直のところである。確かなことは、フランス語話者も日本語の敬語にあたるものを別のかたちで実践しているなどという出鱈目——話者・対話者を上下・貴賤・強弱の階層的秩序に押し込める語法を単なる丁寧・乱暴の関係と取り違える誤り——に取り憑かれている者が日本の根本問題の認識にいたることはあり得ないということである。

『壊れた魂』の「アレグロ・マ・ノン・トロッポ」と題された第一章で、主人公の父親水澤悠は、中国人の友人三人とシューベルトの弦楽四重奏曲《ロザムンデ》を練習している。その悠が四人の演奏家が平等の資格で作り上げるカルテットの討論的世界と同じ四人が日本語話者として紡ぐ関係のズレを強烈に意識し、それを議論の俎上にのせる場面がある。小説であるから、日本語における人称の問題や非対称性・非相称性を論述的に示すことが目的ではない。弦楽四重奏というおそらくは最も協奏的な、したがって共同的・協働的な——そしてあえていえば、同輩者的・市民的な——ジャンルを実践する人物が、同時に日本語の非超越的・埋没的性格に敏感であるという仕掛けを施すことによって、水澤悠の人物像を彫琢する、それがわたしの意図したところであった。書店での『壊れた魂』をめぐる討論会でしばしば日本語について質問が出たのは、そのような事情による。

『壊れた魂』執筆中にわたしの脳裏から離れなかったのは、同輩者的ジャンルとしての弦楽四重奏を愉しむ人間がそれと同質のものを日本語による社会関係のあり方に見いだせないという事実、もう少し踏み込んでいえば、軍靴の一撃によって破壊されるヴァイオリンが象徴しているように、弦楽四重奏的世界とその精神が、社会全体を控縛する軍人勅諭の精神——「下級のものは上官の命を承ること実は直ちに朕が命を承る義なりと心得よ」——によって完膚なきまでに破砕されるという一事に凝縮的に現れている日本的問題であった。水澤悠がカルテットの仲間と話題にする日本語の問題は、日本的問題のメタファーなのである。

それにしてもしかし、井上ひさしのような言葉に対して研ぎ澄まされた感覚を持っている人が「敬語」はどんな言語にも存在するとあっさりと言い放って、わたしが水澤悠の問いかけに託した問題系にまったく無頓着なのはどういうわけであろうか。「敬語」と呼ばれるものは、実は本質的には「敬卑語」ないし「敬・不敬語」にほかならず、しかもそれは日本語の一部なのではなく、その全体を組織化しており、「言語の下の平等」を脅かす根源的な動因になっている。日本語には言語主体が平等な存在＝同輩者として存在することを妨げるような仕組みが構造化されていると考えられるのだが、にもかかわらず、この問題が学問的に真正面から取り上げられることは少ないように見受けられる。なぜなのだろうか。わたしの手元には、日本語の人称詞の多数性・複雑性と語用論的な非対称性・非相称性を対話・討論の困難と結びつけて執拗に論じた三輪正の著作三冊があり、多くの教示を受けたことは確かであるが、その考察は、惜しむらくは、市民社会とその言語的基盤を射程に入れているようには見受けられない。

さきに、わたしは、アベ・シエイエスによる国民とは「共通の法のもとで生き、同一の立法府によって代表される同輩者たちの集団」であるという定義を紹介した。ここにいう同輩者たちとは同じ資格で語る言語的主体でもあるわけで、さらに遡れば、社会契約をとおしてポリス＝市民的政治社会を同等の資格において形成する自然人という自由かつ対等な言語・発話主体である。自然人は社会契約によって市民に変容する。ということは、社会契約によって生み出される社会は自由かつ対等な市民的言語主体ないし発話主体が形成する社会であることを意味しているはずである。つまり、市民社会とは、定義上、市民という名の自由で対等な言語・発話主体から成る社会なのである。

自然から社会への変容のプロセスを最もクリアーに定式化したのがジャン＝ジャック・ルソーであり、その記念碑的・革命的表現が「人権宣言」であることはすでに指摘した。フランス人は自分たちの言語を好んでモリエールの言語と呼ぶ——それは十七世紀のこの天才的な劇作家が国家語・国民語としてのフランス語の形成に大きく寄与したからである——が、わたしはといえば、フランス語は何よりもルソーの言語、あるいは「人権宣言」の言語と呼びたい気がするのである。というのは、フランス語を同輩者たちの集団としての近代フランス市民社会の言語ととらえるならば、『社会契約論』のルソーと「人権宣言」ほど、それを象徴するにふさわしいものはないと考えるからである。同輩者たちを同輩者として存立せしめるには、それを可能にする言語実践的基礎が存在しなければならない。フランス語はそのような実践を許容する言語ということになろう。

翻って、始原に高天原を想定する天皇制の呪縛から未だに逃れられないこの国は、おそらくはそのことゆえに国家や社会が成立する以前の自然人たちの自然状態から出発することが困難であり、したがって社会契約とそれによって生まれる同輩者たちの集団としての市民社会を想像＝創造することに不得手である。言語の下の平等（あるいは不平等）や市民社会の言語的基礎（あるいはその欠如）といった主題が思考の対象になりにくいのは、そのせいなのだろうか。日本人は日本語のなかで生まれ、育ち、死んでゆく。日本語の外に出ることはかなわず、日本語で考え、感じ、言葉を交わす以外に方法はないのだから、日本語を問題にしても埒があかない。日本人には日本語しかないという現実はどうあがいても動かしようがなく、日本語についてあれこれ言っても始まらない。眼球はものを見るためにあるのであって、その眼球を見ようとしていったい何の利得があるのか。つまるところ、そういうことなのだろうか。

天皇制の呪縛を強烈に意識しながらあの驚くべき傑作『中世的世界の形成』を書いた石母田正に、木下順二への書簡という形式をとった「言葉の問題についての感想」という興味深い文章がある。しかし、そこで扱われているのは、「民衆的な言葉、民衆の語法等は民衆のなかにはいり、そこから学びとる以外に方法はありません」[*35]（石母田正 1952：178）という指摘から察せられるように、市民的民主主義社会をそういうものとして成立させ、支える言語的基盤とはいかなるものなのかという問題ではない。天皇制を根こそぎにする道を模索した歴史家の意識には、天皇制の言語的基礎という問いかけは存在していなかったのであろうか。

*35 わたしは、田中克彦の「石母田正とスターリン言語学」という文章を読んで、石母田のこの「感想」が、スターリンの論文「マルクス主義における言語学の問題」（一九五〇）の日本語訳がもたらした甚大な影響という文脈に位置づけられるものであることを知った。まず一九五〇年には、民主主義科学者協会（民科）が早速シンポジウムを企画した（その参加者の一人が石母田正）。さらに、一九五二年には、季刊雑誌『理論』が民科言語部会監修によって「言語問題と民族問題」を刊行した。このときの巻頭論文が、石母田の「言葉の問題についての感想――木下順二氏に」だったのである。注目すべきは、石母田が発言の冒頭で「言語について意見をもとめられてこまっています。言葉の問題についてほとんど考えたことがないからです」と述べていることである（傍点は引用者による）。これに呼応するかのように、内田義彦も『社会認識の歩み』（岩波新書）の中で、日本の社会科学は「日本語をおいてきぼりにして発展してきた」と言っているという。要するに、社会関係の質に深くかかわる日本語の言語構造という問題は、盲点だったということであろうか（田中克彦 2016：377–403）。

『天皇制国家の支配原理』（第一版、一九六六年）の藤田省三はどうか。飯田泰三によれば、藤田は

「この国に固有の或る〝やりきれない〟形でもって軍国主義とファシズムに覆い尽くされるにいたった、戦前・戦中の「天皇制国家」（と天皇制社会）の本質を、何とかして突き止め、その全構造を対象化することによって、それを根底から否定してゆく論理を発見」（飯田泰三 2006：253）したいという問題意識に突き動かされていた。実際、「天皇制というのがあらゆる日本社会の様相を扇の要のごとく握っている。統括しているというか、首根っこを押さえている」（藤田省三 1963：409）と考える藤田は、言葉の問題にかんしても、ドナルド・キーンとの往復書簡（一九五二年）におけるオーティス・ケリーの発言を要約するかたちで、「べたべた勲章をくっつけて位階勲等にすべて従っていく習慣を、天皇が「やめましょう」と言ったらみんなやめざるをえなくなる。それから勅語なんかにみられる敬語の複雑なヒエラルヒーが日本語全体のなかにもあって、それが日本人の知的、および社会的コミュニケーションの発達を非常に妨げている。そういうものをやめさせるのは、天皇が今後、自分は「朕」などという言葉は使わない、特殊な敬語を使わないようにしようと、言えば、いちばん効き目がある」（藤田省三 1962：76）と述べているが、これではいかにも喰い足らず、もう少し踏み込めないものかという気持ちを押さえきれない。

加藤周一は生涯に三度天皇制について書いたと言っている。いずれも加藤一流の徹底的な合理主義的思考に貫かれた強烈な文章である。一九四六年の「天皇制について」には、たとえば次のような箇所がある。「黒船が来て、日本の第一回無条件降伏が行われ、明治政府が出来ても、支配階級は、黒船から「理性の道」を学ぶかわりに機械文明を学び、ヒューマニズムに倣うかわりに天皇制を好戦的に武装した。やがて徳川様に対する武士の感情は、明治政府の官僚軍閥の中に受けつがれ、百姓町民は国民となり、百姓町民の徳川支配に対する感情は、遥かに巧妙に、意識的に組織され、強化されて、天皇制を支持する国民的感情となったのである。そして日本国民は、何時までも封建社会の中で、四這いになり、下を向いて相変わらず自分の国の地面ばかりを見ながら、どこへ行くのかわからぬ道を主人の命ずるままに歩み、遂に今日の惨敗と飢餓との終局に達したのである」(加藤周一 1946b：80)。

日本中が天皇制という徹底的な支配と隷属のシステムを狂信的に受け入れていたときに、加藤は、こういうぐあいに、理性をはたらかせることのできた稀な日本人の一人であった。しかし、天皇制による精神の内奥にまで及ぶがんじがらめの支配と隷属を媒介したはずの言語については、まったく多くを語っていない。日本語の特徴にあれほど意識的で敏感な加藤が、である。確かに、後に第19章で検討する「日本文化の雑種性」「雑種的日本文化の希望」を含む『加藤周一著作集』の第七巻『近代日本の文明史的な位置』には、「日本語Ⅰ」「日本語Ⅱ」という小文が含まれてはいるが、日本語とがっぷり四つに組んだ論考という体のものではない。ただし、「日本語Ⅱ」の「しかし言葉の使い方の問題は（文法の問題は、ではない）[36]、また社会の問題でもあるだろう」に始まる最後の一ページには、記憶にとどめておきたいと思うことが書かれている。

＊36 加藤は「言葉の使い方」と「文法」を区別していて、前者だけを問題にすると言っているが、わたしにはこの区別がよくわからない。「言葉の使い方」を規定しているのが「文法」ではないのか。「文法」を発話の仕組みを含む言語の「構造」と解せば、問題とすべきは「文法」なのではないかという気がするのである。

加藤は日本人の生活では、「仲間うち」と「よそゆき」の世界の区別がはなはだしく、その区別は言語にも及ぶという。「仲間うち」とは、第12章で登場してもらう日本語学者大野晋のいう「ウチ」にあたり、「よそゆき」の世界は「ソト」に相当していると考えてよかろう。「仲間うち」は私的に閉ざされた圏であり、共同体的である。「よそゆき」は公的な世界であり、アカの他人たちと出会う領域である。そのうえで、加藤の観察はこの二つの空間で用いられる言葉の性質に向かう。「よそゆき」の言葉は官僚的であり、「大学の講義風」であり、「脱感情化」されているのに対して、「仲間うち」は「人情の機微を尊び、経験の特殊性に固執し、以心伝心を究極の理想とする」傾向が強い。これが「言葉の使い方」が「社会の問題」でもあるということの内容である。「日本語II」は次のような言葉で終わっている。いわく「「仲間うち」で理路整然と語り、「よそゆき」の世界で「わが胸の底に」あるものを理論化する習慣――日本語の使い方に、もし万一、そういう微妙な変化があらわれるとすれば、それこそは、少し大げさにいって、日本国の歴史のなかでも、ほんとうに新しいことになるだろう」（加藤周一 1971：213）。要するに、「仲間うち」と「よそゆき」という区別それ自体を崩壊させるような、理性的で普遍的な言語的実践の獲得は、社会変革の重要な一部であるということだろう。いや、言語的実践は社会的実践の一形態であろうから、その変革がなければ社会それ自体の変革もあり得ないとさえ言えるかもしれない。加藤はそういう知見を確実に持っていたと思う。しかし、後に見る森有正の場合とは違って、日本語には天皇制的秩序の影が射していると考えていた形跡はない。[*37]

＊37　ただし、言葉使いの「よそゆき」と「仲間うち」への分裂を指摘する加藤が十五年戦争の時代を十分

に意識しているということはある。「思えば三十年の昔、大日本帝国が外に向かっては軍事的な膨張をつづけ、内に向かっては言論表現の自由を圧しつぶしたとき、頻りに行われた言論は、脱感情化された（没価値的）議論か、漠然として煽情的な、理屈のすじみちの通らぬ言葉の羅列か、いずれか一方であった。理性的に統御された感情の表現、人間的価値の理路整然とした推輓は、その影をひそめたのである」（加藤周一 1971：212）。

「超国家主義の論理と心理」の執筆の過程で、「天皇制が日本人の自由な人格形成」にとって致命的な障害をなしていると考えるにいたった丸山眞男はどうか。この不世出の政治学者は一九七七年に「日本思想史における問答体の系譜——中江兆民『三酔人経綸問答』の位置づけ」（丸山眞男 1977）という講演をしている。場所は山本安英の会で、会場には山本安英と木下順二がいた。この講演のなかで、丸山はまず、日本では問答体の文献が非常に多いが、それは「大体において、より知的に劣った人物が進んだ人物に対して「こういう点はどうでしょうか」と尋ねるのに対して、「それはこうである」と、（進んだ人物が）一段上の立場から教えを垂れるという形をとっている」と指摘し、そのうえで、兆民の『三酔人経綸問答』がそのような伝統的なモデルから離れ、問答をする三人のあいだに「社会的にはもちろんのこと、価値的にもなんら上下関係」を設けていないことに注目している。『三酔人』は「より知恵の劣った弟子が先生に対してうかがいをたてて先生が教えを垂れる」わけではなく、ディスカッションの名に値する言葉のやりとりが展開する場合さえあるが、しかし、かといって、ソクラテス＝プラトンの『対話篇』の場合のように、「未知の真理に到達するための方法として、つまりディアレクティケとして」対話体が用いられているわけではない。『三酔人』の本領はむしろ

「イデオロギー的立場のぶつかり合いではなくて、複数の観点の交錯」にあるというのが、丸山の結論である。わたしが興味を惹かれるのは、問答体の伝統的なスタイル、すなわち上位の先生が下位の弟子に真理を教えるという形式とは異なる、いかなる上下関係からも自由な問答体を日本人が経験するには、「恢復的民権」論者[*38]中江兆民の出現を待たねばならなかったという点である。とはいえ、丸山が扱ったのは問答体という文学形式における三酔人の平等な関係——しかし、なぜ兆民は三人の発言者を酩酊状態におく必要があったのか、素面では真実性に欠けるということか——であって、日本語の構造的特色それ自体ではない。[*39]

＊38　「兆民は哲学においては、きわめて原理的な唯物論者であって、（…）政治哲学においても兆民の立場・理想——観点でなく——は非常に明確な民主主義で、それも彼の有名な言葉をつかえば、「恩賜的民権」ではなく、「恢復的民権」論者だと私は思います」（丸山眞男 1977：306-307）。

＊39　『三酔人』との関わりで、言語表現それ自体というよりは討論文化の可能性の問題に関係することだが、一九六八年一月の雑誌『展望』での木下順二・丸山眞男・森有正による鼎談「経験・個人・社会」における丸山の次の発言には、やはり注意しておきたい。「維新の直後、明六社などで問題にされた学者職分論（単に学問をする者という意味での学者——水林）が論争されたあのときには、まさに（…）個というものの意味が、ヨーロッパとはまったく同じではないけれども、少なくとも、日本の歴史的文脈の中では痛切に反省され、同時に木下君のいった所属集団にべったりではない連帯、ただの知識人としての連帯感情が一番あったということですね。それを私は前にいったことがあるが、兆民の有名な『三酔人経綸問答』の最後のことばが、逆に象徴していると思うんです。つまり洋学紳士と豪傑君と南海先生が、それぞれ違った立場を代表して、盛んに議論をして徹夜になり、夜が明けて、散会する。最後の文句が「洋学紳

士は去りて北米に遊び」つまり洋行派になる。「豪傑の客は上海に遊べり」、これは大陸浪人の原型になる。そうして「南海先生は依然としてただ酒を飲む」民間隠士の生活をつよめてゆく。そうして「二客竟に復た来らず」。つまり、この三つのタイプが分岐して、もはや経綸問答を一緒にすることはなかったということ、この結尾は非常に予言的だと思う」（丸山眞男 1968：176-177）。天皇制国家体制の完成期（明治憲法と教育勅語は明治二二〜二三年に発布）に『三酔人』（明治二〇年）が刊行され、しかもこの著作が三人による討論の可能性が潰えたことを記す言葉で終わっていることが「予言的」ということであろう。

一九五八年の論文「権力と芸術」（竹内好 1966）で天皇制とがっぷり四つに組んだ竹内好の場合はどうか。竹内はまず、明治以来の日本の国家機構を「一応の形は近代国家」と規定しつつも、「本質的には近代国家と背馳する要素をふくんで」いるので、そのような「他に類例のない日本独特」の仕組みを天皇制と呼んでいる。そのうえで、久野収の「日本の超国家主義――昭和維新の思想」（久野・鶴見 1956）から次の箇所を引く。

天皇は、政治的権力と精神的権威の両方をかねあわせることによって、ドイツ皇帝とローマ教皇の両資格を一身にそなえ、国民は政治的に天皇の臣民であるだけではなく、精神的に天皇の信者であるとされた。こうして天皇は、一方で法律を制定すると同時に、他方で教育に関する勅語、精神作興に関する詔書などを発布する。国民の方は外面的行動において法律を守ることを命ぜられるだけではなく、内面的意識において勅語や詔書にしたがうことを求められる。あらゆる学校に天皇の御真影がおかれ、校長によって勅語や詔書が奉読され、国民は御真影と勅語の前で、文字通り、エリを正さなければならない。精神的価値と政治的権力の持主が同一である結果として、倫理と権力、公と私はまったく融合し、権力は倫理をかさにき、倫理は権力に後おしされて、ほとんど不思議が感じられない。法律が勅語の意味を持ち、勅語が法律の意味を持ち、このような国体が、実に真、善、美の極地とされた。

そして、このように定義された全精神構造としての天皇制の枠外に出ることは、結局だれにもできなかったことを、竹内は確認する。丸山眞男によって「主体的自由の確立の途上に於いて真先に対決さるべき「忠孝」観念が、そこでは（ミルの『自由論』を読んだときに受けた感動の回想を指す——水林）最初からいとも簡単に考慮から除かれており、しかもそのことについてなんらの問題性も意識されていない」と評された、自由民権論者河野広中は決して孤立したケースではなく、無数にある類例のなかの一つに過ぎず、かの中江兆民ですら例外ではなかったとまで竹内は断言する。

竹内によれば、「一九四五年以前に天皇制ともっとも組織的に、もっともラジカルに対決したのは」日本共産党であった。しかし、その共産党もまた天皇制をとらえそこなったという。「共産党は天皇制を物としてとらえようと」したが、天皇制は実は「固体ではなく気体であり、自他を包む場のようなもの」なので、「対象を対象たらしめている認識主体の確立をコースに組み込（む）」ことなしに、「ただちに天皇制を物として対象化できる」はずはなかった。それゆえ、共産党は「打倒すべき天皇制に同質化され」てしまい、みずからが「左翼天皇制」という「ミニアチュール天皇制」を作りあげる「錯誤」を犯したというのが竹内の批判である。竹内は、この論文の中で、天皇制を「全精神構造」と形容したり、「一木一草に天皇制がある」とか「われわれの皮膚感覚に天皇制がある」という心に残る言い方をしているが、これは「気体」、「自他を包む場」としての天皇制の別呼称にほかならないであろう。要するに、天皇制は日本と日本人のすべてに及んでいるので、これを可視化・対象化し、もって揚棄のための準備を行うことは、至難の業ということになる。まったくもって一筋縄ではいかないのである。

竹内は、とりわけ戦後について、次のような見立てを示している。「統治機構としての天皇制は、いちじるしく絶対君主の性格を脱して制限君主に近づいた。しかし、精神構造としての天皇制は、それに見合う形では解体していない。（…）伊藤博文ら明治の元勲が天皇制を創造するのに使った素材は、今日でもまだ生きているし、素材ばかりでなく、天皇制の原理も生きている。（…）天皇制はトカゲのようなもので、頭を切られてもシッポは動いている。天皇制が基礎にしている部落共同体[*40]が日本の社会から除かれないかぎり、所在の材料でミニアチュール天皇制を無数に組み立てることができるのだ」。

＊40　「日本文化の根底に潜むもの」としての部落共同体の何たるかを知るには、注19で紹介したきだみのるの一連の仕事を参照する必要があると思う。例えば、きだみのるが「心理的黄昏」と呼ぶ「イニシアチーブの欠如」について書いているのが、とりわけわたしの注意を惹く。「東大の赤門の前の女子美術に焼夷弾が落ち、折柄の北の強風に火は見る見る南の方に拡がった。火は北の方にもじりじり拡がった。正門前の落第横丁の先に防空広場ができていた。そこには沢山の学生や焼け出されがいて、広場の南側で二人の男が自分の家のヒサシに燃え移ろうとする火を小さな消化ポンプで防いでいた。そこに火が取りつい

たら落第横丁の南側はみんな燃えてしまう。すべては火事の炎の光に照らし出されて凄惨だった。皆は火の進みを見ているだけだった。別な男がそこに来た。そして直ぐにポンプのところに行き水は大丈夫かと訊ねると、二人は至急応援頼むと答えたので、訊ねた男は群衆に向かって大声で叫んだ。「水が足りないぞ。バケツリレーだ」。この一言でバラバラな群衆は組織され、ヒサシは守られた。それが焼けたら落第横丁の南側は勿論、正門前まで灰になっていたであろう。／そこにいた連中が忽ち組織されたということは、この破壊の炎を前にして何かをしようとする気分で飽和されていたに違いない。でなかったら、あれほど忽ちリレーに組織されるわけはない。しかし行動に出るためには一つの声が必要だったのだ。その声が無かったら（…）ヒサシに火がつくのを眺めていたであろう。何故、こんなに単独行動へのこの逡巡があるのか。号令が無ければ動かないのか。集団行動では極端に奔りうる個人が最初の単独動作のとき何故こんなにも自己を抑制するのか。これは先達の羊が動かねば動かない羊に似ている。それは他人の意向をうかがうドレイに似ている。日本人に強い恥ずかしがり、部落言葉の憶面、世間を騒がせては相済まぬというわけの解らない感情、人の先に立たないという保身の術など部落の生活によく見られるものを言い立ててみても、行動へのこの逡巡が自由な人間の行動の仕方でないことに変わりはない」（きだみのる 1956：143–145　傍点は引用者による）。また、近代日本の編成原理を、核としての自然村（第一のムラ）とその都会的転成形態としての第二のムラに求めることで、この国における市民的政治社会の不成立に光をあてた神島二郎の「天皇制ファシズムと庶民意識の問題」にも教えられること多いが、この難解な論文には十分に咀嚼できないところも多々あることを認めなければならない（神島二郎 1961）。

わたしが不思議に思うのは、竹内好が全精神構造としての天皇制、日本の一木一草にまで浸透している天皇制についてここまで踏み込みながら、日本人の営みのすべてを媒介しているはずの日本語、「牢固として日本人の思考の運営をしばり（…）、日本的発想の類型に日本人をとりこむ」（大野晋）日本語についてはまったく黙して語っていないことである。その昔、スタンダールは小説を世界を映す鏡に喩えたが、その喩えでは鏡は世界を外部から映し出すということが暗黙の前提になっているように感じられる。鏡それ自体の内実を形成する言語は世界には属していない。言語は盲点化し、視界から消えてしまう。竹内にも――そしてこれまで引いた何人かの偉大な先人たちについても――同じことが言えないだろうか。どうして天皇制の少なくとも影ぐらいは及んでいるはずの日本語それ自体が、かくも忌避されるのであろうか。

天皇制を要とする日本社会を対象化するにあたって、歴史・思想史の巨匠たちが社会体制の言語的基盤という問題に必要な注意を払っていないように思われることがどうしても気になって、わたしは安丸良夫の『現代日本思想論』を開いてみた。「天皇制批判の展開――講座派・丸山学派・戦後歴史学」という章がおかれているからである。この論文を通読しての唯一の発見は、言語学者の亀井孝が「天皇制の言語学的考察」という論文を一九七四年に発表しているということであった。安丸によれば、「天皇という呼称が、「ことばが社会におよぼす魔力を操作する」巧妙な作為だったこと」を明らかにした先駆的業績だというのである（安丸良夫 2012：110）。わたしは大いに興味をそそられ、早速手に入れて読んでみた。

亀井のこの論文は、もともとは彼がベルリン自由大学で行った講義ノートの抜粋で、一九七四年八月の『中央公論』に掲載された。「天皇制の言語学的考察」のドイツ語原稿を翻訳し、解説を付したのは寺杣正夫という人だが、寺杣正夫は架空の人物で、実は、一橋大学で亀井の薫陶を受けた言語学者の田中克彦であるということが田中自身によって明かされている。田中は亀井のドイツ語講義ノートを全訳し、それを三分の一に切りつめたという。発表から四十七年後の二〇一七年に、田中は「翻訳というよりは思いきった要約というべきこのような訳文を亀井孝名で発表する自信は私にはなく、といって無名でやりすごすわけにも行かず、そこで思いついたのが架空の解説者の名前をつけて発表する方法であった」と説明している。「天皇制の言語学的考察」は、当時相当な反響を呼んだらしい。ところが、亀井孝自身の著作集には収められていないという。そこでこの論考を「いまこそ読まれるべき価値のある一篇である」と見なす田中は、あえてみずからの著作集に収めることにしたのだという（亀井孝 1974）。

『中央公論』の解説文で、田中克彦（＝寺杣正夫）は、「おおむねみずからの課題を発見することよりも、学問のショーウインドウを目まぐるしく並べかえることの方に気をとられているらしく見える」日本の言語学者たちのあいだにあって、亀井が「天皇制と日本国家語の問題をとりあげたことは異例」であると述べている。ということは、言語学者の関心が日本社会を根底から規定している天皇制に向かうことはまずないということなのであろう。たとえ、天皇制社会の中心に、言語を媒介にあらゆる関係を紡ぎ合う人々の言語生活があるにしても、である。これはわたしにとっては驚くべきことだが、言語学とはそういう学問であるらしい。

ところで、肝心の「天皇制の言語学的考察」についてだが、これは、亀井自身が「人民に対する天皇の支配は、国家管理のもと、見事に組織された教育体系を通じて貫徹されたのであるが、天皇制のレッテルである「天皇」ということばが、明治期においていかにつくり出されたかという言語学的問いが、いまここでの問題である」と言っているように、「天皇」という言葉をめぐる研究である。語彙の研究であって、天皇制という支配の構造を可能にするような仕組みが日本語という言語の中にどのように組み込まれているかという観点からの考察ではない。というわけで、わたしはそれ自体としては大変興味深いこの論文にも、自分の探し物を見つけることができなかったのである。

わたしは大学生になってから一心不乱にフランス語を勉強する生活に入った。わたしの生活は、例えばピアニストを目指して一日中ピアノに向かっている音大生の生活に似ていたと思う。わたしの前にあったのはピアノではなく、フランス語だった。そのせいで哲学、歴史学、社会学、政治学、法学といった、いわゆる「学」、文学以外の「学」――しかし、文学学ならいざ知らず、文学は「学」ではなかろう――を系統的に勉強する余裕をもたなかった。来る日も来る日もフランス語に浸かる(つまり読む、聴く、発音する)生活をしたことの代償である。悔やまれるが、それ以外に道はなかった。時が流れ、フランス人女性と日々をともにするようになり、フランス語を生きることが日常化したからなのかどうかはわからないが、わたしは人々の仕草や態度とそれと不可分の言葉使いを強く意識するようになった。たとえばこんなことがあった。

フランスでの長い留学生活を終え、東京に戻ってきたが、仕事がすぐにあるわけでもなく、通訳等のアルバイトをした。ある日、訪日中のアルジェリアの大臣が都内のある大手商社の取締役会メンバーと面談するのでその通訳をしてほしいというオファーが通訳会社からあり、喜んで引き受けた。大きな本社ビルに着いて、案内嬢に担当者A氏の名前を告げると、四階の大きな部屋に案内された。A氏に通訳の仕事で参上したと伝えると、奥の方で殿様のようにどっしりと構えていた人物に紹介された。その人物が「長」のつくえらい人であることは[*41]A氏との言葉のやりとりと二人の身のこなしで、すぐにわかった。ひとことふたこと言葉を交わしたあと、今度はそのえらい人に連れられて面談会場がある最上階に上がった。エレベータの扉が開くとホールがあり、そこに十人前後のさらにえらそうな人たちが並んで立っていた。雲上人なのだと感じたのは、四階の殿様の身のこなしががらっと変わり、まるで黒澤明の『用心棒』(1961)で沢村いき雄が演じる番太の半助のように、上体をいくぶん前に傾げる姿勢になったからである。それればかりではない。殿様は、雲上人の一人の黒靴が汚れていることに気がつき、「専務、お靴がちょっと」というようなことを口走ると同時に、ポケットからハンカチを取り出して靴の埃を取り除いたのである。この、何と言ったらいいのだろうか、一瞬のうちに起こった殿様から下男への豹変には仰天した。雲上人と殿様のあいだにいくばくかの会話があったのであろうが、その詳細はまったく覚えていない。立ったままの雲上人の靴を磨く四階の殿様の姿だけが今でも鮮明に残っている。

＊41 「えらい人」とか「おえらい方」という言い方について、丸山眞男の次の鋭い指摘を参照。「よく外国語をしゃべる場合に考えるのですが、「えらい人」とか「おえらい方」というのに当たる言葉はヨーロッパ語にはないのではないでしょうか。「えらい」というのは、学問や芸術の上で権利があるという意味か、何か政治的な権力や社会的地位をもっているというのか、よくわからない。「おえらい人」というのは、「偉人」(グレート・マン)という意味ではないでしょう。軽蔑的あるいはシニカルに使う場合もむろんありますが、こういう言葉が残っているのは、価値がまだ単一に社会的または政治的階層の「上級者」に集中している証拠のようなものです」(丸山眞男 1986a：154)。

つい最近のことだが、わたしは溝口健二監督の『近松物語』(1954)を、『山椒太夫』(1954)、『雨月物語』(1953)、『祇園囃子』(1953)、『お遊さま』(1951)などとあわせて見る機会をもった。フランス留学中に初めて見て、その後折に触れて見直すわたしの好きな日本映画の一本である。この作品の冒頭近くに、大商人の大経師位春(進藤英太郎)が外出から帰ってくる場面がおかれている。位春が初めて顔を見せる重要な箇所だ。そこで溝口は位春に広大な店と居宅のなかを移動させ、その間何人もの雇い人に跪かせたうえで「おかえりやす」「おかえりなさいませ」と挨拶させることによって、この男が店でどれほど強大な権力を誇る人物であるかを強調している。ところが、最後に、位春の妻おさんと手代の茂兵衛が「不義密通の罪」を犯したことで京都所司代の調べを受ける段になると、溝口は長い廊下をつたって来て座敷に入る二人の役人の前で、土下座する位春を長々と撮っている。立ったまま大勢の奉公人を顎で使う最初の位春と所司代の役人に土を舐めるかのように平伏すと同時にそれにふさわしい隷属者の言葉使いをする最後の位春。この対照は強烈である。

溝口の見事な演出は、わたしの脳裏に、はるか昔に遡る大手商社

『近松物語』(1954):役人を前に平伏す位春。柱や障子開口部の垂直線と直立の二人の役人が世界の構造それ自体の垂直性を暗示している。他方、位春と番頭助右衛門の背中のラインとそれをなぞるかのような背後の竹仕切りの斜線は隷属の隠喩になっている。

での通訳のアルバイトの記憶を呼び覚ました。溝口健二は十八世紀初頭の近松門左衛門の作品をもとにした物語の背後に一九五四年の日本を見ていただろう。そうでなければ、『近松物語』を撮る意味はない。わたしはといえば、『近松物語』を見直して、徳川幕藩体制時代の日本、溝口の時代の日本、そして一九八〇年時代の日本、さらには今日今現在の日本、そのすべてを貫く一つの同じ心的構造の存在を思いがけなく強く意識することになった。『近松物語』と、その二年前に撮られた『西鶴一代女』(1952)を併せて見ると、溝口健二には、日本社会における身分制の遺制とその中で二重に差別される女性に向けられた比類のない視線があることに気づく。[*42]

＊42　『西鶴一代女』は、御所勤めに始まり、大名の側室、商人の妻などを経て、結局は夜鷹の身に転落するお春(田中絹代)の一生を描く作品である。お春の最初の躓きは、身分違いの勝之介(三船敏郎)と相思相愛の間柄になったことであった。お春は両親とともに洛外追放を言い渡され、勝之介は斬首に処された。刑の直前に勝之介が叫ぶ言葉は「身分などというものがなくなって、誰でも自由に恋のできる世の中が来ますように」であった。

もう一つ、こういうこともあった。わたしはまだ若く、都内の私立大学に職を得たばかりだった。必要あって出身大学の図書館に出向いたときのことである。事務のカウンターで書庫に入って調べ物をしたい旨を伝えると、対応にあたったわたしよりも幾分年上の事務官は、憮然として手続きのための用紙をよこした。わたしは必要事項を記入して同じ事務官に提出した。必要事項とは、名前、住所、身分(大学院修士課程・博士課程、本学出身・他大学職員等の区別)などである。申し込み用紙に一瞥を加えた事務官は、一瞬にして態度を変えた。どうも、それまではわたしを学部生か院生と信じ込んでいたようなのである。「～大学文学部専任講師」という肩書きでわたしが「教授」の側の人間だとわかると、と「申し訳ありませんでした、先生でいらっしゃいましたか」というような口ぶりになり、必要以上に丁寧になったのである。

殿様と番太では、言葉使いがまったく違う。相手をただの学生と見るか、先生と見るかによって、事務職員の使う言葉は大きく変わる。これは人が親切であるとか不親切であるということとはまったく別次元の話だ。聞き手の身分的地位によって話し手の態度と言葉がこれほどまでに劇的に変化するということ。似たことはフランス留学中の生活経験のどこを探しても見つからない。どちらの事例も何十年も昔の話だが、そのときの様子が今でもこうして瞼に刻まれているということは、そのときのショックの大きさを物語っていよう。[*43]

＊43　『近松物語』の例も含めて、ここであげた事例のすべてが福沢諭吉のいう「権力の偏重」および丸山眞男の「抑圧移譲」という概念にかかわる点については後述参照。

雲上人の靴の汚れに気づくとすぐさま自分のハンカチでそれを拭き取った四階の殿様や所司代の役人を前に這いつくばる『近松物語』の位春のことを思うと、わたしの脳裏には十八世紀フランス文学のある作品の一節がよみがえってくる。その作品とは、十八世紀思想界でルソーと並んで重要なドゥニ・ディドロが著した『ラモーの甥』である。『ラモーの甥』は、著者の分身と思われる哲学者の「わたし」と、同じく著者のもう一人の分身であるに違いない大作曲家ラモーの甥たる「彼」の対話からなる一風変わった小説である。その最後の数ページに出てくる、姿勢＝身のこなし（positions）をめぐる長いやり取りが、四階の殿様や位春の記憶とにわかに、そして激しく共振するのである。ディドロの目の覚めるような文章を、省略を挟んで紹介しよう。

〈彼〉――なんてひどい世の中かっていうんですよ、一方には何でもたらふく食べられる連中がいるかと思うと、他方には胃袋も同じ、食欲も同じだっていうのに口に入れるものが何にもない奴らもいるんですからね。最悪なのは、何とか食い物にありつかなきゃならないから、どうしたってある種の姿勢をまぬがれられないっていうことですよ。貧乏な人間は普通の歩き方はしませんからね。跳んだり、這ったり、身体をねじらせたり、足を引きずったり。朝から晩までいろんな姿勢や身のこなしを実践して一生を終えるんですよ。（…）私だって、周りを見て自分の姿勢を決めますよ。そうでなきゃ、ほかの連中が何らかの姿勢を採用する、その様子を見て楽しむんです。わたしはね、これからご覧に入れますが、パントマイムがうまいんですよ。

そういうと彼はにやりとして、相手を褒める人、何かを懇願する人、相手に取り入ろうとする人を真似し始めた。右足は前に、左足は後ろ。背中を曲げ、頭を上げ、目は他の人の目に張り付いているかのよう。口は半ば開き、両腕は何かわからないがそこにあるらしい物の方に向けられている。彼は命令を待ち、そして受け取る。そして、たちまち矢のように走り去ったかと思うと、舞い戻ってくる。命令は実行され、彼はその報告をする。彼は周りのすべてに気を配り、落ちているものを拾い、枕や足載せを足下に置く。盆を持ち、椅子を近づける。扉を開け、窓を閉め、カーテンを引き、主人と奥方をじっと窺う。腕は両脇に保ち、両脚を揃え、微動だにしない。彼は耳を澄まし、主人の表情を読み取ろうとしている。そこまで来ると、彼はこう付け加えた。「これがわたしのパントマイムですよ。ごますり男、宮廷人[*44]、従僕、乞食の身のこなしと大体同じでしょ。」（…）

〈私〉――でもね、とわたしはこの男に言った。あなたにしてみれば、この世界には実にたくさんの乞食がいるわけですよね。あなたが見せてくれたダンスのステップを多少とも知らない人なんて全然いないいんじゃないかな。

〈彼〉――その通り。国は広く大きいけれど、まともに歩く人間は一人しかいませんよ。それはね、社会の頂点にいる君主ですよ。あとは全員何らかの姿勢を身に付けなきゃならんのです。

（Denis Diderot 1983 : 125–128 ディドロ 1964 訳改変）

このあと、哲学者はその君主ですら例外ではないという議論を展開しているが、身分制社会が強要する姿勢＝身のこなしの核心部分を理解するには以上で十分であろう。『ラモーの甥』は一七六二〜七二年頃の執筆という。八九年の革命を経験するにはまだ二十年ほどの年月を待たなければならなかった当時のフランス社会はアンシアン・レジーム下にあり、したがっていまだアベ・シエイエスのいう「同輩者たちの集団」（市民たちの共同体）ではなく、がんじがらめに階層化され構造化された身分制社会であった。八九年はバスチーユ襲撃の年というよりは、全身分会議（三部会）が廃絶され、一院制の国民議会が誕生した年というべきである。姿勢＝身のこなしをめぐるディドロの活気に満ちた言葉は、身分制社会に固有の上下的階層的社会関係が人間を卑屈な隷属的存在に加工してしまうという点に鮮明な光をあてており、そのような社会に対する根源的な批判になっている。

＊44　つねに這いつくばって生きなければならない人間の典型は「宮廷人 courtisan」である。百科全書派の唯物論哲学者でディドロの友人であったドルバック男爵に、『宮廷人のための這いつくばる技術についての小論』という文章がある。そのなかに次のような一節があるので紹介しよう。「優秀な宮廷人というものは自分の意見というものを持ってはならない。自分の主人ないし大臣の考えがすなわち彼の考えなのである。炯眼な宮廷人はそのことをつねにわきまえていなければならない。（…）また、よき宮廷人は理性的に正しい判断を下してはならない。自分の主人ないし恩恵を与えてくれる人物よりも才知に富んでいるなどということは、決してあってはならないことなのである。宮廷人は次のことを肝に銘じなければならない。君主、権力の座にある者は決して誤ることはないということを」（D'Holbach 2010：18）。這いつくばること、すなわち、上位の者に盲目的に隷属する精神ここに極まったという感じがするが、八九年の「自由」——法による「自由」——は人をこのような隷属状態から解放する試みだったのである。

以上をふまえたうえで、指摘したいことが二つある。その一つは、〈私〉が「パントマイムを免れている人間が一人だけいる」と指摘し、それを「何も持たず、何も求めない哲学者だ」と言ってのけている点である。「這いつくばったり、品位を落としたり、身を売る」よりは、また「卑しいパントマイムを演じ続ける」よりは、古代ギリシャの犬儒派の哲学者ディオゲネスのように凜として生きる方に上位の価値を見出している人間類型、それが哲学者だということだろう。このような哲学者像——身分制的しがらみから自由な自律的人間像——が八九年の「市民」を予告していることは、言うまでもなかろう。

第二に指摘したいのは——そして、わたしのこれまでの議論展開においてはこの点がむしろ重要なのであるが——、〈私〉と〈彼〉の議論がもっぱら姿勢＝身のこなし、すなわちパントマイムに集中していて、這いつくばる人間の言語的実践の特徴に及ぶことが一瞬たりともないという点である。まず、〈私〉＝哲学者と物乞い同然の寄食者＝ラモーの甥の言語交換には尊卑・強弱関係の片鱗すらなく、対等者によるまことに堂々たる議論になっているという点を指摘する必要があろう。哲学者がラモーの甥に教えを垂れるというのではない。二人は、作品冒頭で話題になっているチェスで相対する二人のプレイヤーが同じ盤と同じ駒を使い、同じ規則に従って勝負するように、まったく対等の立場で同質の言語を用いて対話している。来るべき市民社会の言語的基盤はすでに整っていたということであろうか。田中克彦の次のような指摘が思い出される。「おそらく近代化をやりぬいたヨーロッパでは、対話の中での支配と従属の関係を廃絶して、連帯の関係へと、人間関係のあり方を、言語表現の中にも定着させたのである」（田中克彦 1999：72）。亀井孝の「天皇制の言語学的考察」を日本語に翻訳する労をとった田中ならではの指摘というべきであろう。

『ラモーの甥』ではあれこれの人間の姿勢＝身のこなしの問題は主題化されているが、他方、彼等の言語的実践はまったく話題にならないという事実に着目すると、唐突の感を免れないが、わたしはまたしても黒澤明の『七人の侍』を引き合いに出したくなる。どういうことか。

三船敏郎演じる菊千代のことが忘れられないのである。菊千代は特別な存在だ。七人のよそ者侍と百姓たちが創る共同世界を象徴する縦長の旗のことを取り上げた際に書いたことだが（第2章）、菊千代は侍の勘定に入ってはいるが、本当のところは侍ではない。刀を持ってはいるが、もともとは百姓で、侍になろうとして、侍の格好をしている偽の侍である。縦長の旗では、厳密には侍でもなく百姓でもない、あるいはそのどちらでもある菊千代を示す△が、本当の侍を表す○六つと百姓全体を指示する「た」の文字を結びつけるように配置されている。百姓たちは隷属的身分であるから、侍たちを前にしてただおどおどし、這いつくばることしか知らない。映画の最初の部分で、利吉＝土屋嘉男を初めとする百姓たちが町に出て、村の守り手となってくれる侍を探す場面で、彼らが、所司代の役人を前にした大経師位春と同様に、地にひれ伏して懇願する姿が印象的だ。これは、ラモーの甥のパントマイムには出てこないだろうが、日本人ならば誰もが即座に納得する、百姓の隷属的境遇ゆえの姿勢＝身のこなしである。

ところが、百姓でもある菊千代はそうではない。彼は島田勘兵衛＝志村喬との最初の出会いの時から、まずは侍として立ち現れるが、他の侍たちとは姿勢＝身のこなしがまったく違う。彼はやけに長い刀を脇に差すのではなく肩に担いでいるから、姿勢も立ち居振る舞いも大いに異なる。歩き方も独特だ。黒澤明は、侍たちが村に到着したすぐ後の様子を描くシーンで、彼らの身体技法がどういうものかをまざまざと見せつけている。侍たちを恐れる村人たちが家に引きこもって出てこないので、侍たちも村の爺様＝高堂国典もほとほとよわり果てている時に、突然、板木を打つ甲高い音が村中に鳴り響く、あの場面だ。野武士が襲来したとだれもが信じ込み、侍たちは爺様の家を出て、走り出す。百姓も慌てふためいて外に出るが、雑然とした塊をなして、ただ右往左往するのみ。走るでもなく歩くでもなく、ただよろめくように無原則に移動する村人に対して、六人の侍たちは勘兵衛を筆頭に凜とした姿勢で風神のごとく駆けめぐる。まことに見事な対照である。勘兵衛は「野武士を見た者はこれへ出ろ」と叫ぶが、埒があかない。結局、板木の甲高い音は菊千代が発したものであることがわかり、一同安堵する。

要するに、まさしくあの縦長の旗が示しているとおり、侍でもなく百姓でもない菊千代が両者の対面・結合を可能にしたわけだ。その菊千代は、侍のようには走らないし(いや、彼にはそういう走り方はできないだろう)、かといって百姓のように慌てふためくわけでもない。どちらでもないのである。菊千代の姿勢＝身のこなしを象徴しているのは、後ろ足で土を蹴る犬の姿を彷彿とさせるしぐさである。彼は、利吉の提案を受け入れて爺様の家に向かう侍たちの後ろ姿を見ながら、くるっと身体を半回転させて、後ろ足で土を蹴る犬のしぐさを真似ている。動物を喚起するのはしぐさだけではない。サルの叫びのような奇声も彼の特徴である。菊千代は既存の人間的カテゴリーには収まらないのだ。

だいいち、彼にはもともと名前がない。菊千代というのは、彼がどこかで盗んだ侍の系図に出てくる当年十三歳の子どもの名前である。自分を侍として認知してもらいたい彼は、そうとは知らずに(彼は字が読めない)、系図を拡げ、「菊千代」を指差しながら、ぐでんぐでんに酔っ払った勢いにも押されて、「これが……その……俺様だ」と大見得を切る。「ハハハハ、おぬし十三歳には見えぬが。よく聞け、この菊千代と申す者がおぬしに間違いなければ、おぬしは当年とって十三歳だ」と応える勘兵衛は大笑いし、侍一同もこれに唱和する。荒々しく野性的な男とあどけない子どもの名前の落差に笑いをこらえることはむずかしい。後に、彼は、例の縦長の旗を考案した平八＝千秋実に「ところで、お前の本名は何というのだ？」と尋ねられる。その際の返答が「本名なんか忘れたア……名前がいるなら、新しく似合いの奴をつけてくれ」なのである。要するに彼には名前がないのだ。平八は即座に「では菊千代がよい」と言う。菊千代はこうして生まれた。今まで存在しなかった新しい人間類型には子どもの名前がふさわしい。「菊千代」とは、これから存在し始める新しい人間の名前なのである。[*45]

*45 菊千代という名前の選択についてひとこと。「菊」の紋は天皇家の紋章であり、「千代」は「千代に八千代に」の「千代」であるから、「百姓の生まれ」が天皇に取って代わったということか。侍でもなく百姓でもない、新しい人間類型、だれにも這いつくばらない自由な人間の時代が天皇のそれに代わって永く続くようにとの、おそらくは無意識の願いが込められているのかもしれない。いずれにせよ、あの旗を創った平八が同時に新しい人間の名付け親であることは、意義深い細部なのではないか。

新しい人間＝菊千代は、上に立つ侍の姿勢＝身のこなしからも、隷属する百姓のそれからも自由だ。その自由によって、彼は際立っている。しかし、彼のその自由は、さらに彼の言葉使いの途方もない偏差によっていっそうの輝きを放っていると言わなければならない。『ラ

『七人の侍』(1954)：勘兵衛にあこがれる勝四郎と菊千代。弟子入りしたい勝四郎は武士であるがゆえに勘兵衛の前で跪くが、菊千代は這いつくばらない。菊千代の特異性を印象づける素晴らしい場面だ。

モーの甥』を意識しつつわたしが強調したいのは、実はこの点なのである。菊千代の言語実践の特異性は全編に漲っているが、例として、百姓たちが落武者たちから奪い、村に隠匿していた鎧兜や刀剣の類を菊千代が彼らに担がせ、他の侍たちに見せる、あの有名な場面を取り上げよう。七郎次＝加藤大介は激昂して、「こ、この鎧は、百姓が侍を突ッ殺して手に入れた品物だぞ」と言い、勘兵衛は「落武者になって竹槍に追われた者でなければこの気持ちはわからん」と漏らす。一方、久蔵＝宮口精二は「俺は、此の村の奴等が斬りたくなった！」と呟く。それに対する菊千代の応答が凄まじい。その鬼気迫る凄まじさを知るには、長い台詞のほんの一部を引用すれば事足りよう。菊千代は泣きじゃくりながら、こう叫ぶ。

百姓ってのはな……けちんぼで、ずるくて、泣虫で、意地悪で、人殺しだ！……ハハハハ……おかしくって涙が出らア！（…）でもな……そんなけち臭いけだものをつくったのは誰だ？……お前達だぜ！……侍だってんだよッ！（…）戦の度に……村ア焼く……田畑踏ン潰す……喰物ア取り上げる……人夫にこき使う……女アあさる……手向やア殺す……おい……どうすりゃいいんだ……百姓はどうすりゃいいんだよう。

（黒澤明 1988 44）

あぐらを組んで押し黙っている五人の侍（若輩の勝四郎＝木村功はいない）、いかに士官先を失った浪人とはいえ、身分的に上位の侍には違いない五人に向かって、菊千代はこういう激越な言語パフォーマンスを演じている。入神の境地というのであろうか。見る者は悪魔に取り憑かれたような三船敏郎の演技にただただ圧倒され、文字通り釘付けになる。素晴らしいとしか言いようがない。重苦しいほどの沈黙がしばらく続く。その間、カメラは下を向いて悔し涙を流す菊千代を離れ、まず動揺を隠しきれない五人の侍を菊千代の背後から撮り、その後に、うつむいていた状態からおもむろに顔をあげる勘兵衛をとらえる。勘兵衛の目には涙があふれている。そして老侍の口から次の言葉がぽつりと漏れる。

貴様、百姓の生まれだな？

菊千代は涙で濡れた顔をあげ、うろたえた様子を見せる。場を支えられなくなり、急に立ちあがると、家の外に出て、走り去ってしまう。入れ替わりに、杖をつく爺様が利吉に連れられてよろよろと入ってくる。尋常ではない空気を嗅ぎとった長老は勘兵衛に「む？ 何か？ また……」と尋ねる。老侍は例によって坊主頭を掻きながら、ただ「いや、なんでもない……もうよい！」と答える。一同の顔にかすかに笑みがもどる。

百姓が、菊千代がそうしたように、侍に向かって罵倒の言葉を向けるなどということは、現実にはありえない。隷属的境遇の百姓は、社会的強弱・敬卑関係を正確に反映する言語の牢獄に押し込められているから、侍を前にして地に平伏すように、言語的にも平伏さざるを得ない。黒澤明は百姓の――ということは、日本人の、ということに等しい――隷属状態からの解放を夢見ていたに違いない。そうでなければ、姿勢＝身のこなしの点でも、また言語的実践という観点からも、もはや百姓ではない菊千代という人物像を想像＝創造する必要など少しもなかったはずだからである。「人権宣言」の時代にいたる前の身分制社会（アンシアン・レジーム）に生きていたディドロは、「哲学者」のなかに、身体的に這いつくばらない「市民」の姿を見ていた。他方、黒澤明は「人権宣言」から百六十五年後に、パリから一万キロ離れたこの国で、身体的にも言語的にも這いつくばらない菊千代に未来を託した感がある。そういう思いをわたしは打ち消すことができない。最後の戦いで彼は斃れるが、彼を知った百姓たちはもはや同じ百姓ではないだろう。最後の田植えのシーンに溢れる彼らの潑剌とした姿がそれを暗示しているかに感じられる。彼らを遠くから眺める勘兵衛が七郎次に向かってつぶやく「今度もまた負け戦だったな。……いや勝ったのは……あの百姓たちだ。儂たちではない」という作品最後のせりふもまた、それに呼応しているだろう。勘兵衛は百姓たちが菊千代に学んだということを学んだのである。

多くの人が『七人の侍』は傑作であるという。わたしもそう思う。ただし、並の傑作ではない。黒澤明が日本の一木一草にまで及んでいる天皇制を意識していたのかどうか、それはわたしには分からない。天皇制をどのようにしたら根こそぎにできるのかと問うたのは『中世的世界の形成』の石母田正であったが、『七人の侍』はこの問いに対する映画芸術による一つの回答であるかにわたしには思えるのである。一九五四年の黒澤作品は、日本を根こそぎひっくり返す力を秘めた恐るべき傑作である。

大手商社の四階に君臨する殿様と最上階の雲上人、そしてわたしが学生ではなく教員であることを知ったときの事務官の言語的であると同時に姿勢的な豹変。実は、後年わたしは、フランス語による二冊目の著作『メロディ、あるパッションの記録』のなかで、この二つの記憶について語ることになった。この本は、先述の通り、ゴールデンレトリバーのメロディと過ごした日々の回想である。メロディは犬ではあったが、周りの人間の歓びを歓び、悲しみを悲しみ、痛みを共感することのできるかけがえのない存在であった。そういうメロディであったから、彼女とともに生きた十二年三ヶ月は、わたしにとっては、人間という動物についてあれこれと思いをめぐらす日々だったのである。メロディは、オデュッセウスの犬アルゴスが人間たちの目を完全に欺く物乞い姿のオデュッセウスを即座にオデュッセウスとして認めたように（ホメロス 1994：第十七歌）、わたしがたとえ大臣になろうがホームレスになろうが、そんなことはまったく意に介すことなく、つまりわたしに付着する社会的・外面的符牒にはいっさい目を奪われることなく、わたしをわたしとして、つまり裸形のわたしとして認めていたのだと思う。またエマニュエル・レヴィナスの思い出に出てくる野良犬ボビーが、ナチスとは正反対に、強制収容所に隔離された人々を人間と認めて喜びを全身で表現していたように（レヴィナス 2008：201–205）、どんな人に対しても等しく友好的だった。わたしはそういうメロディの傍にあって、ルソーが『人間不平等起源論』の冒頭で引き合いに出している印象深い比喩によく思いをめぐらした。「時と海と嵐とによってあまりに変貌してしまった」ために、獰猛な獣のような姿になってしまった海神グラウコスの彫像の比喩である（ルソー 2008a：34）。メロディの目は表面に付着した無数の貝や海藻（＝歴史的獲得物）の下に失われることなく存在するグラウコスの本来の姿（＝自然）を見ることができただろうと思わずにはいられなかったからだ。娘のようでもあり、また大切な友人のようでもあった彼女は、亡くなってからも毎晩のようにわたしに会いに来た。感謝の気持ちを形にしたいという気持ちが日に日に強まり、墓標代わりの文章を綴ることにしたのである。

『メロディ、あるパッションの記録』で「殿様と雲上人」に触れたときにはたと気がついたのは、殿様が平社員と話すときの言葉使いと、雲上人の靴の埃を払うさいの言葉使いの、日本人ならばだれでも納得する違いの前で、フランス語は徹底的に無力だということだった。つまり、殿様と平社員の上下・強弱関係、雲上人と殿様の上下・強弱関係をフランス語で細大漏らさず掬い上げることなどできない相談なのである。

わかりやすい例を黒澤明の『用心棒』の最終場面から紹介しよう。用心棒の仕事が終わって町に平和が戻る。新田の卯之助（仲代達矢）の死から用心棒（三船敏郎）が番太の半助を呼びつけるまでのほんの一～二分のあいだに聞かれるせりふのやりとりは次のようなものである。

卯之助「おい、さんぴん、いるか？」
用心棒「いるぜ」（死んだ卯之助に向かって）「こいつ、どこまでも向う見ずの本性を崩さずに死んでいきあがった」
用心棒「半助！」
半助「へい、何か御用で」
用心棒「おめえは、首でもくくりな」
半助「へぇ」

傍線を引いた箇所に注目されたい。「いるぜ」は「わたしはいまここにいる」という客観的な事態（わたしのいう「物の世界」）を表しているわけであるが、これが相手次第で「いるよ」「いるぞ」「いるぜ」「います」「いますよ」「おります」などと変化するのが日本語である。フランス語の字幕スーパーは単に Je suis là. で、これは「わたしはいまここにいる」という事実を事実として表出しているにすぎない。そしてこれ以外には言いようがない。「死んでいきあがった」も卯之助が「死んだ」あるいは「死んでいった」という事実を超えて、用心棒と卯之助の関係（前者がろくでなしの後者を上から見下す侮蔑的態度）を表している。フランス語字幕は単に Il est mort.（彼は死んだ）と訳している。それ以外に方法がないからである（もちろん、「死ぬ mourir」の代わりに、動植物が死ぬことを意味する crever を用いて、「Il a crevé comme un chien.（犬のようにくたばった）」とする選択もありえようが、これは「くだけた表現」であって、話者の素性を表しはするが、話者と対話者の強弱・上下関係を表象するものではない）。半助の「へい、何か御用で」の「へい」は相手が自分よりも上位であることを認める応答表現である。次の「何か御用で」は「何か用か」や「何か用ですか」と同じではない。自分が下位であり、それを認めるからこその言い方である。フランス語訳の Qu'y-a-il ? は、話者・対話者を上下に位置づける機能をいささかも持たない。要するに、『用心棒』のやりとりのすべてに、話者と対話者のあいだの上下・尊卑関係が埋め込まれているわけである。ところが、フランス語はそれを拾い上げることができない。

若い頃にわたしが実際に体験した場景も黒澤明の傑作の一場面も、日常の実に些末な出来事だが、日本全国津々浦々で人々が常々経験していることとかけ離れているわけではないだろう。こういう日本の生活の実質を形成しているソシアビリテ（社会的結合関係）とその中核にある言語的交換の特殊性を、近代国家や市民社会、あるいは民主主義や基本的人権を対象とする諸学問が無視してよいものなのか。こういう平凡かつナイーブとしか言いようのない問いをわたしは抱くのであるが、これに応える学問はいったい何学なのであろうか。

福沢諭吉が『福翁自伝』のなかで語っている二つのエピソードが思い出される。

その一。維新から数年がたち、諭吉が子どもを連れて江ノ島・鎌倉方面に出かけたとき、馬に乗っている百姓に出会う。その百姓は諭吉一行を見るやいなや馬から飛び降りたので、諭吉は馬を止めて、「これ、貴様は何だ」と言う。すると百姓は恐ろしくなって頻りに詫びるので、「馬鹿を言え、そうじゃない、この馬は貴様の馬だろう」と訊くと、半助のように「へい」と答えるので、「自分の馬に自分が乗ったら何だ、馬鹿なことをするな、乗って行け」と諭すのだが、百姓はなかなか乗らない。そこで「いま政府の法律では、百姓町人乗馬勝手次第、誰が馬に乗って誰に会うても構わぬ。早く乗っていけ」と言って、「無理無体」に馬に乗せてやったという。士族に対して「へい」とへりくだり、隷従の地位に甘んじる百姓を前にしての諭吉の結論は「古来の習慣は恐ろしいものだ、この百姓らは教育のないばかりで、物がわからずに法律のあることも知らない」であった。

その二。明治五年のころ、諭吉は摂州三田に赴く途中、緒方（洪庵）の家を訪れるべく、大阪を一人徒歩で出立した。途中、話し相手がいなくて退屈なので、「何でも人に会うて言葉を交えてみたいと思い」、出会う人々に話しかける。一人目の百姓のような男に道を尋ねると、そのときの諭吉の素振りが横風で、士族の正体が露わになったせいか、百姓は「誠に丁寧に道を教えてくれてお辞儀をして」立ち去った。二人目の旅人にも「士族丸出しの口調で尋ねる」と、相手は「道の側に小さくなって、恐れながらお答え申し上げます」という反応を示す。三人目に対しては、「逆にやってみようと思い付き」、「モシ〳〵憚りながら一寸ものをお尋ね申します」と下手に出ると、男は「私を大阪の町人が掛取りにでも行く者と思うたか、なか〳〵横風でろくに会釈もせずに颯々と」行ってしまう。こういうことを繰り返しているうちに、諭吉の「心中は甚だ面白く」なくなる。「先次第で驕傲になったり柔和になったり」し、「先方の人を見て自分の身を伸び縮みする」は「百千年来の余弊」だと断じる。そして、このような「ゴムの人形」を何とか「立派な国民」にしなければならないというのが、諭吉の考えだった（福沢諭吉 1899：230–233）。

福沢諭吉が鬼籍に入ってから百二十年が経つ。われわれは一九四七年に、基本的人権の保障（十一条）と法の下の平等（十四条）を堂々と謳い上げる日本国憲法を手に入れたが、百千年来の余弊が清算された気配はないし、ゴム人形が一掃されたという形跡もない。それは人を否応なしにゴム人形に仕立て上げてしまう仕掛けが日本語の中に牢固として存在し続けているからではないのか。

わたし自身はといえば、どう転んでも、大手商社の殿様だけはご免だとひしひしと思うのである。

11 渡辺清『砕かれた神』

天皇をアナタと呼んだ男

前章で引いた言語学者田中克彦が日本語学・日本語教育の専門家遠藤織枝と「日本語の国際化」をテーマに交わした、たいへん興味深い往復書簡がある（田中克彦・遠藤織枝 1990）。その第一信で、田中は日本語を外国人学習者に教える教師のストレスや苦しみについて語っている。

母語を教える場合、「こういう言い方は、私としてはどうかと思う」という具合に、母語への批判的視点を導入することが可能だが、それを実践することはけっしてたやすくはないからである。「自分のことばを客観的にとらえ、批判できることは、学問の第一歩」であるはずなのに、「神聖な日本語を、それを学ぼうとする外国人の前で批判するなどというのは、いってみれば、不敬罪みたいに受けとられてしまう」恐れがつきまとう。「日本語批判は天皇制批判と同じくらいタブーだ」という現実があり、それが日本語教師のすべてではないにしてもその一部を苦しめているに違いない、少なくとも自分が日本語教師だったら、大いに苦しむことだろうと、田中は言うのである。田中が苦しむ理由は、はっきりしている。それは、英語では「すごい」ことに「ふつうの人が王様にだってユーと言える」のに対して、日本語が「差別、不平等を固定し、たえまなく目上にこびへつらいながら話すよう強制する言語」（傍点は引用者による）だからである。

　返信する遠藤織枝も田中の問題意識を共有している。「田中克彦さんへ」で始まる第二信は、まず田中のことをどう呼ぶかをめぐって遠藤が思い悩んだという告白から始まっている。「田中さんは大学教授で、私より年も身分も上、そして何よりも私は女だから、男性より丁寧な言い方を求められる」というふうに、「たえまなく目上にこびへつらいながら話すように強制する」日本語の特性を意識しているがゆえに、「「田中先生」にすべきか、「田中さん」がいいか、さんざん迷った」というのである。そして、結局は、「今回の通信相手の男性はおそらく「田中さん」と呼ぶのがふさわしい方だろうと思った」ので、「田中さん」にしたという。しかし、「勝手な思い込みでしたらお許しください」とあらかじめ非礼を詫びているところに、日本語のすごさが顔を出しているといえようか。

　往復書簡全体を通じて、両人とも相手を「アナタ」とは呼ばない（あるいはむしろ呼べない）し、いたるところに「敬語」にあたるものが見いだされるから、日本語の人称構造やへつらいへの強制力から自由であるわけではない。言語の構造はどんな話者よりも強いのである。二人を普通の話者から隔てているものがあるとすれば、それは、彼らがともにそういう言語の力に十分に意識的であり、可能な限り言語を出し抜く心構えを持っていることだろう。例えば、遠藤は、第四信で、欧米の学習者が書く日本語によって暴かれる「日本語に残る差別性、何でも男や夫や父が先という語の作り方、責任主体をぼかす表現」の遍在的傾向について語っている。

欧米の学習者に両親のことを書かせると、「母と父に相談して……」「お母さん、お父さんお元気ですか」などと書きます。「女男の平等について」書いた男子学生もいます。こういう学生たちに日本語では「父と母」「男女」だからと語の組み合わせの順序を直させなければいけないのでしょうか。

「この度……結婚することになりました」という結婚式の招待状がテキストに出てきたとき、「結婚は自分で決めるのではないのか」「日本ではまだ親が決めるから、そう書くのか」と質問されたことがあります。

同僚の教師から、工場排水とは「工場から出る汚れた水」だと説明したら、「いや、工場が出す汚れた水だ、自然に出てくるはずはないのだから」と学生に指摘されたときききました。

こういった具合である。遠藤が取り上げている例は、話者と対話者の上下・尊卑関係に直接的に関わるものではないので、回避やねじ伏せが比較的容易であるが、「話手の敬意の表現が聴手の如何によって制約されて生ずる現象」としての「敬語的制約」(時枝誠記 1941:431) からの自由となると、これは難しいというよりも不可能に近い。ところが、その、逃れることのできない日本語の構造全体からの、いまここでは不可能な自由を田中は視野に入れているようである。第三信で、田中は次のように書いている。

国内にも海外にも日本語評論家が増えてきましたが、その人たちの論に欠けているのは、「ことばの民主主義」という観点です。

近代民主主義の社会は、国民のすべての層が、ことばを自由に、対等に使うことによって成立し、維持されるものです。だから、ことばの中に、階層、身分、性の差別、権力関係が固定されているのは良いことではありません。権力関係ぬきの言語表現が不可能となれば、あらゆる人間関係が権力関係として言語使用規則の中に表れます。人々はルールに違反するのがこわくて、びくびくしながらでないとものが言えない。このルールの巧みな使用の中に、日本文化の精髄があるというなら、こんなみじめな精髄は、とても外国人に見せられたものではありません。(…)

日本語が民主主義を体現した言語になるための道のりはまだまだ長いと思います。

まったく同感だが、あえてひとこと付け加えるならば、民主主義とは言わずに、「市民社会」――むろん、自然人たちによる社会契約の結果として誕生する、市民たちが形成する共和国という意味での「市民社会」――という表現を用いるほうが適切なのではないかと、わたし自身は考えるのである。国民主権を保障する憲法のもとで、自由な選挙が行われ、その結果選ばれた国民の代表者が政治を担当すれば、そこにはデモスの支配としての民主主義があるという程度の、民主主義の教科書的定義に満足せず、一歩踏み込んで、民主主義の担い手として、社会契約の主体であるところの平等・対等な「市民」を取り出し、そのような「市民」が「市民」として存立しうるための条件を問うならば、おのずと市民社会の言語的基盤という問題が浮上するように思われるからである。「近代民主主義の社会は、国民のすべての層が、ことばを自由に、対等に使うことによって成立し、維持されるものです」という田中の主張を、わたしはそのように理解したい。

田中克彦が日本語に向ける視線はまことに鋭く、かつ新鮮である。もう一つ、今度は彼の著書『言語の思想――国家と民族のことば』から引用しよう。「しつけ」に始まり、「差別的な言語表現の最たるもの」としての敬語にいたる思索を展開している箇所である。目から鱗の思いを抱くのはわたしだけであろうか。

日本人における、しつけという徳目は、独特の意味をもっている。ことばのしつけとは、考えたことをわかりよく、的確に表現するための訓練などではなく、まず何よりも、相手の身分や年齢をおしはかって、しかるべき恭順さを言語的に表現する態度をつけさせることである。「ことばづかいに気をつけろ」とか「反抗的言辞を弄する」とかのとがめだては、このことをよく示している例だろう。ことばとは、日本の社会のなかでは、ことをわけて、主張するためのものではなく、相手の気をとりなすためのものであったともいい得る。(…)日本語は他のどこでもない、日本人の社会において発展してきたのである。日本語はものごとの真実を描き出すためにではなく、ことを荒立てずに包みこむことを大きな役割としてきた。日本語をこのようなものに仕立てたのは、日本語の話し手の好みによるのである。

話し手の好みの反映という点で、日本語のいちじるしい特徴の一つに、その差別能力をあげなければならない。職業、職種にたいして、ヨーロッパ語などでは無差別に同じ形式がもちいられるところ、日本語は規則的な差別体系を発達させた。郵便配達夫とはいうが、この夫は宇宙飛行夫とは使えないのである。

> 差別的な言語表現の最たるものは敬語である。だが、「体系」という概念のおかげで、敬語法も、まったくニュートラルな文法の中に解消されることになった。敬語法は日本語の本質にやどる文法であって、体系の一部であれば、これに話し手が手を加えるわけには行かなくなるのである。しかし、自分と相手との距離をはかりながら敬語法の度合いを選択する話し手の意識は、「てにをは」を選択するときの意識とは全くちがうのである。
>
> ここにも、文法さえ合理の産物ではなくて、しつけや作法の一部と意識される理由がある。
>
> （田中克彦 2003：218–219 傍点は引用者による）

社会というものは自然的な所与なのではなく、われわれ自身が主体的につくり出すものであるということ、そしてそのような制作物としての社会は支配服従関係のない同輩者たちの集団によって担われる市民社会――上に立つ人 chef はいるけれども、支配者 maître はいない自由な社会――なのだというルソー＝シエイエス的認識を、われわれは獲得しなければならない。そのための条件は、そのような認識が教育の力によって拡散し深化することであろう。同輩者的世界像の共有の度合いが深まれば深まるほど、そのおそらくは非常に長い歴史的プロセスの中で、日本語は徐々に「民主主義を体言した言語」に近づいてゆくに違いない。そうすれば、人々の同輩者的言語実践の普遍化によって、いつしか敬語法＝敬卑語の体系は用済みとなり、もって百千年来の余弊が克服されることになるだろう。言語が長い時間をかけて変化するものであることは確かだが、それは集団的な営みの結果として生じる現象である。言語は個人ではどうにもならない。言語が個人に命令するのであって、その逆ではない。しかし、個人的な逸脱的試みが言語に微細な揺さぶりをかけるということは大いにありうるし、現にそういうことを意識的に追求するのが詩人や作家といった文章家であるに違いない。何事にも最初というものがあり、それが何らかの条件のもとで社会的な広がりと深さを有するにいたるのである。

わたしは、いま、『砕かれた神――ある復員兵の手記』(渡辺清 2004) という本のことを考えている。著者の渡辺清 (一九二五〜八一) は十六歳で海軍に入り、「国のため、同胞のため、そして誰よりも天皇陛下のために死ぬこと、天皇陛下の「赤子」として一死をもってその「皇恩」に報いること、それをまた兵士の「無上の名誉」だと信じ、引きしぼるようにその一点に自分のすべてを掛けていた」(渡辺、同書:19) 若者だった。戦争の地獄――乗船していた戦艦武蔵の沈没など――を経験して復員した渡辺は、全身全霊を捧げていた天皇に対する思索を日ごとに深めていき、ついには天皇制の呪縛からみずからを解放するにいたった。読者は、日記形式で書かれたこの本のページを追うことを通じて、敗戦を契機に一人の完璧な皇国青年の天皇像がどのように崩壊していったのか、その詳細をたどることができる。たとえば、昭和二十一年四月十二日の記述のなかには次のような言葉がある。

天皇をありがたがっているのは何も金持ちだけではない。おれたちみたいな貧乏人の中にもありがたがっているのが大勢いる。たとえば天皇の写真だが、おれの部落でも座敷の壁に額入りの天皇の写真をかけているうちが何軒かある。西口のうちなど白馬に跨がった天皇と、皇后、それに天皇一家の写真の三枚が、戦死した二人の息子の軍曹と上等兵の軍服姿の写真といっしょに、仏壇の上の鴨居に並べかけてある。

息子はその隣の白馬にまたがった男の命令で殺されたというのに、母親のよねは毎朝その前に立って手を合わせている。息子を二人も失くした怒りも天皇にはぶつかっていかないのだ。それによって天皇のありがたさはいささかも変わらないのだ。(…)

(「いつの時代でも、その国民はその国民にふさわしい政府をもつ」という)言葉はそのまま天皇と国民の関係についても言えそうだ。国民の大半は、今も天皇のただ食いを当然のこととして黙認しているが、それを黙認して天皇をありがたがっているかぎり、天皇は天皇の座に居直り続けるだろう。それを言えば、ただちにその一人であるおれ自身にはねかえってくるので言うのはつらいが、まさにこの国民にして、この君主ありだ。

(渡辺、同書:313–315)


まことに強烈な印象を与える作品である。この強烈な印象は、最後の四月二十日の文章で極点に達する。というのは、渡辺は天皇に宛てて書いた自分の手紙を子細に紹介しており、そのなかで「アナタの海軍」「アナタの降伏命令」「アナタの命(「いのち」ではなく命令という意味の「命」)」という具合に、天皇を「アナタ」と呼んで憚らないからである。[*46] そして、「アナタには絶望しました」「アナタの何もかもが信じられなくなりました」と言ったうえで、驚くべきことに「そこでアナタの兵士だったこれまでのつながりを断ち切るために、服役中アナタから受け取った金品をお返ししたいと思います」と書いているのである。まず俸給の計算がある。その次は食費だ。上官から「汁一杯、米一粒といえども畏れおおくも天皇陛下がくださるものだと言われ、日に三度三度ありがたくいただだ(いた)」

すべての食事の合計である。その次が長い被服の一覧表。「被服は「靴下一足、ボタン一個にいたるまで天皇陛下からお借りしたものだから大事にせい」と言われ」ていたので、「きちんとそろえておくことに」大いに気を配ったが、武蔵沈没の際にすべて失われたので、「アナタからの貸与品」の借料を計算したという。最後に、「アナタからの「御下賜品」」としてもらった煙草三箱と酒一本も計算に加え、「以上が、私がアナタの海軍に服役中、アタナから受けた金品のすべてです」と記し、端数を切りあげた総額「四、二八二円をここにお返しいたします」としている。一行あけた最後の一文は、「私は、これでアナタにはもうなんの借りもありません」だ。

*46 田中克彦は、日本語を習得し、日本企業に就職したある外国人が「課長さんだか係長さんに対して、「あなたは……」と話しかけた」ことがもとでクビになったエピソードを紹介したあとで、次のように書いている。「こうした深刻な問題をひき起こす敬語表現は二人称において生じる。すなわち、話し手と受け手との間で、それは上、下、もっと社会科学的に言えば、支配と被支配の権力関係に根ざしている。いかにそれを粉飾しようとも、権力関係であることは、「あなた」と言ってクビになった使用人の例が何よりの証拠だ」(田中克彦 1999：65-66 傍点は引用者による)。しかし、渡辺清の受け手は、そこらへんにいくらでもいる課長さんや係長さんなどではなく、天皇裕仁その人であった。

天皇に向けられた「アナタ」の威力には凄まじいものがある。天皇との恩賜的関係がはらむ尊卑関係を完全に断ち切るために、天皇から受け取った――渡辺は「受け取った」とか「受けた」と言って、「いただいた」「賜った」「拝受した」「拝領した」などとは言っていない――ものすべてを返却する際に、宛名人の天皇を「アナタ」と呼んでいるのである。これは単なる個人的逸脱行為というよりは言語革命的行為と言って差し支えなかろう。「お返しいたします」といった言い方が残っているから、上下・尊卑関係が完全に破砕されているわけではない。しかし、相手はなにしろ天皇である。八月二十五日付で「朕帝国陸海軍ヲ復員スルニ方リ朕カ股肱タル陸海軍人ニ告ク」[*47]で始まる勅諭を出した天皇である。その天皇に向かって、渡辺はアナタと言い、もらったものをすべて返したことを告げる返事を書いたのである。たった一人で遂行した、精神の深奥のあらゆる場所から天皇制の痕跡をことごとく抹消せんとする、いわばみずからの内に潜む天皇制を「根こそぎに」（石母田正）しようと試みる、真にラジカルで徹底的な象徴的決別であった。[*48]

＊47　この詔勅の全文が『砕かれた神』の冒頭（タイトルページのすぐ裏、目次の前）に掲載されているから、渡辺の本はこの詔勅への返事として読めるし、またそう読まれなければならないと思う。

＊48　本書の第一稿ができあがって、推敲作業に取りかかっていたところに、奥泉光・加藤陽子の共著（奥泉光・加藤 2022）に出会い、示唆に富む対談に知的興奮を味わった。その第Ⅲ部「太平洋戦争を「読む」」は、戦争を扱った文学作品をとおして戦争を「読む」試みである。奥泉と加藤の対談のなかには、『砕かれた神』の作者が引き合いに出されているのだが、その扱われ方に少しばかり驚いた。二人は山田風太郎の『戦中派不戦日記』の特異性を浮き上がらせるための比較項として渡辺の『海の城』には触れているが、『砕かれた神』は素通りに近いことが意外だったのである。当時の大方の日本人の場合と同じように、渡辺にとって、天皇とは天皇個人のことではなくて、「無条件に愛すべき共同体の換喩」だったのに対して、山田には「愛すべき家族や故郷がない」という点を奥泉は強調する。その通りだろうと思う。しかし、小説家も歴史家も『砕かれた神』の渡辺が天皇に向かって放った激越な「アナタ」に注意を向けていないことには、驚きを禁じ得ない。言語が盲点化していることの現れなのであろうか。

とはいえ、渡辺清が天皇に差し向けた「アナタ」は、あくまでも『砕かれた神』という書物に挿入された手紙の中での「アナタ」である。対話者は天皇とはいえ、肉体的現前をともなわない、架空に近い紙上の存在である。それゆえ、誰も話者である渡辺がどのような姿勢と身振りで振る舞っているのかを詮索する必要を感じない。しかし仮に渡辺清が実際に天皇の面前に出て、天皇に向かって話をしたら、どうなっていただろうかと、わたしはその場面を想い描くのである。はたして、渡辺は天皇に対して「アナタ」と言うことができただろうか。尊卑・強弱関係によって隅から隅まで構造化されている日本語の規制に抗して、天皇との貸し借り関係を払拭すべく、この特別で特異な対話者と己を同じ水平面上に置く言語的実践を敢行し、さらにそれに対応するボディーランゲージ（身体を九〇度近く曲げるお辞儀の対極にある直立の姿勢）を採用することができたであろうかと、自問するのである。彼は、すべての借りを返して「アナタ」ときっぱり縁を切りたいという強固な意志を持ちながらも、大いなる困難を覚えたに違いない。存在をその根底から支える言語とはそういうものである。万が一、今日ただいまの時点で、かつて渡辺清が手紙という形で行ったことを音声言語の水準で実践する人間が現れたならば、その人間はどのように見なされるだろうか。かつての「不敬罪」は現行刑法には存在しないから、罪に問われることはないであろうが、轟々たる非難を浴び、有形無形の社会的制裁にさらされるのではないか。

わたしの想像は行き過ぎであろうか。

12 日本語におけるウチとソト

大野晋の日本語研究には教えられること、まことに多い。『日本語の文法を考える』のなかで、大野はなぜ日本語の人称代名詞の一人称と二人称が、「わたし」「私」「あたし」「あたい」「おれ」「てまえども」「てまえ」「僕」「我輩」「わっし」(…)、「おまえさま」「おまえさん」「おまえ」「おめえ」「あなた」「あんた」「てめえ」「きさま」「君」(…)というふうに、非常に多くの単語をもっているのかという問題に対して、非常に興味深いアプローチを行っている。

大野はまず日本語の代名詞がコソアドの体系(古典語ではコ・ソ・カ・イヅ)を持っており、その編成原理がウチとソトであることを明らかにする。ウチとは話し手がいるところ、あるいは話し手がウチとみなすところを指し、コ系の言葉(「ここ」「これ」など)がこれを引き受けるのに対して、カ系の言葉(「かしこ」「かれ」「こなた」など)はウチという輪の外にあるものを指示する。ソ系(「そこ」「それ」など)は、学校文法などでは近・中・遠の「中」を示すと説明されるが、真実はそうではなく、「我」と「汝」とがともに知っているものを指す。[*49]

＊49　「「こら」とは自分の身近な領域が犯されたときに相手の注意を喚起するのが根本の意味であり、方言によっては自分の妻を呼ぶのに使う。それは妻を、自分の領域、ウチの存在と見なすところから生じた用法であろう。「そら」とは相手の知るところを促す。「あら」とは身の埒外にあるとして、忘れたもの、意外なことを感じた場合に使う。「どら」とは未知のものを覗きこんだりする場合に発する声である」。つまり、コソアドの体系は感動詞をも規定しているわけである（大野晋 1978：74-75）。

次いで、大野は「我」と「汝」は、土地などの売買契約書で使われる甲と乙のように、本来意見が一致せず、利害が対立する存在と見なされがちだが、日本人は古来からそのようには考えてこなかった点に注意を促している。「我」と「汝」は、むしろ、「共同の場で生きており、同じ感覚をもって事態に対処してゆくウチなる存在」である。そこから「「我」と「汝」の適当な位置づけについてこまかい神経を使う」ことが重要になり、その結果「「我」や「汝」の遇し方を区別するための数多くの呼び名」を持つことになった。日本語にはすでに見たように、一人称を二人称の代用にする、西洋語から見ると驚くべき現象が存在するが、[＊50] それは「汝」のナが奈良時代以前には「我」の意味であったという事実に窺えるように、「我」と「汝」がともにウチを形成し、言葉というものは本来そのウチの中だけで使われるものだったという事情を反映している。

＊50　大野があげている例は次のとおり。「ボクきょう何時に帰る？」「ボクちゃん、これ見てごらんなさい」「うぬは悪いやつだ」「おのれは悪いやつだ」（大野晋 1978：78）。

「我」と「汝」が本質的に対立する間柄、言い換えれば両者が契約関係的存在であるならば、一人称と二人称を取りかえるなどということは可能であるはずがない。大野の次のように指摘はまことに鋭く、日本語の本質的傾向を見事に剔抉しているように思われる。

日本語の社会では、図式化していえば、ウチの人間の間で言葉を交わし、ソトなる人間はよそ者として排除してしまい、それはいわば恐怖の対象、妖怪などと同列に扱って、そこに人間関係を結ぼうと努めることは少なかった。だから日本語の表現には、誰にでも事実だけが分かるような、客観的な中性的な表現が乏しく、常に親疎の観念の伴う表現が多かった。また親しくよく知り合った中だけで言葉を交わすから、そこには省略が多い。（大野晋 1978：79–80）

「汝」をウチの存在と見なすことの帰結は究極の省略としての沈黙であろう。

ウチとソトという二分法が古代日本人の生活の場に発する空間認識の特徴であることを、大野は強調している。ウチは狭くは自分と、自分の夫・妻・親・子だが、広くは自分の住むムラが他のムラに対するウチになる。さらに広くは、自分の国全体が他の国に対してウチになる。ソトとは、「具体的には家の垣根の外」で、「その外にあるもの、外にある景色、山でも川でも雲でもみんなソト扱い」になる。奈良時代のトヒト――ト（外）ヒト（人）――という言葉は、二分法が人について用いられていることを示す例である。

コソアド体系がウチとソトの二分法にぴったりと対応していることはすでに述べたとおりだが、さらに興味深いのは、この二分法が尊卑の感情を生み出すもとになり、それぞれに対応する言語表現が発生したことである。ウチは狭い親しみの領域であるのに対して、ソトは未知であり、したがって恐怖の対象が存在する空間である。恐怖は畏怖に変わり、畏怖は容易に尊敬に転じる。大野は、例えば、「君が命」↕「君の命」とか、「彼が買った本」↕「彼の買った本」といった現用例に見られる「ガ」と「ノ」の使い分けがそのことを示唆していると主張する。要点だけを簡単にまとめると、ウチの親近の対象については「ガ」を使い、恐怖・畏怖・尊敬の対象には「ノ」を用いる。例えば、「君が代」という場合、「君」とは女が結婚の相手の男性を呼ぶ名で、親しい存在であるから「ガ」を使う。「わが君」「わが国」「おのが身」「妹が名」「母が手」「父母が為」などの「ガ」も同じである。親しみが高じて、「ガ」が卑下や軽蔑のニュアンスを帯びることもある。『万葉集』に池田の朝臣という人物の赤鼻をからかう歌があり、そこでは「池田の朝臣が鼻」となっている。

対して、「君」ではなく、天皇を意味する「大君」となると「大君の行幸」のように「ノ」が用いられる。「神の命」「皇祖神の御霊」についても同様である。天皇はソトの対象のなかでももっともソトの、もっとも疎遠な対象であり、その分、恐怖・畏怖・尊敬の念が強まるということだろうか。尊敬の念は、「ノ」のほかに「ル・ラル」によっても表されるが、それはこの助動詞が本来的に「自発」――話し手の意思とは無関係に物事が自然に生起するという意味での「自発」――を意味する助動詞で、畏怖し尊敬するソト人の、話し手がいっさい関与しない、あるいはできない動作を指示するのに都合がよいからである。

こういう次第であるから、大野晋の教えに従うならば、日本語敬卑語の根は日本人の言語想像界のもっとも深いところから発していると考えなければならない。そう簡単に決着を付けられるような代物ではないのである。平社員が自分の上役を会社外の客に対しては呼び捨てにしなければ格好がつかないこと、家族外の人に対して息子を愚息と呼ぶ父親、あるいは無数の同窓会、県人会といった親睦団体の存在、より一般的に集団への帰属意識の重要性、果ては帰国する日本人が成田や羽田の飛行場で目にするWelcomeの横に並ぶ「お帰りなさい」という文字列にいたるまで、ウチとソトの二分法が、今日においても依然として大方の日本人の言語意識と行動様式を深く規定していることを思うとき、その感はいっそう深まるのである。

日本語および日本語が開く心的世界を特徴づける「ウチ」と「ソト」の二分法について、第五章で紹介した山下秀雄の『日本のことばとこころ』もたいへん興味深い観察を行っているので、簡単に触れておきたい。山下の場合は、「ウチ」と「ソト」ではなく、「うち」と「よそ」だが、世界が話し手とその直近の周囲の内部とその向こうに拡がる外部に分かれるという点は共通している。

「うち」については、「うちの子」「うちのおとうさん」「うちの社長」「うちの会社」「うちの受付の女の子」「うちの取引先」「うちの下請工場」など、そして「よそ」については、「よそ者」「よその娘」「よそのおばさん」「よその店」「よその国」といった用例をあげつつ、山下は「うち」とは範囲が可変的な「一種の運命共同体」で、「外部を遮断する厚い壁」によって囲まれていると説明している。中心にあるのは、「われ」という核で、この「われ」を囲む「幾重にも重なる同心円」が運命共同体として存在しているというのである。山下は外国人学習者に日本語を教える過程で、「うちの社長」は「当社の社長」ではないし、「うちの下請工場」は「当社の下請工場」と同じではないという、日本語話者ならばだれでも即座に察知する区別、あるいは「よそ者」「よその人」といった言い方に張り付いている独特の排他的ニュアンスに敏感になったのであろう。そして、おそらくは西欧語との比較の視点を通過したうえで、日本語では、「自己と他者との対立よりも、「うち」と「よそ」との対立の方に重きがおかれる」という結論にたどり着いたのだと思われる。山下が次のような言葉を記すことができたのは、彼が日本語を学習する外国人とともに人生を歩んだからに違いない。

どれほど多くの外国人が、この「よそ」という隔ての壁に悩まされていることか。日本をこよなく愛し、ぺらぺらに日本語をしゃべり、日本に帰化した人でさえ、なお日本人のことばの端々に顔を出す「よそのおかた」に、さびしさを禁じ得ないのです。精神的な村八分は、近代社会のいたるところに今も根強くいきています。

（山下秀雄 1986：31–32）

どんなに長く日本で暮らしても、どんなに上手に日本語を使いこなしても、どんなに日本の日常に慣れ親しんで暮らしていても、またどんなに律儀に日本国民と同じように納税義務を果たしていても、外国人――日本人のような顔をしていない人間、日本人の血が流れていない人間は決して「うち」のメンバーにはなれず、永遠に「よそ」の人間であり続けるということ。「生まれ」という単なる偶然の奴隷に堕して、他者を自分の同類 semblable として普遍の相でとらえることができないとは！　何とも悲しい境遇である。

わたしは、本書の第5章「日本的社会とは何か」で、日本国家が倫理的道徳的価値の独占的決定者となったことが、ひいては道徳国家日本vs非道徳的世界という二項対立関係を生みだし、ついには「皇化による八紘一宇」の妄念に到ったのではないかという藤田省三の考察を紹介し、そのうえで今日ただ今の日本において、外国人の基本的人権を愚弄するがごとき入管行政が行われていることに読者の注意を促したが、日本語における「ウチ」と「ソト」、ないしは「うち」と「よそ」の空間二分割は、そういった日本の歴史的・社会的事象と無縁であるどころか、その意識されることのない暗闇の部分を言い当てているのではないかと思うのである。

13 森有正の日本語論

第7章でほんの少し登場してもらった森有正の話をしたい。彼は、幼少の頃よりフランス語に親しみ、暁星学園から東京大学に進学し、フランス哲学を専攻した。一九四八年に同大学文学部フランス文学科の助教授となり、五〇年にはパリ大学に留学した。

ところが、留学期間が終了したあともフランスに留まることを決意し、五二年に東京大学を退職した。その後は何回かの一時帰国を挟みつつも、死の七六年までパリに住み続け、パリ大学東洋語学校で日本語と日本文学を講じた。したがって、フランスでの生活は二十五年の長きに及んだ。母語はむろん日本語であったが、六歳からフランス語をフランス人の先生について勉強し始めたというから、全生涯の九割を超える時間をフランス語とともに歩んだことになる。海老坂武によれば、頂上を目前にしながら、「ぷいと背をひるがえして、さっさと下山し」、パリに「流れて」いった森の「棄国」に等しい行動は、フランス文学専攻の学生たちに「驚き」と「賛嘆」の念を抱かせ、彼を伝説的な人物に仕立てあげたという（海老坂武 1981：4–5）。

森は「棄国」したけれども、彼の「経験」をめぐる長い思索の過程を追えば、彼の内部で西欧と日本がつねに抜き差しならないかたちでせめぎ合っていたことが看取される。海老坂武の論考は、その複雑な様相を『バビロンの流れのほとりにて』から『遙かなノートルダム』に即して誠実にあぶり出そうと努めており、まことに示唆に富む。わたしも、問題としての「日本」が森の意識を離れることは一瞬たりともなかっただろうと思う。その証拠として注目したいのは、森が六〇年になんなんとするフランス語の日常的実践――それはフランス語が「ぺらぺら」なジャーナリスト、教場でフランス語を教える教師、論文をフランス語で執筆する研究者といった人々におけるフランス語との、いわば呑気な付き合い方とはおよそ次元を異にする、生の深奥に触れる実存的実践である――の末の最晩年に、日本語と日本人の経験という主題に正面から取り組んだという事実である。

たとえば、森が一九七三年十二月（森の没年は一九七六年）に「山本安英の会」主宰〈ことばの勉強会〉で行った「「ことば」について」という講演がある。すでに触れた同会での丸山眞男の講演「日本思想史における問答体の系譜――中江兆民『三酔人経綸問答』の位置づけ」よりも一年三ヶ月早い〈ことばの勉強会〉での発言である。[*51] この講演で、森はパリで日本語を教えるという経験が日本語についての反省を必然的に促したといい、日本語の二人称的性格という中心的問題へのアプローチをとおして遍在的天皇制について語っている。

＊51　会場に丸山眞男がいたのかどうかは知るよしもないが、仮に森と親しかった丸山が森の話を聞いていたらどんな感想をもっただろうかと思わずにはいられない。

森の主張の核心に触れるために、省略を挟みつつ、やや長めに引用しよう。

「これは時計です」というのは、私が時計ですということを言うわけです。と同時に「です」の中に「あなた」が入っている。もし目の前に非常に偉い、白いひげの生えたおじいさんが来たら、「これは時計でございます」と無意識にいってしまう。それから前に弟とか息子がでてくると、「これは時計だ」と言うわけでしょう。(…)それは私が言う場合に付けることばですから、もちろん一人称的な性格を持っていると同時に、二人称の如何がそれに影響しているわけです。ですから「だ」とか「です」とか「ございます」とか「でござります」とかいう、いわゆる敬語というものは……実は私は、日本語全体がこういう意味で敬語だと思うのです。もちろん平語を含めて、敬語という場合には、不敬語というものが同時に出てくるわけですが、いわゆる敬語、不敬語の上下関係というものが日本語にはある。それは必ず一人称と二人称との間に分極して現れてくる。(…)だから何か日本語でひとこと言った場合、必ずそこには自分と相手とが同時に意識されている。と同時に、自分も相手によって同じように意識されている。だから「私」と言った場合には、あくまで特定の「私」が話しかけている相手にとって相手の「あなた」になっているんだということ。(…)私も実はあなたのあなたになって、ふたりとも「あなた」になってしまうわけです。それを私は日本語の二人称的性格と言います。ですから、私は日本語には根本的にはいい一人称も三人称もないと思うんです。ほんとの主体性としての一人称、またほんとの客体性としての三人称、この二つが出てしまって、みんなそれが二人称の体系の中に入ってきている。もともと「あなた」は二人称だけども、私も実はあなたにとって二人称だということが、つまり天皇に対しては臣下である、親に対しては息子である、姉に対しては弟である、あるいは先生に対しては弟子である、みんなそういう関係で日本語の構造が全部出来上がっているわけです。（…）天皇制ということを言っていますけれども、あれは天皇に対して私どもは臣下であるということです。臣下であるということは、天皇に対するあなたというのは、私は実は臣下なんで、本来ある私というものはその場から消えてしまうわけです。親に対しても何に対しても。それを日本のいわゆる遍在的天皇制と私は呼ぶのですけれども、そこに天皇制の論理が働いて、ほんとうの「私」というものが疎外されてしまっている――ほんとうの「私」というものは他人に対しては「彼」にならなくちゃいけないわけです。私はその「彼」の集積が社会だと思うんです――その「あなた」と「あなた」がわあわあ集まっているのが共同体で、ですから日本語のいちばん根本的な問題はそういうところにあるということを、私は日本語を教えながら気がついた。

（森有正 1974：9–11）

傍点は森自身が施しているので、わたしが注目したい箇所には傍線を引いた。二十五年の長きにわたってフランスで（を）生き、二十年間フランス人に日本語を教えた経験から森が得た日本語観の核心にあるものは何か。それは日本語の本源的特徴としての二人称的性格である。〈私〉（人称としての「私」――これにはワタシ、オレ、アタシなどいろいろある――ではなく、発語する以前の存在としての〈私〉）の現れ方は〈あなた〉によって規定されており、またその〈あなた〉という〈私〉も、〈私〉という〈あなた〉によって規定されているという二人称を中心とする円環的ないし閉鎖的・秘伝的構造、これである。客観的にはまったく同じ意味内容を表出しているにもかかわらず（したがって、フランス語では事実に即した一つの言い方しかない）、日本語では「これは時計です」「これは時計でございます」「これは時計でございます」といった複数の言い方が存在する。この複数性の根拠が「私」にではなく「あなた」（相手がどういう人なのか）にあるという点から、二人称性という性格付けが出てくるわけである。森は弟とか息子には「これは時計だ」が出てくると言っているが、これにはにわかには賛成できない。「これは時計だ」はむしろ「あなた」（対話者＝聞き手）がいないことを前提にしているのであって、弟や息子には「これは時計だろ」とか「これは時計だね」「これは時計だよね」などと言うのではないか。

しばしば「デス・マス調」（敬体）と「デアル・ダ調」（常体）を区別して、前者は丁寧で後者は断定的で引き締まっているなどと説明されるが、これは十分な説明ではないように思われる。「デス・マス調」では相手（聞き手）の現前が想定されているのに対して、「デアル・ダ調」は原則として相手＝聞き手を消去した言い方なのである。聴衆を前にして講演や報告を行う場合、どんなに断定的で引き締まった話し方をしたいと思っても、「デアル・ダ調」の選択はありえない。そういう選択をする人がいるとすれば、それは単純に日本語を知らないからである。逆に、論文執筆の場合は、講演内容をそのまま起こすなどの場合を除けば、ほとんどの場合「デアル・ダ調」が自然に採用される。中村光夫のように論文体であえて「デス・マス調」を使うことがまったくないわけではないが、その場合は、書き手が読み手を陳述を差し向ける相手として現前させる戦略を意図的にとっているからである。さきほどの「これは時計だ」に「ろ」「ね」「よね」を付けると、弟や息子の姿が目の前に現れるように感じるのは、「ろ」「ね」「よね」が「あなた」（二人称）の実在を現勢化させる機能を果たしているからである。
〈私〉が「天皇に対しては臣下である、親に対しては息子である、姉に対しては弟である、あるいは先生に対しては弟子である」とき、〈私〉はそのたびごとに別々の人称詞のもとに異なる「私」として現れるわけで、誰に対しても普遍的に同じ「私」は存在しない。天皇の前に立つ臣下としての「私」から「本来ある私というもの」が「消えてしまう」というのはそういうことだろう。「ほんとうの「私」」は「他人に対しては「彼」」でならなくてはならないという表現で森が言わんとしているのは、相手（二人称）の相貌如何によって変化する「私」ではなく、決して変化しない「私」、「私」は相手ではない「彼」によって変化することはないから、「彼」（三人称）としての「私」として存立しなければならないということであろう。

そういう変化しない「彼」としての「私」が集まってつくる団体が「社会」なのだと森は言うわけだが、それは裏を返せば、社会、いや厳密に言えば、市民たちが構成する社会としての市民社会、あるいは政治的市民社会――前述のとおり、これをこそルソーは共和国と呼んだのであった――は、ほんとうの「私」、福沢諭吉が問題にした「あなた」によってゴム人形のように伸び縮みする「私」ではない、「彼」としての「私」がいなければ成立も存立もしないということになろう。遍在的天皇制のもとでは、「「あなた」と「あなた」がわあわあ集まっている」共同体はべっとりと拡がっているが、「社会」は存在しないというのが、森のここでの思索の到達点なのである。日本語には話者をしてゴム人形になることを強いる仕組みが構造化されているという事実を、森は白日の下にさらしたのであった。

わたしはこれまでフランスの新聞等の要請に応じて書いたいくつかの文章の中で、日本には実は「社会」なるものは存在しないのだと述べてきたが、わたしのこの意図的に挑発的な――それは言うまでもないが、安倍晋三の日本、あるいは自民党の日本がどこまで腐っても、その腐った日本を維持し続ける「国民」に対する苛立ちであると同時に、一七八九年の持つ世界史的意義のフランス人自身に対する喚起であった――発言は、実は森有正の鋭い観察の延長線上に位置づけうるものなのである。

日本には「社会」が存在しないという見立てが福沢諭吉の『文明論の概略』の基本的モチーフであることはすでに指摘した通りである。諭吉の議論が依然としてアクチュアリティを失っていないところに、ある意味では日本の「悲劇」ないし「問題」が凝縮的にあらわれている。わたしは、「社会(市民社会・市民的政治社会)」概念の掘り下げと現代日本におけるその欠如の意識化が重要な公共的課題だと信ずるものだが、一人孤独にそう思っているのではないことに多少なりとも勇気づけられる。例えば、自民党による「政治」(公共善の追求)の劣化と破壊を厳しく断罪する若き論客白井聡がいる。彼は近著『主権者のいない国』で、「契約国家(社会契約に基づく国家)になり切っていない」日本には「「社会」がない」と断言し、そのことは「「社会人」という言葉が実質的に「会社人」を意味する」ことに現れているように、「「社会」という言葉と「会社」という言葉が事実上同義で使われる混乱」に如実に現れていると、鋭く指摘している(白井聡 2021:145)。

もう少し世代を遡れば、ドイツ中世史の研究から出発して晩年に世間論を展開するに到った阿部謹也の名前が思い浮かぶ。阿部は、例えば『日本社会で生きるということ』の中で次のように言っている。

明治十七年頃に、Individual という言葉が日本語に訳されて「個人」となった、それ以前に、日本には「個人」という言葉は存在しなかった。明治十年頃には、Society という言葉が「社会」と訳された。それ以前には「社会」という言葉がなかった。「社会」という言葉は、「個人」から成り立っているヨーロッパの社会形成の歴史というものを背後に持っている概念でありますから、その概念を、私たちは子供の頃から何となく学校教育で身につけ、そして文章を書く際や、講演や講義においてもこれらの概念が自然に使われてきました。(…)(「人権」という言葉も)「個人」という言葉、「社会」という言葉と同様でありまして、日本社会には完全に根づいていない。もう少し、あえて言いますと、Individual という言葉は「社会」を構成する単位としての「個人」ということは誰でも知っているわけですが、本当に日本では「個人」が「社会」を構成しているのだろうか、と疑問に思います。(…)日本人が生きている生活空間の実質というものは、あえて言えば「社会」ではないということなんですね。つまり、選挙の時には、「個人個人の一票が日本の政治を決めるのです」と宣伝カーは言いますし、私たちもそう思っていないわけではない。したがって、半分くらい茶番だと思いながらも、選挙に行ったりする人も多いわけです。しかし、ヨーロッパ・アメリカ基準で言えば、ヨーロッパ・アメリカを理想化するわけじゃありませんけれども、個人が社会を変えるんだという原則が、一応あるのがヨーロッパ流の近代国家なんですね。日本の場合には、どうもそうなっていない。つまり「個人」と「社会」の間には、もう一つ大きな媒介項があって、それが「世間」というものだと、私は考えています。

(阿部謹也 2003：14–19)

ここで阿部謹也は、日本には「社会」がないという強い言い方はしていない。けれども、西欧近代が発明した「個人」を前提とする「社会」がこの国ではまともに機能しない苦々しい様相を目にし、その根拠を問う過程で、日本人の生活空間の実質であるところの「世間」にたどり着いたと言っているのである。阿部は別の著作（阿部謹也 1992）で、『国史大事典』（吉川弘文館）には「世間」という項目すら立っていないことに驚愕すると同時に憤慨し、もって日本史学の怠慢を指摘する一方、現実には「世間」によって行動しながら、あたかも「社会」が存在するかのように語るインテリや評論家、学者たちに苛立ちを隠していないが、傾聴に値するのではなかろうか。[*52]

＊52　かくして、日本には「社会」がないと考えるのはわたしだけではない。福沢諭吉、そして諭吉を読んだ丸山眞男はもちろんのこと、森有正、阿部謹也、そして今日今現在の日本を鋭く観察・批判する白井聡も、この国には「社会」が欠けていると考えているのである。第11章の注の48で紹介した『この国の戦争――太平洋戦争をどう読むか』で、加藤陽子と対談している奥泉光もその一人かもしれない。というのも、小説家はあの時代の狂気を振り返りつつ次のように発言しているからである。いわく「（…）戦時中の「どうかしていた」病気はまだ治っていないと思う、日本は。いまは緩解期にあるけれど、また事があればああいうふうになっちゃうかもしれない。（…）では、再び「どうかしていた」状態にならないためにどうすればいいのか？　やっぱり「社会」なんですよね。社会形成。何度も何度も言いますが、鍵は社会をつくるということにしかなくて、国家と国民しかないのでは、なんであれ駄目なんですね」（180）。ただし、奥泉は「あいだに多層な社会がなければならない。ところが、いまは国家がどんどんそれを潰し、人々を分断している」という言い方をしているので、前国家的権利としての自然権＝基本的人権（天賦人権）の主体としての個人が社会契約を媒介にして形成するのが「社会」（一七八九年の革命家たちが考え

ていたはずの市民社会＝市民たちが構成する政治社会）にほかならないという立場に立っているのかどうかは、これだけでははっきりしないように思われる。なお、傍点は引用者による。

森有正に戻ろう。さきほど紹介したのは、森の講演「「ことば」について」の核心部分だが、彼の日本語についてのまとまった論考といえば、最後の著作となった『経験と思想』に読まれる「出発点日本人とその経験」（a）、同（b）、同（c）の三論文（森有正 1970-1971）、そのなかでも特に同（b）であることに異論はないだろう。これらの論文は一九七〇、七一年度に国際基督教大学で行った講義をもとにしており、「出発点　日本人とその経験」（b）が雑誌『思想』に掲載されたのは一九七一年十月のことであったから、先の講演「「ことば」について」に先んじることおよそ二年である。論文（b）における日本語の根本的な構造にかんする考察は、「「ことば」について」から引き出したものと基本的に変わるところはない。違いは、「日本人の経験」の核心を洗い出すことから出発し、その後にその経験を掬い上げる言語の考察へと進んでいる点にある。論考という論述スタイルに規定されて、アプローチがより概念化され、整序されているという印象も受ける。以下、主要な論点を要約的に述べよう。

森は「日本人の経験」の核心を形成していると考えられる「二項結合方式」（略して「二項関係」ないしは「二項方式」）から出発する。「二項方式」とは二人の人間の関係、「我」と「汝」の関係の存在様式にかかわる。「日本人の経験」においては、「我」と「汝」の関係は「我」と「汝」の対立としてではなく、「我」が「汝」の「汝」として存立する「汝―汝」関係として立ち現れるというのである。

親と子を例にとると、子の「我」は自らを「汝」である親の「汝」として経験しているということである。前章で見た大野晋の指摘と重なる部分があると思われるが、大野への言及はない。

ところで、このような「二項方式」には二つの際だった特徴がある。第一は、両者の関係の親密性であり、相互嵌入性である。「心の底をうちあける」「腹を割って話をする」「さし向かいになる」といった表現に表れているこの親密性は、森自身が認めているように、和辻哲郎のいう「間柄的存在」に近い。ただ一人の相手だけが「汝」として入ってくる間柄的存在様式によって、日本人は「一人になるという「経験」」を持つことがほとんどない。「汝―汝」の「二人があるだけの」共同体は、外的な共同のものを、「二人の相互滲透を妨げるもの」として排除するから、閉鎖的・自己完結的であり、秘伝的性格を帯びることになる。

この「秘伝的」という点にかんしては、興味深いことがある。森は「二項方式」そのものについての考察に入る前に、小学生の頃から実践しているオルガン演奏について語っているのだが、西洋音楽のメカニズムについて、「ある組合わせの音を演奏するために、もっとも合理的に、有効に、樹てられた実践的体系であって、より無理なく、より効果的に音の組合わせを演奏することを可能にする組織された体系」であると言っている。そこでは「「合理性」と「有効性」だけが支配」しているので、誰でも、自分で学ぶことが可能なのだ。ということは、音楽の習得には「秘伝的要素」が介入する余地がまったくないということである。そして、このような「合理性」と「有効性」の追求と際だった対照をなしているのが、邦楽における、ある特定の師弟間における秘伝的伝授なのである。秘伝的伝授が「二項方式」の一つの現れであることは言うまでもない。

「二項方式」の秘伝的性格についての指摘は重要である。というのも、それがこの国における芸・芸能、技芸の伝達方式の枠をはるかに超えて（秘伝的ではない「学校」や「教育」は、当然、西洋からの輸入物である）、社会の組織のあり方にまで及ぶ問題性を孕んでいるからである。どういうことか。各人が「二項関係を相互に複雑にまた多角的に結びあう」とき、無数の「汝―汝」関係が成立する。この無数の「汝―汝」関係は私的関係であり、「その性質上排他的であるから、社会の社会としての組織を不可能にする」。「汝―汝」の集合体は、前述の引用で「「あなた」と「あなた」がわあわあ集まっている」と形容された共同体でしかなく、社会ではない。「汝―汝」関係からは社会は立ちあがらない、いや、「それは根本的には社会の否定」である。森がここで「社会」と名付けるものが、彼自身はそういう用語を使っているわけではないが、社会契約による自然状態の揚棄としての「市民社会」であることは言うまでもなかろう。[*53]

＊53　このことは、一九七一年の「市民意識と国民意識の乖離――日本人のどこに欠陥があるか」に読まれる次のような指摘からも推測される。「日本が本当に市民的な社会としてもっと組織されるということ（…）本当の意味の大きなメカニズムとして、日本の国をわれわれが組織していく。つまり市民社会というのは、ある意味で共同体がそういうふうなメカニズムになることだと思います。それが一つの民主的な精神によって運営されていく。（…）たとえ将来、日本が共和国になるにしても、あるいは天皇制というものを続けるにしても、それを続けたり、あるいは変えたりする基礎がパッショネートなものではなくなって、もう少し合理的な、だれでも納得のいく地盤の上で論議して、そういうふうなものを決めていくことができる。そのための基礎は、どうしても日本が市民社会的なものに組織され直していかなくちゃいけない、こういうふうなことを考えます。（…）いちばん根本的な問題は、日本にはこれまで本来の意味で

の社会というものがなかったわけです。共同体、また国家というものはありましたけれども」（森有正 1971：276-278 傍点は引用者による）。また、注39で紹介した鼎談「経験・個人・社会」での森の次の発言にも注意。「（教会や宗教のモラルでない、宗教に支えられていないライック〔世俗的存在〕のモラル、国民道徳にさえ支えられていないモラル）がないということは、極端にいえば、社会がないということです。あるいはそういう個々の人格を定義する経験をもつ人間集団のことを「社会」と呼ぶのです。人間は集まって住んでいるけれども、人間の社会は欠如している。こういう倫理性をもった人間の社会の上に社会主義とか社会思想、あるいは民主主義を、もし、それがない――私ははっきりと申します――日本へ適用したらどういうことになるか。これは混乱以外の何ものでもないわけですよ」（丸山眞男 1968：162-163 傍点は森自身による）。

「二項方式」の第二の特徴は、「汝―汝」関係の上下的垂直性である。「親子、君臣、上役と下のもの、雇用者と使用人、先生と生徒、教授と学生、師匠と弟子」等々、例は枚挙にいとまがない。「二人の人間の間の対等な二項関係はむろん考えることが出来るが」、それはあくまでも例外的なものにとどまる。一見対等と見える場合でも、その内実を探ってみると、「何らかの上下関係が成立しているのが普通である」。このことは、「「敬語法」（貶語法を含む）が隅々まで行き渡っている日本語において、中立的言表がむしろ例外的である」ことに対応している。

「日本人の経験」の中核をこのように定義したうえで、森は以上のような経験を表出する日本語それ自体の考察へと向かう。「経験」は、経験即言語とさえ言えるほど、「言語」と切り離すことができない。いやより厳密にはむしろ次のように言うべきかもしれない。「二項方式」なるものは直接的な把握を許すものではなく、ひたすら日本語を観察することによってのみ析出される、と。つまり、日本語の人称詞の機能様態や敬語法・卑語法（貶語法）の実際的運用をつまびらかにすることによって、はじめて「二項方式」の二つの特徴が浮かびあがってくるのである。

日本語の二人称的性格について言葉を重ねる必要はなかろうから、敬語法・貶語法について三つほど補足的な指摘を記すにとどめる。一つ目は繰り返しだが、敬語法・貶語法が「日本語全体のノーマルな性格であり、敬語法を離れた言い方はむしろ例外的」だという点である。したがって、日本人話者は、「日本人である以上、原則として敬語法を決して間違えない」。敬語法は、上下的・垂直的に構造化され、「直接的二項関係の連鎖・集合から構成されている」日本社会（正確には、上述のごとく、「社会」ではない「共同体」としての日本社会）のあり方そのものを内容としている。したがって、日本社会で「生きていることと敬語法を駆使するのとは全く同じこと」を意味する。このことを、森は日本語における「現実嵌入」と呼んでいる。

二つは、すでに第7章で触れた、日本語の非文法的度合いの甚だしさである。このことは、文法の教科書が英語やフランス語でいうところの実用的規範文法ではなく、「日本語の機能を帰納的に整理したもの」に過ぎず、「そこから逆に日本文を再構成することは全く不可能」である点に如実に現れている。したがって、外国人日本語学習者はただひたすら「真似をする以外には手のつけようがない」ということになる。日本語の只中に「現実」が「嵌入」しているがゆえに、そうならざるをえないのである。

三つは、「二項方式」の上下・垂直関係が日本人の経験と言語の核心を形成しているとすれば、そのような上下関係の「最高の項」であるところの「天皇」が問題にならざるをえないということである。森は天皇制を正面から論じているわけではないが、連綿として継続してきた天皇制や権力の究極の源泉としての天皇、天皇という「すでに在る秩序に認定され、それを代表することによって支配することが出来た」将軍等の権力者たちについて語っているから、天皇と天皇制は彼の頭のどこかにつねに影を落としていたように思われるのである。一九七三年の講演に出てくる「遍在的天皇制」という表現は、日本と日本語の問題、あるいは日本人の経験と言語の根本問題は、結局のところ、天皇制なのだという了解の現れなのではないか、わたしにはそのように思えてならない。

一九五二年二月二十日、東京大学で開催された学生劇団ポポロの会場に私服警官が潜入しているのを学生が発見し、警察手帳を押収したことを受けて、翌二十一日に本富士警察署が二名の学生を「暴力行為等処罰に関する法律違反」容疑で逮捕するという事件が起こった。いわゆる「ポポロ事件」である。このときに押収された警察手帳三冊には、尾行や身元調査の対象になっていた学生や教職員があげられており、その中にはフランス文学者渡辺一夫や歴史家遠山茂樹などとともに森有正の名前もあったという。このことをわたしは、飯田泰三の論文「藤田省三の時代と思想」（飯田泰三 2006：254）を読んで知り、幾分驚いた。日本国憲法とともに出直したはずの日本で、治安維持法時代の特高よろしく、「思想警察」が隠然と大学人を嗅ぎ回っていたことを白昼にさらけ出したポポロ事件を、わたしは日本が戦前を容易に清算できないことを示すあまたの兆候の一つとして認識していたが、森が警察による監視の視野に入っていたことは想像もしていなかったからである。ポポロ事件は森の「フランス時代」よりも前の事件であるが、彼のデカルトとパルカルによって鍛えられた旺盛な批判精神は、すでにこの時期から、「思想警察」の警戒を惹起するに十分なほど、遍在的天皇制を問題化する方向に向かっていたということであろうか。

森有正を、天皇制ファシズムの狂気を経験し、それゆえこの国は何故にこんなことになってしまったのかという本質的な問いを生涯の問いにした同時代人の丸山眞男や加藤周一、あるいは藤田省三から分かつものがあるとすれば、それは彼の深く持続的なフランス語への沈潜が可能にした日本人の経験と日本人の言語に向けられた希有な視線であったと思う。「森有正氏の思い出」と題された筑摩書房の編集者との対談のなかで、丸山が森の最も親しい友人だったという木下順二の証言を紹介していたことが思い出される。「結局、彼がきわめようと思ったのは日本とは何か、ということなんだ（…）森さんがあんなにフランスに沈潜したのは、ただ、日本とフランスを比較するというふうな安易な意味じゃなくて、もっと深い意味で日本をきわめたい。そのためにはまさにフランスに住みついてフランスを徹底的にやらなきゃいけないという意識と結びついているんだ、そのためのフランス行きだ」（丸山眞男 1979：93）というのである。かくして、フランス語とフランスを内側から徹底的に生きる森の姿勢から生まれたものは、「人権宣言」の言語とフランスの市民的政治社会の経験という観測台から見た「「あなた」と「あなた」がわあわあ集まっている」だけの共同体、社会ならざる社会へのまことに鋭く厳しい批評的まなざしであった。それゆえ、丸山や加藤と同じように日本にその名に値する民主主義が根付くことを願ってやまなかった森は、次のように書きさえしたのである。

> 日本語の複雑性には言語外の要素が多く働いているが、フランス語の複雑性は言語そのものの構成が極度に複合的なところから来ている。（…）日本語は文法をもつようにならなければなら

ない。日本の社会が内に批判の原理をもつ民主主義社会にならなければならないとすれば、その社会はおのずから文法を具えた言語をもたなければならない。フランスの「ポール・ロワイヤル」の文法はそのような性格の文法であった。こういう努力を私は自分の日本語の授業でも忍耐強く行いたいと思っている。

（森有正 1969：218–219 傍点は引用者による）

ここで森が「文法を具えた言語」[*54]と呼んでいるものは、「現実」が「嵌入」せず、それ自身の規則によって自律している、すなわち言語外の要素に依存すること少ないがゆえに、言い換えれば文法的規則があらゆる状況に超越しているがゆえに、「規範文法」がその習得を容易にするような言語ということであるに違いない。念のため、書き添える。

＊54　ここでの森の指摘——日本語の複雑性は言語外の要素に依存しており、それゆえに日本がまともな民主主義社会になるには文法を具えた言語を持たなければならないという指摘——は、第11章で紹介した田中克彦の、日本語では「文法さえ合理の産物ではなく、しつけや作法の一部と意識される」という指摘と深く共鳴している。

14 フランス語へ

森有正と父水林次郎

長い迂回をへて、わたしは本書の主題をふたたび顧みる地点に到達したようである。何故わたしは、二〇一一年以来、この国に留まりながら、母語の日本語を意図的に離れて、五十年以上も勉強している——ということは、日本語とフランス語の二重言語生活の時間は日本語だけで生きた時間よりもはるかに長いということである——とはいえ、所詮はただの外国語にすぎないフランス語で文章を書き、あまつさえ作品を発表するという普通では考えにくいことを凝りもせず続けているのか。

本書の冒頭で設定した主題はこれであった。答えは、これまで延々と書き綴ってきたことからおのずと引き出されるようにも思われるが、あえてわたし自身の口から言うとすれば、外見とは裏腹にこの国に到底根付いているようには思われない市民的政治社会の経験を、それを根底から支えていると考えられる言語にまで降り立って、あたう限り深く広い言語的経験として引き受けるという試みに賭けてみようと思ったということになろうか。わたしは確かにそういう決心をしたのだが、実はその決心はいくつかの外的な事情に規定されていた。二〇一一年頃に大きな風が立ち、わたしの小さな船をフランス語という大海に送り出したという感じなのである。

まず、J＝B・ポンタリスの誘いに応えて『他処から来た言語』を書いたということがある。出版を前提に丸々一冊の本を直接フランス語で書くなどということは、まったく思いも寄らぬことだった。あり得ないことをあり得ることに変えたジーベーの誘いにのって、思いも寄らぬことをやり遂げた、それも半年というかなりの短期間のうちにやり遂げたことから来る、驚きの混じった静かな自信。しかもその主題は、まさに「わたしにとってのフランス語」であった。いわゆる学術的な論文ならばそれまでに結構な数の文章をこなしていた。『他処から来た言語』はそういうものではなかった。いわば自伝、わたしとフランス語という外国語の関係を綴った一種の自伝文学であり、そういうものとしての質を獲得しなければならなかった。教師・研究者としての職業的習慣から、第一稿にはテクスト分析的な文章が混入していたが、そういう箇所についてジーベーは、ぼくが聞きたいのはプロフェサー・ミズバヤシのレッスンではなくて、アキラの声だよと言って、煙草をふかしながら削除や書き直しのアドバイスをしてくれた。今となっては懐かしい思い出である。「アキラの声」と文学としての作品性を意識した第二稿を送ると気に入ってくれたらしく、すぐに具体的な出版の話になり、二〇一一年の一月に出そうと思うという返事が返ってきた。

『他処から来た言語』には森有正のことが出てくる。高二の終わりか高三の初めの頃だったと思う、偶然『現代国語の傾向と対策』という大学入試問題集で森の文章に出会い、それがきっかけでフランス語を勉強したいと強く思うようになったのであった。その文章というのは、『遥かなノートルダム』の「霧の朝」の一節だった。もちろん恐ろしく難しい文章だと思ったのだが、「正しい、そして深い経験から来る言葉は、形容するのがむつかしい一種の重みをもっている」とか、「自分の中に、経験の二重の層が出来、一つは自分を取り巻くフランスの社会の中で形成されるもの、もう一つは、その深部に、あるいは、その底部に、深層心理と呼べば呼べそうな、一種の夢の世界のようなものが形成され、それが遠距離にある日本の社会の変化に実に鋭敏な感度をもって呼応しながら、連なっている」とか、「体験はどんなアホウの中でも機械的に増大する」といった言葉に、何か尋常ではない切迫感と真実性を感じたのである。それから、憑かれるように、他の著作に進んでいった。『バビロンの流れのほとりにて』『旅の空の下で』『木々は光を浴びて』などである。そしてあるとき、『城門のかたわらにて』の次のような文章に出くわした。大学でフランス語を勉強し始めた頃だったと思う。顔面に強烈な平手打ちを食らった気分だった。

語学の恐ろしさは、それについて自分の能力が公平に、客観的にできないことである。どんなにこの点でペシミストになってもなりすぎることはない。語学は機械的に進めるほかはない。自分に対する評価はいっさい禁物である。言葉は、誰でも人並にできると思っている。これは外国語の場合殊に危険である。仏語の小学読本巻一を本当に読む能力のない人間が、フランスの一流のジャーナリストとにかく話せると思っている。そして外国生まれの外国人の場合、十年フランスにいても、小学読本巻一の能力もないのが普通である。僕は小学一年の能力さえなくても、幼稚園程度でも、少しずつ進まなければならない。問題は、フランスの言葉が、僕にとって、ものと等価になることである。その時ものは新しい生命を露わす。そこに新しい世界が掲示されはじめる。どんなに分量において僅かでも、この一点が破れればよいのである。あとは子供のように学ぶだけである。それは翻訳とか解釈とかからはもっとも遠い世界である。

（森有正 1963：67）

英語が得意だったから、フランス語を何十年も勉強し、ついには東京大学でフランス文学・哲学を講じるまでに到った人のこの比類のない謙虚さには度肝を抜かれると同時に、完全に打ちのめされた。自分が恥ずかしくなった。外国語の習得とはこれほどまでに峻厳なものなのか。毎日音階練習を欠かさず、生涯をかけて音楽を探究する演奏家の修行僧的態度を思わせる森の言葉を前に、わたしは自分の浅はかさを嫌悪した。語学の恐ろしさ。フランス語という高峰を前にしてその登攀を最初から諦めるのか、「一流のジャーナリストとにかく話せる」程度の学習で済ますのか、それとも、言葉と出会う小学一年生の初々しい感触を忘れることなく、たどり着くことなど決してないと分かっている、雲に隠れていて見定めることさえできない頂上を目指して、先に進むのか。答えは二つに一つだった。わたしはフランス語を自分のもう一つの言語にして一生付き合うつもりで教職を選んだ。

かくして、わたしは、フランス語への旅立ちの起点には、「語学の恐ろしさ」の森有正がいるという気持ちを拭えないのである。学部時代の終わりに、最初の留学で南仏モンペリエに二年ほど滞在したが、その時にはすでに、わたしは森の著作から幾分離れていたと思う。しかし、一日たりともフランス語から遠ざかることを望まず、したがって一瞬たりとも他のヨーロッパの国々を旅行したいなどという思いに駆られることのなかったわたしは、ひたすらモンペリエの大地にへばりつき、モンペリエの空気だけを吸い、モンペリエの人々との関係を紡ぎ、その襞のなかに分け入ることだけを望んだ。

そして南フランスの大学町でどうにかこうにか、しかし興奮と悦びを心の底から味わいながらフランス語で書きあげた、日本の大学に提出する卒業論文の冒頭で、わたしは一度として会ったことのない森有正に感謝の気持ちを記した。先に進むことを決心し、芸大や桐朋の学生が来る日も来る日も自分の楽器を手懐けようと努力するように、一日中フランス語に没頭する生活を繰り返していた頃、四十年後に「二項方式」の森に同じ「切迫感と真実性」をもって再会することになるとは想像だにしていなかったことは言うまでもない。

『他処から来た言語』にはもう一人重要な人物が出てくる。この本には啓蒙の思想家としてのルソーとモーツァルト、この二人へのアプローチのうえで決定的な影響を受けたジャン・スタロビンスキーとジャック・プルーストというふうに、対をなす芸術家や研究者・知識人が出てくるのだが、そういう知識世界の入り口に立つ前に、フランス語に立ち向かってゆく際の根本的な姿勢について教えを受けたと言う意味で、森有正と同じくらい、あるいはそれ以上に重要な人物である。その人は、しかし、フランス語を解する人ではなかった。わたしの父水林次郎である。[*55]

＊55　『他処から来た言語』がJ＝B・ポンタリスの叢書「一方と他方（これとそれ）」の一冊であることはすでに述べた。叢書名が示唆しているのは、「対」の概念であり、それゆえジーベーは「君とフランス語」の関係について一冊書いてみないか、という提案をしたわけである。わたしは「対」に意識的であった。ルソーとモーツァルト（この二人は、わたしにとって、啓蒙の最高到達点である）、スタロビンスキーとプルースト、森有正と父というふうに、他の「対」が存在するのはそのためである。

貧しさゆえに勉強したくても勉強できなかった自分の子供時代と青年期の惨めさを心の奥底に秘めていた父は、二人の息子に可能な限りよい環境を与えることに心を砕いた。クーラーがまだ稀な時代に、わが家では子供部屋だけが夏の猛暑から守られた空間だった。本代に上限はない。真剣に読むならば本ほど安いものはない。ただし、読まないならこれほど高いものもない、便所紙にもならないのだから、と言ってのける父親だった。そういう人だったから、幼いわれわれ兄弟の音楽教育のために、身の程を知らないと世間ばかりか親から後ろ指を指されても、教師の月給の一年分にもあたる高価なピアノを造作もなく購入した。ピアノ搬入の日には物珍しさで家の前には人だかりができたという。日本海に面した東北の小さな町の出来事だった。ピアノからヴァイオリンに転じた兄が先生に自分にはもう教えることがないと言わしめるほど上達すると、父は東京に先生を求めた。立派な先生が見つかると、二週間に一度、一時間ほどのレッスンのために、夜汽車の三等車に十四時間揺られて、息子を東京に連れて行くことになった。父が行けないときは母が行った。夜汽車の旅は、あどけない小学生に才能を認めた先生から「東京に出ていらっしゃい」と言われるまで続いた。要するに、この世に学問や芸術以上に価値のあるものはないという確信が父を動かしていたようである。

少年の頃、父は生活苦から寺に預けられ、坊主の世界を見た。超越的普遍者を発見した鎌倉仏教の信仰とはもはや何の関係もない、いわゆる葬式仏教の生態を見てほとほと嫌になり、夜陰に乗じて寺から逃亡した。そのためであろう、父は、ミレーの『晩鐘』の原寸大複製を自宅の壁に飾るほどある種の祈りや宗教的荘厳さに心を揺さぶられてはいたけれども、生涯坊主を嫌った。川島雄三の『雁の寺』（一九六二）で三島雅夫が演ずるごとき坊主の姿を小さいころに見てしまったのだろうと思う。

だから、自分が死んでも坊主だけは呼んではいけないが口癖だった。恐らくそういうことが手伝って、父は『レ・ミゼラブル』に感動し、ユゴーを惜しみなく讃えながらも、理性と論理だけを拠り所とする数学と物理をこよなく愛した。大学では電気工学を学び、電気技師の資格を取った。戦争に駆り出されたとき、狂信が支配する天皇制ファシズムの軍隊を憎んだのは当然であった。統計的事実にもとづいて合理的な判断を下す二等兵は、「神州不滅」を唱えず、B29に竹槍で勝てるなどとはつゆも思わなかった。それゆえ、神風を信じる古参兵に生意気なインテリとして相当殴られたらしい。

そういう意味では、『壊れた魂』の水澤悠には父のイメージがいくぶん投影されていると言えるかもしれない。子供の頃、テレビで加藤剛主演の『人間の條件』を父と一緒に見ていたとき、梶が痛めつけられる場面で、お父さんは梶と同じだったんだよと、ぽつんと呟いたことが忘れられない。敗戦の少し前に満州から日本に戻ると、電気技師の能力を買われて、東北の海岸の町で塩を作る機械の仕事をした。そのとき泊まっていたのが割烹兼旅館の賄い付きの一室で、夕方ご飯ができましたよと、旅館の娘が知らせにゆくと、塩作りの電気技師はよく押し入れに身を隠して――ということは、西洋音楽であるがゆえに、あたりを憚ってということである――蓄音機でベートーヴェンの「田園」などを聴いていたという。後に電気技師の妻となった旅館の娘、つまり母が語ってくれた思い出である。父は、敗戦後、電気技師をやめてからは、同じ東北の小都会の高校で物理を担当する情熱あふれる教師になった。

われわれ兄弟はこういう父のもとで成長した。兄はヴァイオリンを続けたが、才能と従順さを欠いた弟のわたしはピアノを投げ出した。しかし、音楽がわたしの世界からなくなったわけではなかった。

わたしの耳元ではつねに兄のヴァイオリンが響いていたからである。兄は高校時代までヴァイオリンを続け、メンデルスゾーンやブルッフのコンチェルトを難なく弾く技量を手に入れた。今日、兄が法史学者・歴史家として大きな仕事を世に送り出しつつも、その傍ら、ベートーヴェンの弦楽四重奏の演奏を心から愉しむことができるのは、天皇の軍隊で無知と狂信の正体を見届けたがゆえに、学問や芸術、あるいは知性への意志をあらゆるものの上に置いた父のおかげである。『記紀神話と王権の祭り』新訂版（二〇〇一）を「天国にあってなおも息子を激励する父」に捧げた兄は、それを否定しないだろう。それゆえ、わたしは『他処から来た言語』に次のように記したのである。

> 父は兄を音楽の世界に導いた。（…）
>
> わたしも、子どものころに聴くとはなしに聴いていた兄のヴァイオリンの響きに乗せられて、少しずつ音楽の世界に連れて行かれた。父と兄の音楽をはさんだ対面的関係を傍らで見ていたことが、わたしを音楽に目覚めさせたのではないかと思う。そして、その音楽、楽器ができないのでわたしには自分で鳴らすことができない音楽ではあるが、そういう聴取の対象としての音楽が、実は、わたしをフランス語というもうひとつ別の音楽に導いたのである。いまや自分の言葉のように親しくなったこの外国語を話すとき、わたしは自分の心の奥底に父の消えることのない姿を見ている。わたしの耳の深奥では、父の声の微細なニュアンスが響いている。
>
> フランス語はわたしの父語なのである。
>
> (Akira Mizubayashi 2011 : 55)

『他処から来た言語』を出版し、この書物のまわりに紡がれる人々との関係を経験することがなかったならば、母語を離れて父語＝フランス語で書き続けるという選択はなかっただろうと思う。しかし、この本の執筆は父語で書くことが惹起する諸関係、言い換えればフランス語によって立ち上がる世界――それは本の中の世界であると同時に、本の外の世界でもある――を生きるという経験を徹底化するための必要条件ではあったが、十分条件ではなかった。すでに「すべては人民をつくる政治的結合からはじまる」からの長い引用が語っていたように、安倍晋三的なるもの＝自民党的なるものの急激なせり上がりによって、前代未聞の、あまりにも極端な腐敗と劣化を呈するにいたった――そして現在も呈し続けている――この国の「政治」の現状が目の前になかったならば、わたしは日本語による文章作法から期限を付けずに遠ざかるという決断――それはまさしく決断であった――にまでは到らなかっただろうと思うからである。文字通り枚挙にいとまがない腐敗と劣化の兆候――ひとことで言えば、立憲主義の破壊――については繰り返さない。

重要なことは、腐敗と劣化の張本人が、基本的人権を国家に先立つ「侵すことのできない永久の権利」とする、したがって天賦人権を擁護すべき至高の価値とする日本国憲法を敵視し、代わりに、あろうことか、天皇が元首の「天皇を戴く国家」をすえる憲法草案を掲げる勢力だということであり、しかもそのような国家像の根本的な転換を目指す憲法「改正」が日本国憲法施行七十年を経た時点で現実のものになりつつあるということである。政治のこの恐るべき頽廃を許しているのは、言うまでもなく国民自身の頽廃である。国民の側に、白井聡の言葉を借りるならば、「完成した奴隷根性と泥沼のような無関心」、「根源的な深淵のごとき無関心」、「政治のみならず社会全般に対して関心がなく、あたかも社会など存在していないかのような感覚」（白井聡 2021：68および95）が蔓延しているからこそ、腐敗と劣化の勢力が跋扈し、「天皇を戴く国家」の復活を許しかねない状況が生まれてしまうのである。治案維持法と国家総動員法の暗黒の中で石母田正が記した言葉が、ふたたび、しみじみと、ほんとうにしみじみと思い出される。「黒田悪党は自分自身に敗北したのである。板蝿の杣の寺奴の血と意識が、中世の地侍の中から完全に消え去っていたとは誰もいい切ることは出来ない。子々孫々同一土地において同一支配者を戴き、同一の神仏を礼拝する場合、数世紀は数十年に等しいのである。地侍が悪党であることをやめ、庄民がみずからを寺家進止の土民であると考えることをやめない限り、古代は何度でも復活する」。

それでは国民がこの頽廃の中にまどろみ続けることを可能にするものは何なのか。政府がどれほど無能でも、国会でどれほど嘘をついても、どれほど公文書を改竄しようと、最低と言われつつも四〇%の支持率（二〇二一年五月現在）を維持してしまうのは何故なのか。「公共＝レス・プブリカ」を愚弄するがごとき汚職や不正選挙をどれほど繰り返しても、政権党崩壊はおろか、政権交代の気配さえ微塵もないのは何故なのか。天賦人権論を唾棄し「天皇を戴く国家」の復活を目指す政党が他を圧倒する支持率を獲得し続けるのは何故なのか。この国が自然人たちによる社会契約によってのみ創出される市民的政治社会の存在を前提にする憲法を持ちながらも、[*56] 実はその前提であるはずの市民的政治社会を生み出しえないのは何故なのか。さまざまな原因があるのであろうが、わたしは、すでに納得していただけたことと思うが、すべての日本人のあらゆる経験を否応なしに媒介し、縁取り、「思考の運営をしばり」（大野晋）、特殊に限定された社会関係の中に強制的に取り込むところの日本語のあり方、森有正のいう「遍在的天皇制」が、少なくとも幾分かは、関係しているのではないか、と推測したのである。

＊56　日本国憲法が共和国型の憲法であるという点については、水林彪「比較憲法史論の視座転換と視野拡大――ドゥブレ論文の深化と発展のための一つの試み」（水林彪 2016b）を参照。

かくしてわたしは、日本語をいったん離れ、「人権宣言」の言語、アベ・シエイエスのいう同輩者たちの集団としてのネーションを媒介する言語をそれまで以上に徹底的に生きてみる道を選ぶことになった。それは困難な道ではあったが、わたしには、市民的政治社会なるものの言語的基盤についての思索をめぐらすためだけでなく、その感触そのものを我が物にするために、どうしても避けて通ることのできない重要なステップであるように思われたのである。

かつて、加藤周一は十五年戦争当時の知識人を論じて、「『七月十四日』のフランスは、日本の大学における「フランス文学」の研究によっては、日本の知識人に肉体化されなかった。（…）フランスの小説は、うれしそうに国民服を着た東京のほんやく業者が、「このフランス小説の頽廃的な面をわれわれは批判しなければならぬ」などと「解説」しながら、ほんやくすることもできるものである」（加藤周一 1959a：389）と書いた。今日の状況はどうか。日本の知識層は敗戦後七十年以上を経て「七月十四日」のフランスを肉体化するにいたったか。いや、その前に、フランス文学研究は「七月十四日」のフランスを肉体化したか。もはや国民服のご時世ではなく、それどころか有名ブランドのしゃれた衣服を身にまとった男女が都会を闊歩し、あちこちのフランス料理店でワインを飲み、ブルーチーズを所望する時代である。要するに、毎年数十万人もの日本人がフランスに出かけるほど、フランスは近くなった。日本全国には今や八百近くの大学があり、そこでは毎年百万単位の学生が一般教養として近代憲法の精神とその嫡流に属する日本国憲法を学んでいるはずである。一九四七年以来の総計は驚嘆すべき数字に達しているだろう。また、その間に日本全国の大学の法学部に席を置き、卒業した学生の数も尋常な数字ではなかろう。ところが、そういうこととはいっさい無関係に、日本全国のキャンパスで講じられている「憲法」の講義にはいかなる教育的効果も存在しないかのように、今日只今、われわれの眼前で、「天皇を戴く国家」の隆起現象が生起しているのである。「完成した奴隷根性と泥沼のような無関心」の犠牲者には共有できない認識であろうが、これは真に驚くべき事態であるといわなければならない。「七月十四日」のフランス——それは、あえて確認しておくが、「人権宣言」が擁護する諸価値、人の時効によって消滅することのない自然的な諸権利=基本的人権、人間の尊厳の謂いである——が、この国では依然として血肉化しがたい硬質の異物にとどまっているということなのであろうか。

日本国民は「永きにわたって」超国家主義イデオロギーによって「隷従的境涯」に繋がれていたが、実は現在もなお「その呪縛から完全に解き放たれてはいない」という「超国家主義の論理と心理」(一九四六)の冒頭の言葉は、何とも口惜しい限りだが、今日でも少しもアクチュアリティを失っていない。

15 『壊れた魂』

『壊れた魂』の第一楽章「アレグロ・マ・ノン・トロッポ」には、日中混成弦楽四重奏団のメンバーが日本語における非対称性――話し手と聞き手が同じ言葉を共有できないこと、目の前にいる対話者に「アナタ」と言えないことなど――について話し合う場面が出てくるが、この場面は本書のいくつかの章で子細に論じた日本語の「現実嵌入」的性格への問いがなければ書かれ得なかったのではないかと思う。『壊れた魂』をフランス語で書いていたときに日本語の問題を特に強く意識していたということはないが、この作品のフランス語原文を日本語で書き直す作業を通じて、フランス語への越境を決めてからわたしの内部で徐々に形成された問題意識がこのような形で表出したのだ、とみずから納得した。

『壊れた魂』の構想は、「あとがき」に記したとおり、『第一次大戦休戦記念日』に寄せたエセー「死んでも死にきれない」の執筆過程で、天皇制ファシズムの軍隊によって無残に破壊された一挺のヴァイオリンの再生・復活をめぐる物語として、ほとんど突発的に生まれた。息子を一人後に残して殺された、「死んでも死にきれない」水澤悠が幽霊となって「二つの死のあいだの空間」をさまよい、最後に自分のヴァイオリンの音に誘われて「戻ってくる」――フランス語では幽霊は「戻ってくる人revenant」である――という太いストーリーラインがあり、その周囲に複数の主題とその変奏を配置することが重要であったから、日本語の問題はおのずと相対化・周辺化されたわけである。いや、相対化・周辺化されたというよりは、他の主題と共振することで、ある隠喩を形成していると言うべきであろうか。

《ロザムンデ》の第一楽章を弾き終えたところで、カルテットのメンバーたちはお茶を飲みながら談笑する。自分は中国人である前にまず一人の人間であると言って憚らない中国の友人たちと、ろくでもない国にへつらうよりは敵国にみなさんのような友人を持っている方がはるかにいい」と考える日本人との一体感が示されたすぐ後で、日本語が問題となる場面になるのだが、それは次のような悠の発言から始まっている。

> われわれは弦楽四重奏をやっているわけじゃないですか。シューベルトの傑作に挑んでいる。われわれ一人ひとりはこの巨大な作品の前では、みんな小粒な演奏者というか、演奏を試みるアマチュアです……（…）しかし、なんというか、一種の非対称的な関係が成立しちゃっている。ぼくが問題にしたいのは、われわれがともにあるそのあり方というか、われわれ自身の「社会」の作り方のことなんです……
>
> （アキラ・ミズバヤシ 2021：32–33）

アマチュアながら相当に高度なヴァイオリン演奏技術を持つと思われる水澤悠は、四人の奏者が自由かつ対等の資格で協力し、お互いの音に耳を傾けながら自分の音を出すという共同作業に徹しなければ、《ロザムンデ》のような弦楽四重奏曲の傑作を演奏することなど、できるはずがないと考えている。これは悠の勝手な思い込みではない。というのも、例えばかつて知遇を得たバルトーク弦楽四重奏団のチェロ奏者ラズロ・メズーから、同じ趣旨の発言を聞いたことがあるからである。弦楽四重奏というジャンルは、各人がそれぞれつねに他の三人の奏者が出している音を聴きながらそれとの関係において自分の音を出すという、個人的・主体的であると同時に真に共同的な試みによってのみ成り立つ形式なのだというのである。

こうしてラズロ・メズーの言葉を記すと、わたしはただちにもう一人の傑出した音楽家のことを思い出す。イスラエルとパレスチナの若い音楽家から成るウエスト＝イースタン・ディヴァン管弦楽団をエドワード・サイードとともに創設した、ピアニストであると同時に指揮者でもあるダニエル・バレンボイムである。アルゼンチン人、イスラエル人、スペイン人でありながら、それに加えてパレスチナ人にもなった——ということは、彼がパレスチナの公共社会に参画することを主体的に決意し、そのパスポートを手に入れたということを意味する——[*57]ピアニスト・指揮者が雑誌『ル・ヌーヴェル・オプセルヴァトゥール』によるインタビュー記事「何故わたしはパレスチナ人になったのか」のなかで言っていることが、ラズロ・メズーの言葉と深く共振するのである。バレンボイムの話が弦楽四重奏ではなくオーケストラに向かっていることは、言うまでもない。

オーケストラというのは、人生のための学校なのです。（…）オーケストラのプレイヤーは作品の前でみな平等です。しかし、みんながばらばらに存在しているのではなく、互いに依存しあっています。ヴァイオリンはクラリネットを必要とし、そのクラリネットはコントラバスを必要としている、というふうに。わたしもひとりの音楽家として個人的にオーケストに関わります。わたし自身も演奏します。しかし、わたしは他のプレーヤーのやっていることをつねに聴いているのです。わたしは、他のプレイヤーがやっていることとの関係において、自分をコントロールしているわけです。指揮者だって同じです。指揮者は自分では音を出しませんが、プレイヤー一人ひとりの態度や能力に依存しています。指揮者も実はプレイヤーが望んでいること、できることに深く依存しているのです。

(Daniel Barenboim 2008)

*57　バレンボイムの決断はわれわれに「日本人とは何か」という問いを突きつける。日本人であるための条件とは何か。日本人の血が流れている者が日本人なのか。日本人と外国人の区別は何なのか。日本で日本人から生まれれば、誰でも、日本人であるのか。日本人とは、一切の血縁・文化的出自・宗教等とは無関係に、日本の公共社会（共和国）の一構成員になる意思を持つ個人のことではないのか。

ヨーロッパ音楽は、十七世紀から十八世紀の啓蒙と市民的精神勃興の時代に、ハイドン、モーツァルト、ベートーヴェンのいわゆる古典派の時代を迎え、弦楽四重奏を初めとする室内楽の諸形式、交響曲、協奏曲などの開花を見た。例えば、ハイドンの弦楽四重奏曲第六七番「ひばり」ニ長調は一七九〇年の作品である。また、もっとも名高い「五度」「皇帝」「日の出」を含む「エルデーディ四重奏曲」は一七九七年に作曲されている。モーツァルトがハイドンに捧げたハイドンセットと呼ばれる六曲の弦楽四重奏曲は一七八二年から八五年にかけて作られた。いずれも傑作中の傑作である。ベートーヴェンの作品十八の六つの弦楽四重奏曲（第一番から第六番）は一七九八年頃の作品である。交響曲では、ハイドンの「オックスフォード」（第九二番）が一七八九年、モーツァルトの「ジュピター」（第四一番、K五五一）が一七八八年、ベートーヴェンの第一番が作品十八の弦楽四重奏曲とほぼ同時期の作品とされている。ちなみに、モーツァルトの一七八九年の作品群のなかには、弦楽四重奏曲第二十一番（K五七五）や、屈指の傑作、クラリネット五重奏曲（K五八一）がある。

しかし、諸声部の協奏、あるいはアンサンブルという観点から見た場合、わたしにとってもっとも示唆的なのは、モーツァルトがロレンツォ・ダ・ポンテを台本作家に得て作曲した三つの傑作オペラ、すなわち『フィガロの結婚』（K四九二、一七八六年）、『ドン・ジョヴァンニ』（K五二七、一七八七年）、『コシ・ファン・トゥッテ』（K五八八、一七九〇年）である。とりわけ、ある大貴族の館を舞台に当時の身分制社会の一日を描きつつ、それを根底から覆すまったく新しい一つの秩序——それはルソー的意味における共和国＝レス・プブリカにほかならない（この点については、水林章 2007 を参照）——の生成を音楽に固有の手段を用いて創出している『フィガロの結婚』は、啓蒙の最高度の達成であり、市民的精神の天才的というほかはない発露であると思うのである。十九世紀以降のワーグナー、ヴェルディ、シュトラウス、ドビュッシー等の作品群が登場する以前のオペラの歴史は、モーツァルト＝ダ・ポンテ三部作でそれまで人間が経験したことのない高みに達した。注目すべきは、この音楽的な高みが一七八九年の三年前から一年後に集中しているという、何とも興味深い事実である。モーツァルトにおける、いや近代西洋音楽——歴史学の語法に従ってルネサンスからフランス革命までの時代を〈近代〉と呼ぶ――における最高の達成が厳密に人権宣言と一七九一年憲法の時代になされたという点を、わたしは強調したいのである。

一人の王とその王に服属する臣下たちによる垂直的な関係によって特徴づけられる社会が葬られ、同輩者たちの水平的な関係を基調とする、ルソー的な意味での支配・隷属関係のない、自己統治的秩序の構想が歴史の前面に躍り出る歴史的段階に到って、前記例示のごとき協奏的音楽の傑作の数々が生み出されたということ。ヨーロッパ啓蒙の時代における、政治・社会と音楽のこのような符合ないし並行関係に、わたしは打たれるのである。シューベルトの《ロザムンデ》がその延長線上にあることは言うまでもない。水澤悠の意識をとらえているのは、《ロザムンデ》をともに演奏するということは、作品の前で平等な関係にある四人のプレイヤーが互いに同輩者として振る舞う＝演奏することを意味するわけだが、ひとたび音楽の外に出てしまうと、彼ら四人が作る「社会」のあり方は音楽内の同輩者的関係とはまったく異質な関係に変容するという事実なのである。それが「ぼくが問題にしたいのは、われわれがともにあるそのあり方というか、われわれ自身の「社会」の作り方のことなんです」という発言の真意であるに違いない。それゆえ、同輩者的関係の成立を妨げているものとして、お互いをどう呼び合うかという言葉の問題が取り上げられているわけである。

『壊れた魂』の第一楽章「アレグロ・マ・ノン・トロッポ」の主要なテーマは、二つの世界ないし世界像の還元不可能な対立である。一方に、《ロザムンデ》が象徴する自由で平等な主体が水平的に結合する同輩者的秩序があり、他方に、諸個人が垂直的に編成され、その精神の内奥にいたるまで神ながらの道に占有されている天皇制軍国主義の命令的・狂信的秩序がある。例えば、水澤悠の次のような言葉は、彼が二つの秩序の鋭い対立関係にことのほか敏感であることを示しているだろう。「今日、一九三八年という時点で、この東京という都市の一角で、アマチュアとはいえ、日中混成の弦楽四重奏団がシューベルトの《ロザムンデ》を一緒に演奏するということには、意味があると思うんです。なにしろ、まわりに目をやると、国中が人間を「ウチ」と「ソト」に二分する国家主義・国粋主義のガンに冒されて、狂ったように戦争に邁進しているわけですから……」

魂柱まで破壊されるヴァイオリンと魂＝尊厳を踏みにじられる人間の姿は、《ロザムンデ》的世界を徹底的に圧服した「国体」の一九三八年における「勝利」を示唆している。その「勝利」は文字通り圧倒的というほかはないものであった。それは丸山眞男をして「過去数十年にわたって西欧の学問・技術・生活様式を吸収し、日本もしくはアジアの伝統よりも西欧の伝統のほうにくわしかった——あるいは少なくとも自分ではそう信じていた——日本の知識人たちが、日本独特の「皇道」神話における粗雑きわまる信条に鼓舞された盲目的な軍国主義ナショナリズムの奔流を、結局は進んで受けいれるにいたり、あるいは少なくとも押しとどめるのにあれほど無力であった」（丸山眞男 1963：9）と言わしめるほどに、圧倒的であった。そうであるがゆえに、なぜそういう事態が生じたのかという問いが「戦後に社会科学の全分野で仕事をはじめたものにとっての学問的出発点であり、（…）同時に市民としての社会的責任に対する実践的応答でもあった」と、丸山は述懐するわけである。

思想史にも、政治学にも、いや社会科学全般に疎いわたしは、この偉大な学者の全著作に通じているわけではもちろんないが、読んだ文章のすべてがこの「なぜそういう事態が生じたのか」という本源的な問いから流れ出る思索であるという印象を持つ。「天皇を戴く国家」が隠微に突起しつつある今日二〇二三年の日本において「社会科学の全分野で」仕事をしている人々は、丸山眞男のこの問いをどのように受けとめているのであろうか。学問的営みの継承は現在どういう段階にあるのか、一市民——社会契約を主体的に担うシトワイヤンという意味での「市民」——として大いに気になるところである。日本の社会科学の現在が丸山のかつての本源的な問いとの関係においてどういう段階にあるのかという点が心配になるのは、丸山自身が一九五七年の名高い論文「日本の思想」において、いみじくも「いろいろな「思想」が歴史的に構造化されないようなそういう「構造」の把握」の重要性を語り、「思想と思想との間に本当の対話なり対決が行われないような「伝統」の変革なしには、およそ思想の伝統化はのぞむべくもない」と書いているからである（丸山眞男 1957：194–195）。

かく言うわたしが『壊れた魂』でなしえたことはまことに微々たるものだ。それは文学に固有な方法によって、何が何を押しつぶしたのか、そして押しつぶされたものが「日本」を超越する価値に依拠しつつどのように復活するのか、を描くことであり、それでしかなかった。父を通して過去の冷厳かつ悲惨な歴史的事実を記憶するわたしが水澤礼＝ジャック・マイヤールの忍耐強い、ほとんど一生をかけてのヴァイオリン再生の作業を通じて暗示したかったのは、次のように約言することができるだろうか。最終的に勝利するのは神ながらの道と教育勅語に籠絡された「日本」ではなく、弦楽四重奏が表象する同輩者的秩序に固有の倫理的・道徳的価値であり、「日本」を超える自然的諸権利の不可侵性を至高の価値とする社会観・人間観なのだということ、これである。水澤礼が単に水澤礼ではなく同時にジャック・マイヤールでもあるという点は、無意味な細部ではないだろう。『壊れた魂』のフランス語原稿を仕上げてから五年余りがたち、この作品を、ある意味では、一読者の立場からも観察することができるようになった今日のわたしの偽らざる印象である。

16 市民的政治社会とルソーの時代の音楽

ハイドン・モーツァルト・ベートーヴェン

一方の、十八世紀に開花した協奏的な音楽と、他方の、同じ時代に成熟した同輩者的秩序としての市民的政治社会の思想との共時的並行関係。このことにわたしの注意を仕向けたのは、読者はまたかと思われるかもしれないが、実はジャン＝ジャック・ルソーであった。この点にひとこと触れておきたい。

ルソーの思想的・感情的傾向をそのいちばん深いところで定義づけているのは、平等、すなわち支配・隷属関係のない状態という意味での平等への意思ではないかと思う。例えば、『エミール』を読んでいると、友人たちとの集まり＝小さな社会を描く箇所で次のような文に出会う。「わたしたちはわたしたち自身の主人であるためにわたしたち自身の召使いになるであろう。一人ひとり（chacun）が全員（tous）によって給仕されることだろう」。『新エロイーズ』に目を転ずると、葡萄収穫の祝祭的高揚を描く場面で、同様のモチーフを見いだすことができる。「全員が食卓につきます。主人たちも、日傭いも、奉公人も、みんなです。一人ひとりが分け隔てなく立ち上がり、誰かを排除するとか、誰かを選り好むということなく、給仕するのです」。このような小説の言葉とそこから立ち上がるイメージが示唆しているのは、ルソーが生きた時代に現に存在した不平等や階層的な秩序を無化したいという欲求であろう。第6章で紹介した『山からの手紙』からの引用文を想起されたい。ルソーは「法の力によって人民は人間に従わなくてすむ」と書いていたではないか。『社会契約論』第一編の最後の言葉も、同様に、人間が法にしか従わないことによって生み出される支配なき秩序、平等な個人による支配なき自己統治的秩序の希求を力強く表明している。

> 第一編の最後の章の締めくくりとして、すべての社会システムの基礎として役立つことを一つ指摘しておきたい。この社会契約という本源的な契約（＝社会なるものを生み出す第一契約——水林注記）は、自然の平等を破壊するものではなく、逆に、それに代えて、自然が人間にもたらすことのある自然の不平等の代わりに、道徳的で正当な平等を確立するものなのである。人間は体力や能力では不平等でありうるが、契約と法によって平等になるのである。
>
> （ルソー 2008b：56–57 訳文若干改変）

音楽における合奏も社会契約による政治体＝共和国の構築も人々——前者においては演奏家、後者においては自然人——が集合しておこなう共同・協働の作業である。一見無関係に見えるこの二つの分野を結びつけるキーワードは、CONCERTである。この語の本来の意味は「同じ目的を追求する人々の考えの一致」であるが、これは現在では「古い」と感じられ、ほとんど使われなくなってしまった。ただし、de concert（avec）という形は現在でも生きており、「〜と協力して」を意味する。CONCERTは今日ではもっぱら音楽の分野で使われ、楽器や声が一緒に鳴り響いている状態を指す。これが転じて日本語でいうところのいわゆる「音楽会、コンサート」を意味するようになった。『社会契約論』ではCONCERTが六回使用されているが、そのうちの五回は「〜と協力して」の形を取っている。残る一回は、次のような語彙・意味環境のなかで現れている。

集会において一致を志向する人々の協力関係concertがしっかりしていればいるほど、すなわち意見が全員一致に近づけば近づくほど、それだけ一般意志が優勢だということである。しかし、長引く討論や激しい対立・不和、喧噪は個別的利害が力を得ていることを表しており、国家Étatが衰退していることを示している。

（ルソー 2008b：211 訳文若干改変）

ここでのCONCERTの用法は「協議する」「打ち合わせる」を意味する動詞SE CONCERTERに対応する名詞として機能しており、音楽的なニュアンスはまったくない。諸個人（市民）が協力して一つの全体（政治体＝共和国）を動かすという、現代では完全に廃れた政治的な意味が前面に出ている。ただし、『社会契約論』のこの箇所におけるCONCERTの使用法が政治的なものであっても、その音楽的な意味の共在に思いを致さない読者は十八世紀にもいなかったであろうし、今日もいないだろう。CONCERTは自伝の『告白』でも使われているが、そこではルソーが音楽家でもあったという事情を反映して、その二十を下らない用例のほとんどがもっぱら「音楽会」「音楽を楽しむ会」

という今日と同じ意味で使われている。どうしてルソーは、『社会契約論』において、政治体のメンバーの「一致・合意」を言うのに、より自然と感じられる他の単語（例えば、ACCORD, ENTENTE, UNION）を使わず、CONCERTを選んだのか。それは、ルソーの思想の奥深くに政治体と音楽のアナロジーが棲み着いているからなのではないか。わたしにはそう思われてならないのである。ルソー自身が著した『音楽辞典』におけるCONCERTの定義がそのことを逆方向から示唆している。驚くべきことに、『社会契約論』の著者は同時に『音楽辞典』の著者でもあった。

CONCERT：声楽作品あるいは器楽作品の演奏を行う音楽家・演奏家の集団。この言葉は、少なくとも七人ないし八人からなる演奏家の集団 assemblée について用いられるのであって、それ以下の場合はほとんど使用しない。また、複数の声部 partie からなる作品についてのみ適用される（傍点は引用者による）。

社会契約によって生み出される政治体は同輩者たちが形成する団体であり、彼らが協働的に作りあげる秩序である。興味深いのは、それに対応するかのように、演奏家たちの集団が「一致・合意」をも意味するCONCERTによって担われていることである。

『社会契約論』からのさきほどの引用は、そのような秩序（国家）が衰退する原因を個別的な利害の衝突に帰している。それでは音楽が「衰退」するのはどのような場合か。この問いに対する答えは、『音楽辞典』の項目「旋律の一体性 unité de mélodie」に見いだされる。「各声部が固有の旋律を持っている場合、すべての旋律が同時に聞こえてくると、それらが互いに破壊し合い、結局は旋律がなくなってしまう」という指摘がそれである。ならば、作品の各声部が互いに破壊し合わないとはどのような事態なのか。ここで重要な意味をもつのが、他ならぬ「旋律の一体性」の概念なのである。

普通ならば旋律を押しつぶしてしまう和声が旋律を活気づけ、補強し、決定づける。すべての声部が、渾然一体となるのではなく、同じ一つの効果に向かって協力しあうのである。それぞれの声部が独自の旋律を持っているのだが、それらが全部合わさって、ただ一つの同じ旋律が立ちあがる。わたしが「旋律の一体性」と呼ぶのはまさにそれなのだ。（傍点は引用者による）

これは、音楽を楽曲ないし作曲技術の側から見ての指摘であるが、同じことを演奏者の側から見るとどうなるか。わたしの注意は、CONCERT（音楽家・演奏家の集団）と語彙的近隣関係にあるCONCERTANT（協働演奏者）という言葉に向かう。この単語は現代の辞典では「協奏的な」という形容詞としてしか採用されていない。モーツァルトにヴァイオリンとヴィオラのための協奏交響曲（K三六四）という傑作があるが、協奏交響曲にあたるフランス語表現はSymphonie concertanteである。ところが、ルソーの『音楽辞典』の項目CONCERTANTでは、形容詞としての用法ではなく、「協働演奏者」（＝協奏的演奏者）という意味での名詞の方がはるかに重要である。

コンサートで演奏する音楽家の人数を問題にする際にconcertant（協働演奏者）という単語が使

われる。例えば、「われわれは二十五人の協働演奏者だった」とか、「八人から十人の協働演奏者の集まり」というように用いる。

協働演奏者はCONCERT、すなわち演奏家集団において、政治体における市民の位置を占めていると言えようか。「協働演奏者」の実際の使用例は決して多くないが、書簡体小説『新エロイーズ』の次の例がすべてを語っているように思われる。イタリア音楽に接した主人公が音楽の力に覚醒する瞬間が興奮した言葉で熱っぽく語られている。

> うっとりするような音楽が引き起こす感動に満たされて、わたしは音楽芸術が想像していた以上に大きな力を持っていると感じました。知らず知らずのうちに、名付けがたい官能的な気分がわたしを捕らえました。それはわれわれの音楽（フランス音楽）のレチタティーヴォにあるような空しい音の連続ではありません。どのフレーズを聴いても、何らかのイメージが頭の中に浮かび、何らかの感情が心に入ってくるのです。音楽の悦びは耳にとどまるのではなく、魂にまで達するのです。演奏はまるで水を得た魚のように自然で、流れるように進行しました。**すべての協働演奏者**CONCERTANTSが**同じひとつの気持ちで躍動している**ように感じられました。

こうしてわたしは——モーツァルトをこよなく愛し、息子たちと室内楽を楽しむジャン・スタロビンスキーに啓発されつつ[*58]——いつしか、政治体（市民的政治社会ないし共和国・国家）を思考する国法学者ルソーと音楽を思考する作曲家ルソーは切り離された二人の別々のルソーではなく、共通の思考形式（パターン）を持ち、共通の精神的傾向・感受性に貫かれた同じ一人の思想家ルソーなのだと考えるようになった。啓蒙の時代における政治哲学の最高の達成は間違いなく『社会契約論』に見いだされる。孤立する自然人からなる、いかなる社会関係も存在しない自然状態から出発し、その自然状態における自然的権利（自由）を保全するために社会契約によって「市民」という同輩者からなる政治体＝共和国を創出するという筋道――一人の自由が別のもう一人の自由と衝突するという事態の増殖によって、自然状態は必然的にホッブス的戦争状態に帰着し、その結果、逆説的にも、自然的権利は自然状態では確保できないので、社会契約によってレス・プブリカを作らなければならないという思考の筋道――は、ルソーにおいてもっとも鮮明に描かれていると思われるからである。擁護すべき至高の価値は何か。それは人間が本来的に――すなわち自然状態において――享受している、したがって国家に先行する権利として持っている、したがって国家によって蹂躙されてはならない自由、肉体および精神の自由である。そして、それこそが人間の尊厳の根拠であるだろう。

＊58　『他処から来た言語』にはスタロビンスキーについて語った一章がある。ジーベーが「これはスタロへの恋文みたいなものだね。彼に読んでもらったらいい、親友なんだよ」と言ってくれたこともあって、わたしはジュネーヴの巨匠に出版されたばかりの自著を送った。しばらくして、返事があり、ヨーロッパに来たら、ぜひジュネーヴにも足を運んでほしいと書いてあった。というわけで、二〇一一年の九月二日、わたしはジャン・スタロビンスキーをジュネーヴの自宅に訪ねた。そして一日を彼とともに過ごした。一緒に食事をし、ジュネーヴの町を歩きながら、談笑した。文学研究のことも話題になったが、今もよく覚

えているのは絵画と音楽の話題である。ゴヤのこと、モーツァルトのこと、エルネスト・アンセルメのこと……。居間の中央に一九五一年に購入したというグランドピアノが置いてあり、その上に楽譜がうずたかく積まれていた。いちばん上の楽譜はシューマンのピアノ五重奏曲作品四四だった。昔は息子たちと室内楽を楽しんだという話はそのときに聞いたのである。わたしたちの付き合いはスタロビンスキーが亡くなる年の前年二〇一八年まで続いた。日本ではおよそ考えられない「先生」と「生徒」の人間交際であった。ジャン・スタロビンスキーに会いに行く度に、彼の脇にはいつも長男のミシェルがいた。ミシェルは医者で、父親と同じように音楽を愛し、みずからヴィオラを奏する。わたしは、ジャンの存命中から、ミシェルとも親しく話をするようになった。親交の深まりは、とうとうミシェルに兄彪を紹介するところまで行った。二〇一八年八月末のことであった。二人のアマチュアは、モーツァルトのヴァイオリンとヴィオラのための二重奏曲（K四二三およびK四二四）を合奏した。わたしは二人の姿を万感の思いで見ていた。ここでわたしの念頭にあるジャン・スタロビンスキーの仕事とは、スタロビンスキー（1993）およびStarobinski (2012) である。

それでは、「市民」という協働的同輩者たちが作る世界の音楽的等価物は何処にあるのか。それをわたしは、ルソーの『村の占い師』（1752）にではなく――天は二物を与えず――、モーツァルトの『フィガロの結婚』や『ドン・ジョヴァンニ』『コシ・ファン・トゥッテ』、あるいはハイドン、モーツァルト、ベートーヴェンの弦楽四重奏曲の傑作群など、つまりヨーロッパ啓蒙の比類なき音楽的達成のなかに見いだすのである。これまでの人生の大半をフランス語と同じほど音楽で満たしてきたわたしの偽らざる感想である。

一七九七年生まれのシューベルトが《ロザムンデ》を作曲したのは、一八二四年のことであった。

17 アンシアン・レジームを脱していない日本

今となっては遠い昔の一九八三年のことであったが、わたしはフランスの著名な批評雑誌『クリティーク』の日本特集号に一文を寄せる機会を持った。『クリティーク』の編集長だった故ジャン・ピエルから連絡があり、日本特集号をつくるので、会って話を聞きたいと言われたことがきっかけだった。日本の専門家ではないから大したお手伝いはできませんよと、あらかじめ断ったうえで約束場所のパリ六区ベルナール＝パリシー街にあるレストランに赴くと、食事そっちのけでいろいろと質問された。どういう行きがかりからだったかはすっかり忘れてしまったが、日本人の風呂好きと銭湯の習慣について話をすると、老編集長はがぜん興味を示して、そのテーマで一文を草してみないかと言ってきた。大いに困惑したのを覚えている。

当時、わたしはパリの大学に提出する博士論文を準備中で、ルソーの『告白』を貨幣と市場が物を言う世界の出現との関係において把握するという仕事に没頭していたが、自分のフランス語を初めて活字にする機会を受け入れることにした。そして、ジャン・ピエルの要望と期待に応えるべく、日本人と風呂について、そのころ熱心に読んでいたハーバーマスの『公共性の構造転換』などにもインスパイヤされて、親密性と集団性の両方の観点からアプローチするエセーを書いた。ジャン・ピィルはこの文章が大いに気に入ったようだった。というのは、『クリティーク』の特集号全体のタイトルを「日本の風呂の中で」(風呂を表すフランス語 bain には「(人がどっぷりと浸かる)雰囲気」という比喩的な意味もあり、したがってこのタイトルには語の二重の意味が込められている)にしたからである。

それから三十年以上もたってから、突然、『クリティーク』の日本特集号のわたしの文章を読んだという、パリのある小さな出版社のエディターから連絡があった。その人は古本屋で日本特集号を見つけて手にしたのだという。『他処から来た言語』と『メロディ、あるパッションの記録』をすでに読んでいたので、巻頭の「風呂をめぐって」に注意が向かい、その場で立ち読みしたという。素晴らしい文章だと思うので、膨らませて一冊にしてみる気はないか、という意外な提案であった。こうして生まれたのが、五冊目の著作 *Dans les eaux profondes*(『深き水の中で』とでも訳すのであろうか)である。八三年の文章を最初に置き、次に映画作品における風呂のテーマの現れ方の比較(是枝裕和『そして父になる』とクリント・イーストウッド『グラン・トリノ』など)等を交えて、風呂をめぐる個人的な思い出を配した。もっとも力を入れた第三部では、風呂の習慣が開示する日本人の共同態——ともに在るあり方、社交様式——とフクシマと安倍政権成立以来の政治の極端な劣化との密かな関係について、切れ切れの感想を連ねた。奇態な本というべきかも知れない。

その第三部に、「シエナの市庁舎と東松山の丸木美術館」という一章がある。発端は、中世史家パトリック・ブシュロンの『恐怖を払いのける』を読んで知るに及んだ、イタリアの都市シエナの画家アンブロジオ・ロレンゼッティが一三三八年に描いた絵画作品「よき統治と邪悪な統治」である。当時のシエナは、腐敗をふせぐために二ヶ月ごとに選挙で交代する九人の行政官によって運営されるコミューン、すなわち自己統治システム（ということは、命令・服従的秩序ではないということである）を採用する都市国家（シテ＝共和国・レピュブリック）だった。シエナの中心にはひときわ高い鐘楼を擁する市庁舎（Palazzo publbico――コミューン時代に政府が置かれていた公共施設、したがって、これは「官邸」などというものではなく、いわば市民＝主権者の館である）があり、その前には市庁舎に向かって収斂する九つの三角形からなる広大なカンポ広場が拡がっている。広場は市庁舎から遠ざかるにしたがってせり上がっているので、巨大な階段式会議場のように見える。要するに、シエナという都市規模の共和国全体が市庁舎とその前の広場によって換喩的に表現される都市構造になっているのである。

ところが、当時、この自己統治的秩序が、一人の人間に権力を集中する専制的システムによって取って代わられる危険に瀕していた。その危険をシエナの全市民に知らしめるべく、一時政府のメンバーでもあった画家ロレンゼッティが「よき統治と邪悪な統治」を描いたのだという。ロレンゼッティの作品は、一方でよき統治――市民の中から選挙で選ばれた九人の行政官の合議による政治――とは何かを寓意的に示し、よき統治が生み出す都市と農村の平和と繁栄を描出すると同時に、他方で邪悪な統治――専制――がもたらす戦争と荒廃のありさまを描いている。わたしが興味を惹かれたのは、この明確に政治的メッセージを持った作品が全市民の家ともいうべき市庁舎に設置され、全市民に公開されていたということであり、現在も同じように公開されているという事実であった。これを知ったとき、ただちにわたしの念頭に浮かんだのが、実は丸木美術館だったのである。

丸木美術館は、画家丸木位里・俊夫妻のライフワーク「原爆の図」を保存・展示する美術館である。

シエナの市庁舎とカンポ広場

アンブロジオ・ロレンゼッティ「よき統治のアレゴリー」(1338)

夫妻は原爆投下直後の広島に入り（位里は広島出身）、筆舌に尽くしがたい惨状を目撃した。そしてそれ以降、三十年以上の歳月をかけて十五部からなる連作「原爆の図」を完成させた。丸木美術館には、全十五部のうち十四部が展示されている。

丸木美術館は都心からかなり隔たった東松山市にひっそりと建っている。東武東上線の森林公園駅から徒歩で五十分という立地であるから、可視性・公開性という観点から見た場合、非中心的な位置にあることは否めない。わたしは丸木美術館が都会の喧噪から遠く離れた場所にあることに何の違和感も覚えず、むしろまわりののどかな風景に一種の安らぎさえ感じていたのだが、ロレンゼッティの「よき統治と邪悪な統治」に出会ったとき、その気持ちに大きな変化が生じた。ヒロシマとナガサキは天皇制ファシズムによる十五年戦争の悲劇的結末であると同時に、人類の唯一の被爆体験である。だとすれば、「原爆」は二重の意味でわれわれの出発点なのではないか。[*59] ならば、専制の危険を全シエナ市民に向けて警告するロレンゼッティの「よき

丸木位里・丸木俊「原爆の図第５部　少年少女」（1951）、原爆の図丸木美術館所蔵

統治と邪悪な統治」がシエナ市庁舎に置かれているように、天皇制ファシズムによる戦争の筆舌に尽くしがたい惨禍と原爆の恐るべき災厄を日本国の全市民だけでなく、世界中から日本国を訪れる人々に知らせるために、丸木夫妻の「原爆の図」全十五部を十五年戦争の記憶の中にしっかりと位置づける情報とともに、国会議事堂や首相官邸のすぐ側に設置して公開するという選択があってしかるべきなのではないか、そう思ったのである。シエナの自己統治的秩序（コミューンあるいはレピュブリック）を象徴する市庁舎に置かれているロレンゼッティと東松山の原っぱに取り残されている感のある丸木夫妻。この対照は天皇制ファシズムの過去に対するこの国の態度をはからずも暴露しているといえるのではないか。

＊59　東ティモール支援活動を献身的におこなっている東ティモール日本文化センターの高橋道郎は、毎年送ってくれる賀状に、広島紀元と西暦の両方を記している。たとえば、広島紀元七十七（二〇二二）年というふうに。そういう人を、わたしは彼のほかには知らない。

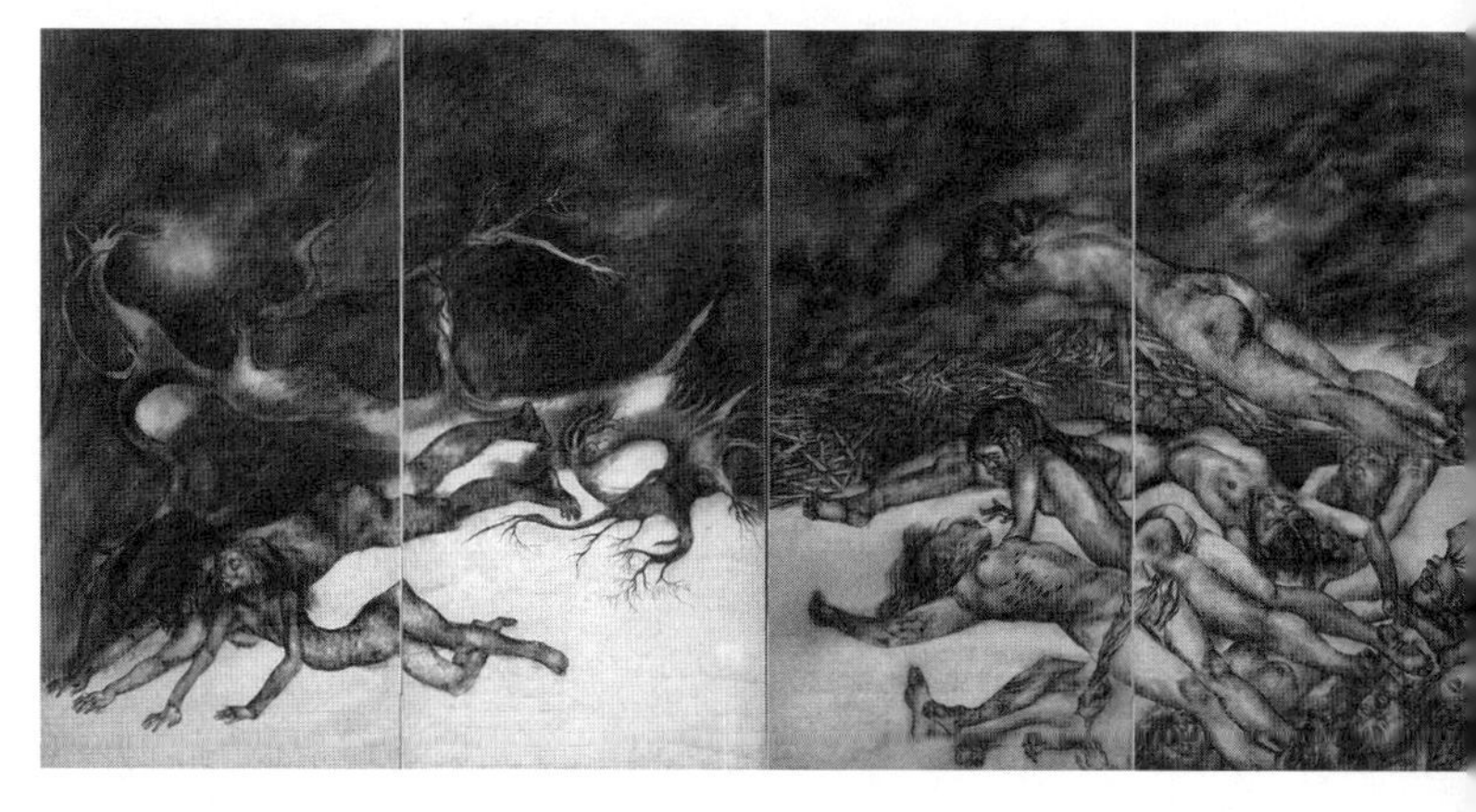

日本は、敗戦後、二月十一日（紀元節）を建国記念の日と定め、元号を法制化し、国旗及び国歌に関する法律によって国旗を「日章旗」、国歌を「君が代」と定め、入学式や卒業式で国旗掲揚の際に起立せず「君が代」の斉唱を拒む教師たちを罰して憚らない政治勢力によって、ほぼ一貫して支配されてきた。その勢力は、これまで繰り返し強調してきたように、今や「天皇を戴く国家」の復権を企む憲法草案を振りかざしてさえいる。丸木夫妻がアンブロジオ・ロレンゼッティになれないのは、当然といえば当然である。

二〇二三年の日本は、アンシアン・レジームを脱却していない。

日本は、経済的に「先進国」なみの「豊かさ」を享受し、政治的にも民主国家にふさわしい諸制度を備えているので、欧米諸国と本質的な違いのない「先進国」と見なされているようである。その昔、NHKのFM放送でザルツブルク音楽祭やバイロイト音楽祭の録音を聞いていたときに、番組終了前に録音の作成に協力したヨーロッパ諸国の放送局が列挙されていたが、その最後にNHKがアナウンスされるのが常であった。ヨーロッパ諸国の放送局の数々がまず紹介され、最後に文字通りぽつんと外国訛りで発音される「ニッポンホウソウキョウカイ」という音列が印象的であった。何となく異物が混入しているようで、不思議な気持ちを抱いたものである。異物混入から来るこの不思議な気持ちは、一九七五年のフランスでも経験した。十一月にG6（主要国首脳会議）なるものが創設され、アメリカ、イギリス、フランス、西ドイツ（現ドイツ）、イタリアの首脳とともに日本の首相がパリ郊外のランブイエ城に集まった時のことである。フランスに留学中だったわたしは、ニュースのアナウンサーがほんの一瞬のことではあったが、日本の首相の列席が醸し出す場違いな印象について触れていたことを忘れることができない。

音楽に話を戻せば、まだ中学生だったわたしがオペラに目覚めたのは、NHKが招待したイタリア歌劇団やスラヴ・オペラのおかげである。マリオ・デル・モナコやレナータ・テバルディの声に震え、ミロスラヴ・チャンガロヴィッチのボリス・ゴドノフに圧倒された経験は、わたしの存在のいちばん深い層を形成している要素である。明治に始まり今日にいたる巨大な西欧化のプロセスがあり、わたし自身その恩恵に浴している。いや、そういう歴史がわたし自身を貫き、成り立たせているというべきであろうか。ベルリン・フィルをはじめとする世界の主要オーケストラには、必ずといってよいほど日本人プレイヤーがいたし、今でもその傾向は強まりこそすれ、弱まってはいないだろう。そういうことが音楽だけでなく文化のほとんどあらゆる分野で認められるから、人々はこの国が名実ともに欧米と並ぶ民主的文化国家になったのだと、信じ込んでいるのかもしれない。目を外に転じれば、「伝統」と「近代」の調和に成功した稀な国などという、耳にタコができるほど聞かされた無意味な常套句によって日本を「理解」したつもりになっている欧米人の姿が否応なしに入ってくる。

二人のランナーが他のランナーの集団を引き離してトラックを走っているとしよう。一番手と二番手は、一見したところ、先頭争いを演じているように見える。ところが、実はそうではない。それは錯覚にすぎない。というのは、二番手は一周遅れで走っているからである。[*60] わたしの知る実に多くのフランス人が憐れにもこれと同じ錯覚に陥っているように見える。日本が、一七八九年を経験したフランスとは違って、いわば日本固有のアンシアン・レジーム（それは究極的には、一方では、自民党の憲法改正草案の根底にある、皇祖神を至高価値とし、天皇をばそれを体現する統治者と見なす思惟様式であり、他方では、江戸幕藩体制下で内面化・無意識化された儒教的位階制（五倫五常）に由来するあらゆる心理的・精神的呪縛であり、さらにはその両方を媒介する言語的拘束にほかならない[*61]）を克服していないという根本問題に対して、彼らは徹底的に無知ないし無関心なのである。

＊60　一周遅れで走っているランナーが先頭争いに加わっているように見えるという比喩を使ったとき、わたしにはそれをだれかから借用しているという意識はまったくなかった。ところが、本稿の第一稿脱稿後に読んだ『定本　丸山眞男回顧談（下）』で、丸山がこの比喩を清水幾多郎が使っていたと言っているこ とを知って驚いた。「もちろん清水さんの書いたものは戦前から読んで感心していました。そのときの発言も面白かったな。いろいろ言っていたのですが、そのうちはっきり覚えているのは、あることを長距離のトラック競技に例えて「ビリのやつが一周遅れてトップのやつと並ぶと、見ている者は、どっちがトップかわからない」と言うんです。本当はビリなのにトップに見える。それは何の比喩かというと、近代の超克論なんですね（笑）」（丸山眞男 2016b：53）。

＊61　学問における、あるいは思想・精神・意識形態におけるアンシアン・レジームというものが存在する。丸山眞男は「福沢に於ける「実学」の転回――福沢諭吉哲学研究序説」（1947）の冒頭で、「今次の惨憺たる敗戦によって、日本の維新以来歩み来ったいわゆる「近代化」の道程がいかに歪曲されたものであったかが白日の下に曝され、ひとびとが近代的自由を初歩から改めて学び取ることの必要性を痛切に意識するに及んで、福沢諭吉はさきごろまでの汚名であった自由主義者乃至個人主義的功利主義者という資格に於て、いままた舞台に呼び戻されようとするかの如くである」と書き、日本の思想上のアンシアン・レジームを例えば次のように描いている。「儒教、就中それを最も理論的に整備した宋学の思惟方法には、アンシアン・レジーム下の人間と社会と自然の在り方が見事に浮彫にされている。すなわち儒教に於ける天人

合一は宋学に於て、太極＝理によって根拠づけられ、この太極によって人間と社会と自然はただ一すじに貫通されている。宇宙的秩序を究極的に成立せしめる天理（天道）が人間性に内在しては本然の性となり、社会秩序に対象化されては君臣・父子・夫婦・兄弟・朋友の「倫」となる。従ってそうした社会秩序の根本的規範は人間性にアプオリに内在するものであるから、人間の本来的なあり方はそうした客観的な秩序に帰依する以外にはありえない。（…）すべての人間が彼にとっての先天的な位置を「分限」として、遵守することが、全社会秩序の安定性の基礎である。生活は伝統と因習の単純なる再生産であり、まさに四季の如く循環的である。ここでは社会は人間によって主体的に担われているのではなくして逆に、所与としての社会秩序への依存性が人間の本来的なあり方である。そうした先天的環境への依存が「価値」であり、それからの離脱がすなわち反価値にほかならぬ。従って、一切のイデオロギーは畢竟「貧福ともに天命なればこの身このままにて足ることの教」（石田梅岩）たらざるをえない」（丸山眞男 1947b：50-52 傍点は引用者による）。見られるとおり、丸山はここで儒教（宋学）とその日本化的到達点ともいうべき心学を同列に扱っている。どうしてそういうことが可能なのかという疑問が生じるが、丸山における中国理解という問題はわたしの能力をはるかに超える。その点を除けば、ここには、なにゆえにこの国においては、社会契約論と天賦人権論が根付かないのかというわたしの問いへの一つの目の覚めるような解答がある。白井聡のいう現下の「完成した奴隷根性と泥沼のような無関心」、「根源的な深淵のごとき無関心」（一九六ページ参照）の淵源がここにあると感じるのはわたしだけであろうか。

日本は確かに、明治以降、一方で富国強兵を進め、他方で西欧列強に伍するべく政治・法・教育等の国家的諸制度や文化・芸術を模倣導入し、いわゆる「近代化」に邁進したわけだが、教育勅語が正当化する天皇制的国体による道徳的・倫理的価値の独占とその惨憺たる結果が暴露したように、その「近代化」なるものは、至高の価値としての自然権＝基本的人権という〈近代〉なるものの核心にある指標からすれば、とうていその名に値するものではなかった。日本が〈近代〉からどれほど遠かったかということは、近代的価値（基本的人権）が徹底的に破砕された時代の真っ最中（一九四二年）に、知識人が、あろうことか「近代の超克」と銘打ったシンポジウムを開き、しかもその際に超克すべき〈近代〉がいったい日本にあるのかという疑問を呈した参加者がたった一人しかいなかったということに現れていよう。加藤周一は書いている。「人権宣言の行われる前の日本で知識人が集まって「近代の超克」をまじめに議論していたということは異様であり、そこに出席した人々のなかでその異様さに気づいたのが中村光夫ただ一人であったということはそれ以上に異様である」（加藤周一 1959a：386）。

「国体」と〈近代〉は水と油の絶対的矛盾の関係にあり、決して調和することはない。敗戦後、日本は、基本的人権を擁護すべき至高の価値とする新しい憲法のもとで再出発し、めざましい経済発展をとげ、「先進国」と見なされるようになった。しかし、にもかかわらず、天賦人権論（基本的人権の思想）を否定し「天皇を戴く国家」を理想とする政党が長期にわたって政権の座についている。小選挙区制度が自民党に有利に働いていることを差し引いても、日本国民がそういう事態を選択している、あるいはそのような事態を許容していることは否定できない。さすがに「国体」というおぞましい言葉は使われなくなったが、実質的に「国体」的発想に固有な精神構造や思惟様式が清算されることなく残存し、依然として国民の意識を捕縛し続けている。

この点については、第8章ですでに参考にした、日本近代宗教史の専門家島薗進の「国家神道」の戦後に関する鋭い指摘をもう一度想起する必要があろう。

肝心な点は、島薗が『国家神道と日本人』で「国家神道は解体したのか？」という問いを発し、これに明確に「否」と答えていることである。これまで、国家神道は敗戦後のGHQによる「神道指令」（一九四五年十二月十五日）によって解体されたと考えられてきたが、解体されたのは実は「国家と神社神道の結合であって、皇室祭祀はおおかた維持され」、「その後、皇室祭祀と神社神道の関係」が回復し、「神道の国家行事的側面を強めようとする運動が活発に続けられてきた」ことの結果として、実は国家神道は死んでいない、というのである。制度的に解体されたはずの国家神道が戦後も生き延びたのは、一方では大幅に保存された皇室祭祀、また他方では神社本庁などの民間団体による天皇崇敬運動の力によるところが大きい。とりわけ、島薗が紹介している衝撃的な事実――第8章で、古代律令制国家以来、一揆的中世を除いて、この国を延々と特徴づけている天皇制を命令と服従のシステムとして取り出す際に注目した事実は、ここで改めて確認するに値しよう。すなわち、皇居の壮大な神道礼拝施設で繰り返し行われる皇室祭祀は、建前としては「私的神事」であるが、「大祭のうちのいくつかは内閣総理大臣、国務大臣、国会議員、最高裁判事、宮内庁職員らに案内状が出されており、これら国政の責任者や高級官僚らは出席すると天皇とともに礼拝を行う」（島薗進 2020：191）ので、公開の行事ではないとはいえ、祭祀が「私事」の枠を大きくはみ出し、事実上国家的行事として挙行されているということ、これである。

要するに、日本は依然としてアンシアン・レジームを葬っていないということだ。葬ることを望んでさえいないように見える。社会のあらゆる分野で観察される旧態依然たる現実はそれと無関係ではあるまい。

組織における長老・親分支配（ヤクザ型社会関係）――自民党の派閥政治や最近（二〇二一年十一月）の日大不正資金事件が明るみに出した理事長＝親分による独裁的支配[*62]を想起すればよい――、意思決定プロセスにおける上意下達（討議文化の欠如）、自民党世襲議員の異常な数（議員職の実質的家産化）、夫婦同姓の強制、公共的場面における女性の稀少性（女性差別）、日本社会の構造そのものに由来するがゆえに一向になくならない、人を死にいたらしめさえするパワハラ・暴言、中国・朝鮮・在日（いやな言い方だ）の人々、さらには沖縄の日本人に対するヘイトスピーチ等々[*63]。これまでも折に触れてそのいくつかは指摘してきたが、例をあげれば文字通り切りがない。病理的現象は多様だが、そこに見られるのは実はある一つの同じ構造なのではないか。わたしの念頭にあるのは、福沢諭吉がいみじくも「権力の偏重」と名付けた原理である。「権力の偏重」を丸山眞男の注釈を参考に素描すれば次のようになろうか。

＊62　「朝日新聞デジタル」の「忖度・権力集中…日大が統治不全に陥るまで　現職理事が語る内実」（十二月十日）という記事で読むことができる紅野謙介日大文理学部長の次のような証言に注意。「前理事長は、黙ってそこにいるだけで存在感があった。会議室に入ってくると、円卓についていた理事全員がさっと起立する。もともと会議は前理事長の意向を忖度して発言しにくい空気で、田中氏が指名して理事になった人が「異議なし」という程度。しんとして議論にならない。私は二〇一九年一月に理事になって初めて様子を目の当たりにし、権力が前理事長に集中しているのを実感しました」。このような「内実」は「権力の偏重」の一つの表れであり、決して例外的な現象ではないはずである。

＊63　例えば、二〇二二年一月十日の「東京新聞」の記事「スポーツ指導　増えるパワハラ・暴言　桜宮高バスケ部員自殺9年」、同じく二〇二二年十月十六日付けの同新聞の記事「中国人観光客を罵倒　沖縄へイトとの闘い　県民を「土人」呼ばわり」を参照。

およそ官僚制的機構（ビューロクラシー）なるもの（官庁だけでなく企業を初めとするあらゆる組織体）は、必然的に上下の階層的秩序を特徴としている。これは普遍的現象だが、日本の特殊性は上級者と下級者がたんに職務的観点から区別されるのではなく、「上級者の方が当然価値的に「偉い」」とされる点に現れている。「事実上の「有様」のちがいだけでなく、それがすなわち価値上の「権威（ライト）」の差になっていること」を福沢は「権力の偏重」として概念化し、これを「日本文明の病理として剔抉」したのであった。重要なのは、福沢自身の「日本にて権力の偏重なるは、あまねく人間交際の中に浸潤して、至らざる所なし」（福沢諭吉 1875：208）という指摘にあるとおり、「権力の偏重」が「日本の大小あらゆる社会関係の中にビルト・インされ」た構造的鋳型[＊64]だという点である。つまり、社会的関係を形成せしめる根源的な働きが「権力の偏重」なのであり、したがって、それは「男女関係からはじまって、親子、兄弟等の家族内の権力の偏重、次に家族外の師弟生活、貧富貴賤、新参と古参、本家と末家といった「世間」での「権力の偏重」、それから次には社会集団相互間」の関係にまでいたるのである。また、「権力の偏重」が実体概念ではなく、関係概念であるということも見逃せない。つまり、「特定のある人間が権力の偏重を「体現」しているのではなく、上と下との関係においてある。ですから、上にたいしてはペコペコし、下にたいしては威張っているという「関係」が、ずっと下まで鎖のようにつながっている。ある傲慢な人間がいるのではなく、同じ人間が下に対すると傲慢になり、上に対すると卑屈になる」（丸山眞男 1986c：78-80）ということなのである。[*65] 丸山のこの説明を読んで本書第10章「「ゴム人形」と「百千年来の余弊」」に出てきた「四階の殿様」を思い出さない人はいないに違いない。

本書の初校に朱を入れる段になってふと目にした、東京外国語大学時代の同僚上村忠男の「奥崎謙三の戦争」（季刊『未来』2023, no 612）を読んではっとしたことがあるので、書きとめておきたい。奥崎謙三とは、一九六九年一月二日に、参賀者一万五千人の前で、天皇めがけて手製のゴムパチンコでパチンコ玉を打ち、現行犯逮捕されたことで知る人ぞ知る人物である。奥崎謙三の人物像については上村の文章を読むにしくはない。わたしは単に何にはっとしたのか、その点だけを明らかにしておきたい。わたしの注意を惹いたのは、上村が奥崎謙三の書いた陳述書「私はなぜ天皇にパチンコでパチンコ玉を射ったか？」の内容を紹介する段落である。「小学校を出てそのまま丁稚奉公に出された」奥崎は、ドイツの物理化学者ロベルト・ハーヴェマンの『ドグマなき弁証法――自然科学と世界観』を読んでいたということであるが、その本の中でハーヴェマンが「《下に向かっては踏みつけ、上に向かっては丸く背をかがめる》（傍点は引用者による）「自転車乗り」の方式を「立身出世主義者や茶坊主どもの常套手段であると述べている」くだりを、奥崎が全文引用しているというのである。なにゆえ、奥崎はこの箇所全体を書き写したのか。「下に向かっては踏みつけ、上に向かっては丸く背をかがめる」「自転車乗り」の方式に、彼自身が日本社会とその軍隊でいやというほど経験したに違いない病理的「権力の偏重」現象の適切な言語化を見出したからではなかったか。真実は知るよしもないが、そのような想像が心奥からおのずと沸き上がってきたがゆえに、わたしははっとしたのであった。

＊64　「権力の偏重」が構造的鋳型であるという点について、福沢が二つの比喩を用いて説明していることを丸山眞男は次のように紹介・説明している。「日本国中に千百の天秤をかけたとすると、天秤の大小にかかわりなく、そのすべてが一方に傾いてしまい、平均がとれているものがない。また別の例でいうと、三角四面の結晶物をいくら細かく砕いてもやはり一つ一つが三角四面の相似形になってしまう。権力の偏重ということが日本の大小あらゆる社会関係のなかにビルト・インされている状態を、そういう比喩で表現しているわけです」（丸山眞男 1986c：78）。

＊65　福沢の記述は次のとおり。「政府の吏人が平民に対して威を振う趣きを見ればこそ、権あるに似たれども、この吏人が政府中にありて上級の者に対するときは、その抑圧を受ること、平民が吏人に対するよりもなお甚だしきものあり。譬えば地方の下役らが、村の名主共を呼出して事を談ずるときは、その傲慢厭うべきが如くなれども、この下役が長官に接する有様を見れば、また愍笑に堪えたり。名主が下役に逢うて、無理に叱らるる模様は気の毒なれども、村に帰て小前の者を無理に叱る有様を見ればまた悪むべし」（福沢諭吉 1875：210）。

福沢＝丸山の「権力の偏重」論は「日本文明」を一番深いところで規定している構造的な特徴、一種の鋳型の目の覚めるような剔抉であり記述である。それはしかしいわば鋳型の記述であって、なぜそのような鋳型がこの国の本質的な特徴として存在するのかを説明するものではない。それではなにゆえにそのような、現代のわれわれの生き方をもその最深部において拘束し続ける力を持つ鋳型ができあがったのか。この問いに答えるためには、水林彪による「近世の法と国制」（水林彪 1977–82）にかんする研究を参照しなければならない。

この重厚な研究を読んで得られる知見を乱暴を承知のうえで素人なりに咀嚼すれば、次のようになろうか。近世的世界、言い換えれば江戸幕藩体制とは、中世的世界に固有な在地のあらゆる自律的なイエ権力を「私的」なものとして徹底的に否定した「公的」な国家権力の成立として把握される。そして、このような公的国家の本質的な特徴は、高度に発達した合理的な官僚制機構の形成にあった。近世の官僚制は、「人的かつ私的な性格を排した物的で公的な行政」という観点だけに注目すれば、近代官僚制と見紛うほど完成されたものであったが――それこそは、おそらく、明治における「近代」国家の急速な建設を可能にした要因の一つであるに違いない――、しかしそれは、人的関係の徹底的な物化（貨幣・市場経済関係の展開によって人と人との関係が物と物との関係として現象すること）から結果したものではなく、君主（大名・将軍）に集中する「国家権力が一切の私的な在地権力、私的所有を解体して、国家が人民全体を統一的に支配する」という事態から発生したものであった。専制的家父長制的家産官僚制国家の成立である。これは、西欧に成立した、諸身分が主張する諸特権・諸自由の存在によって、「国政が君主権力と諸身分の協働によってしか遂行され」ない、身分制的な家産制国家とは対蹠的な性質を持つ。日本の近世国家は、マックス・ヴェーバーの類型学的語彙を用いれば、「君主に原理的には完全に自由な恣意が存在する真の専制政治、支配の機関としての官吏を擁する唯一の個人による大衆支配、君主と臣民との関係が父と子との間の権威主義的関係として構成される第二次的な家父長制秩序」としてとらえられる。

前近代の西欧において、身分制的自由――すなわち、国政が君主権力と諸身分との協働によってしか遂行されないという事態を生み出す、諸身分それぞれの身分制的自由――が頑強に生き続けたことの意味は計り知れないほど大きかった。というのは、ヨーロッパの自由への志向のすべて（議会主義、法治国思想、自治などはその最も重要な要素である）が、結局のところは、旧身分制社会の、君主権力に対抗する身分制的自由の観念に発しているからである。マルク・ブロックがかの『封建社会』を閉じるにあたって、「西欧の封建制が卑賤な人々にはいかに苛酷なものであったとしても、それが西欧文明に今日もなおわれわれが存続を望んでやまないあるものを遺したことは明らかである」と書いたのも、そのような理由からであった。

翻って、専制的家父長制的家産官僚制国家の成立を見た日本の近世は、その後の歴史をヨーロッパの場合とはまったく別様に規定した。それは、近世的官僚制が、近代官僚制と根本的に異なって、「中世的「道理」を破壊した合理的に組織された官僚制機構と主君が圧倒的に優位する主従制的人的結合体との二元的構造」として成立したからであった。別言すれば、物的・客観的・合理的な機構としての官僚制的秩序のなかに、それとは本来矛盾するはずの人的で情宜的な関係としての主従制的階層関係が食い込んでいるという抱合的な構造——ここが肝腎な点である——が出来上がったのである。それゆえ、本来的には没価値的分業関係であるはずの官僚制的階層秩序が不可避的に尊卑の価値観念によって侵食されることになった。そして、この近世中期に由来する官僚制と主従制の抱合構造が、その後も払拭されることなく日本社会をその深部において捕縛し今日にいたっているのである。本来は客観的で没価値的な分業的秩序に過ぎない社会的上下関係の中に、上の者が下の者よりも「えらい」という価値判断（これが「権力の偏重」である）が必然的に紛れ込み付着してしまうという構造。日本人ならば誰もが内面化している——したがって、容易には対象化できない——この一事のなかに、われわれの「社会」がいまだにアンシアン・レジームを脱していない証拠が見出されるのである。

このように見てくると、わたしの脳裏にはおのずと、第10章で触れた、福沢自身が「百千年来の余弊」と呼んだ「ゴム人形」のごとき日本[*66]、若い頃にわたし自身が大手商社と大学事務室で体験した二つの出来事、溝口健二の『近松物語』に描かれた大経師位春の態度と言葉使い等々、そういったことのすべてが浮かびあがってくる。「権力の偏重」は「日本文明の病理」であることをやめたであろうか。否。それは新聞――まともな新聞――を拡げれば直ちに了解されることであろうし、また、その前に各人が胸に手をあてて自分の生き様――学校での経験、日々職場で見聞きしていることどもを振り返れば、思い当たるふしがいくらも出てこようというものである。

＊66　『文明論の概略』の第九章「日本文明の由来」には、「日本の武人の権力はゴムの如く、その相接する所の物に従て伸縮の趣きを異にし、下に接すれば大いに膨張し、上に接すればとみに収縮するの性あり」というくだりがある。『文明論の概略』(237)

黒澤明に『悪い奴ほどよく眠る』(1960)という作品がある。最近わたしはそれをフランス語字幕付きで再見した。通算で四回目の鑑賞であった。現在の日本で起こっている権力の腐敗と汚職を抉り出すがごとき強烈な映画である。土地開発公団の汚職に手を染めた父が上層の圧力によって死に追いやられたことを知った息子西幸一(三船敏郎)が心を鬼にして復讐に立ちあがるが、最後には巨悪によって押しつぶされてしまう圧巻の物語になっている。最後近くに、すでに殺害された主人公の友人板倉（加藤武）が満身に怒りをこめて「こうして日本中が騙され続ける、これでいいのか！」と天に向かって叫ぶ場面が置かれているが、板倉が腹の奥底から絞り出すようにぶちまける怒りには黒澤自身の怒りが込められているに違いない。そしてその怒りは、森友・加計学園問題等で醜く汚れる、六十年後の、今日ただいまの日本においても、轟々と鳴り響き続けていている。六十年前も今も、上位の者は責任を下位の者になすりつけ、みずからはのうのうと権力の座に居座り続ける。自殺に追いやられるほど苦しむのは常に隷属的地位に置かれている下位者である。建設会社の顧問弁護士（中村伸郎）に「あくまであなたを信頼しているから、よろしく」という社長の言葉を伝えられた経理担当（清水元）はトラックに身を投じて自殺し、土地開発公団の課長補佐（藤原釜足）も命を絶つべく火山の頂上を目指す。下位者は死をも乗り越えて隷従を貫こうとする。

汚職の中心にいるのは公団副総裁の岩渕（森雅之）である。その下には管理部長の守山（志村喬）がおり、守山の下には契約課長の白井（西村晃）がいる。末端は課長補佐の和田（藤原釜足）である。わたしの注意を惹くのは、岩渕―守山―白井―和田とい

『悪い奴ほどよく眠る』（1960）：左から契約課長白井（西村晃）、管理部長守山（志村喬）、副総裁岩渕（森雅之）。

う階層的権力秩序がそれぞれの人物の言語と身のこなしの相違によって鮮明に形象化されている点である。そして、もちろん、フランス語字幕は諸人物の言語的・身振り的差異の前でまったく無力である。守山は岩渕に対しては平伏するが白井に対しては横柄に振る舞う。白井も同じで、岩渕と守山に対してはへいつくばるが和田に対しては高圧的である。ひとり岩渕だけはこの階層的秩序の最上位に位置しているので、下の三者に対して殿様のように居丈高だが、実は上には上がある。岩渕の上にはもう一人、真の意味での最上位者がいるのだが、その人物は『悪い奴ほどよく眠る』を見る観客の目の前にはついに姿を現さない。われわれは、電話線の向こう側で受話器を手にしている人物に対して、岩渕が至極丁重な言葉使いで接し、直立の姿勢で受話器を耳にあてたまま、額が机に触れるほど深々とお辞儀をする姿を見ることができるだけである。ラモーの甥が見たら何と言うであろうか。要するに、岩渕も守山も白井も和田も、みなよくできたゴム人形に過ぎない。この不可視の人物が、『悪い奴ほどよく眠る』の物語の中では、首相とか大臣といった政界のヤクザ的親玉であることは容易に察しがつくが、その男が目に見えないという点を深読みすると、それは意識下に潜む不気味なシステムとしての「権力の偏重」のメタファーのようにも感じられる。そこが凄い。

西幸一の最終目的は、汚職の根源にある、見えない最高位の人物―岩渕―守山―白井―和田という支配隷属関係に帰着するヤクザ的権力構造を破壊することにある。彼はその構造の内部と外部の両方に属している。その点で、西（本当は板倉）が友人板倉（本当は西）と戸籍の交換をしたことになっているという細部は重要である。岩渕の秘書になるために、つまり構造の内部に入り込むために、板倉は西になったのである。西幸一は構造の内部の人間だが、父の復讐を遂げようとするかつての板倉は構造の外部にとどまっている。黒澤明は、内部の西と外部の板倉が言語的にも身振り言語的にもまったく異なる人物である点に十分に意識的であった。そこもまた、凄い。岩渕にへいつくばる西と、構造の外部から守山・白井・和田を罵倒するかつての板倉の相違を見よ。

黒澤がこの作品を撮ったのは一九六〇年、つまり一時的に高揚した安保闘争の年であった。[*67] 黒澤は、まったくもって冷静に、「権力の偏重」をどうにかしない限り、日本の政治は質的な転換を果たしえないことを予感していたのかもしれない。もしそうだとすれば、その予感は寸分の狂いもなく的中したと言わなければならない。

＊67 「敗戦の冬からわずか一年にして、占領支配をすら揺るがす二・一ストを可能にさせるような大規模な組織化」の根底にある民衆意識が示した「混沌のるつぼ」から受けた感銘の中に「近代精神史の研究への意味を見出した」民衆思想史家色川大吉は、「一九六〇年六月の大デモンストレーションの渦中で、ふたたび同質のなまなましい民衆意識の奔流にふれて、その初心を実現する決心をかためた」という。しかし、その色川自身が、一九六八年の同じ文章の中で、次のように書かなければならなかったところに、日本の根本問題の深刻さをうかがうことができる。「この維新、民権革命の挫折から六十年余の間に、日本の民衆の精神構造は天皇制の体質にみあうドレイ構造を形成し、国内においては部落民を奈落とするタテの価値序列を、国外では朝鮮、中国にたいする民族的蔑視と、その掠奪・ドレイ化政策を支持してゆくなかで、服部之総のいう「父祖四代にわたる精神的頑病」にいよいよ深く落ち込んでいったのである。／それは、中国、朝鮮人民の眼には、日本国民の愚劣な自縛自縄の歴史として、そのあげくに十五年戦争の総力戦に根こそぎ動員され、三百万人の無益な犬死者をだしながら、降伏時には皇居前で土下座して天皇に不明を詫びるという、おどろくべき愚行の歴史と映ったであろう。もちろん、少数のすぐれた例外がなか

ったというのではない。その少数の例外のみの系譜を綴るならば、燦たる歴史がえがけよう。だが、大部分の日本国民が（民衆意識の次元において）自発的に「聖戦」をたたかったことは事実であり、その精神構造が、半ば空洞化されながらも、敗戦時まで持続された事実を否定しえないかぎり、われわれはこの敗戦を通して、戦前天皇制支配の総過程を再点検する必要に迫られるのである。／このわれわれの問題意識は一九三二～三年当時の講座派のそれとはまったく異質のものである。そして、こうした問題意識に発した若干の研究が（もっぱら歴研系歴史家以外の研究者のあいだから）うまれながら、その作業はまだ終了していない。終了しないうちに、ふたたび戦前天皇制を懐古し、評価し、再利用しようとするような、支配思想構築の季節がめぐり来ったのである」（色川大吉 2008：309-311 傍点は引用者による）。

一九六〇年の『悪い奴ほどよく眠る』は黒澤プロダクションの第一作である。この傑作は興業的には完全な失敗であったという。そこで、黒澤は、翌一九六一年の時代劇『用心棒』では、娯楽性に徹して、商業的なヒットを狙わなければならなかった。結果は、周知のように、世界的な影響力を持った傑作の誕生であった。『用心棒』は、徹底的に娯楽的でありながら、誰にも依存しない強烈な個性をもつ無名の個人（天才三船敏郎が造形した浪人は一時桑畑三十郎を名乗るが、実はそれは彼を匿名にする仕掛けである）が「社会」（宿場町）の、親分と兄貴という呼び方に象徴されるヤクザ的構造を徹底的に破壊する物語である。『悪い奴ほどよく眠る』の板倉＝西幸一は敗北したが、『用心棒』の浪人は共同世界の再生に一身を捧げ、勝利する。しかも、その勝利からいかなる実益を引き出すこともなく、である。「あばよ」と言って立ち去ってゆく独りの断固たる浪人の姿は、わたしの目には来るべき「社会」の強い個人、自主的・主体的に共同（協働）世界にコミットする「市民」の投影のように見えるのである。『用心棒』の続編で、これまた徹底的に娯楽的な『椿三十郎』（1962）においても、レス・プブリカの再生・構築に主体的にかかわる強い個人を造形する意思はいささかの怯みも見せていない。娯楽的であろうとなかろうと、黒澤明の姿勢は一貫していたと言わなければならない。

　病は癒えていない。病人はあまりにも長期間にわたって病んでいるので、自分の身体が病んでいることを意識すらしていないのかもしれない。意識していないがゆえに治癒したいという気持ちさえないのかもしれない。現在われわれは、日本的アンシアン・レジーム（国旗・国歌・元号・新たな装いを取った国家神道等に縮約される国体＝天皇制）が確実に隆起し、ついにはそれを正当化する究極的文書としての自民党「日本国憲法改正草案」が公表され、改憲への動きがむき出しになっている状況を目前にしている。あまつさえ、「天皇を戴く国家」を志向する政党による政治はもはや「政治」（公共善の追求）とは言いがたく、堕落と腐敗の極点に達している。しかし国民は少しも動こうとしない。「所与としての社会秩序への依存性が人間の本来的なあり方である」ことをものの見事に証明するかのように、動かない。

　アンシアン・レジーム勢力が半永久的に政権にとどまることができるのはなぜなのか。それはおそらくこの国では、国民がいまだに真の意味での国民（ネーション）になり得ていないからである。日本には「社会」がないという事態は、このようにも言い換えることができるはずである。福沢は「日本には政府ありて国民（ネーション）なし」（『学問のすすめ』）と言い、「日本の人民は国事に関せず」（『文明論の概略』）と断じた。この診断が実は、『文明論の概略』からほぼ百五十年という今日においても、依然として正鵠を射ているのである。ネーションにあたる言葉として日本には「くに」があるではないかという反応が返ってくるかもしれない。しかし、この点については、またしても丸山眞男の鋭い指摘がある（丸山眞男1986c：109–110）。記紀に出てくるもっとも古いやまと言葉の一つの「くに」には、多様な意味が込められている。いちばん外に「大日本国」という国があり、その中に「出羽の国とか、播磨の国とかいう場合の「クニ」がたくさん」ある。さらに、それぞれの「クニ」の内側には、最小単位としての「クニへ帰る」という場合の「故郷」がある。

他方、驚くべきことにと丸山は形容しているが、「くに」には、「クニの支出」などという表現に表れているように、「政府」という意味もある。こういう言葉使いが、「政府と人民との「対立の統一」としての」ネーション概念の不在を示唆している。「くに」の同心円的性格によって、いちばん間近な「くに」に対する自然な愛着心はいちばん大きい「大日本国」という「くに」に容易に接続する。ということは、「くに」への依存性・帰属性の意識が非常に高いということが日本的意識形態の特徴といえるわけだが、問題は、それがネーション意識の稀薄性と表裏一体の関係にあるということなのである。つまり、「この「くに」は俺が担っているのだ、俺の動きで日本国の動向もきまるのだ、という意識は非常にとぼしい」ということにならざるを得ない。

ここには、これまで幾度か強調した日本における「社会」の欠如、あるいは日本「社会」の脆弱性というわたしの主張・実感とぴったり重なる解きほぐしがある。それはアカの他人たちが衆議するパブリックな「人間交際」（社会）がないことを指摘した福沢自身の観察であり、さらには、日本には「あなた」と「あなた」がわあわあ集まっている」共同体はあっても、「彼」（三人称、すなわちアカの他人）の集積としての「社会」は存在しないという、森有正の結論でもあった。

むろん、わたしとて、明治以来の「近代」日本の歩みの中に「個人」追求の貴重な試みを示す一本の糸が走っていたことを忘れているわけではない。樋口陽一の素描にしたがって繰り返し思い出すべきその糸をたどりなおせば、まず「「一団の家族を以て其基礎となす社会」ではなく、「衆一箇人を以て基礎となす社会」」を構想した法学者小野梓（一八五二〜一八八六）がいた。そして、大正デモクラシーを代表する吉野作造（一八七八〜一九三三）がいた。「大逆事件」（一九一一）のわずか三年後に「私は個人主義者だと公言して憚らない」と述べた漱石（一八六七〜一九一六）がいた。経済新報のジャーナリスト石橋湛山がいた。「西洋を模して到底西洋に及ばぬ日本社会を意識しつつ、「いかに外観の形式を変更しても、風土と気候と、凡ての目に見えないものが、人間意思の自由、思想の解放には悪意を持ってゐるらしい」という屈折した言い方ではあるが、「個人」への愛着を語った荷風（一八七九〜一九五九）がいた。幸徳秋水ら十二名の処刑直後に堂々と『謀叛論』を書いた徳冨蘆花（一八六八〜一九二七）がいた。「パアシイ族の振舞に仮託して思想の自由への抑圧への抗議を隠さなかった」森鷗外（一八六二〜一九二二）がいた。戦前・戦中・戦後を通じて「個人」を貫き、「徴兵拒否者」になり、トルストイを翻訳した北御門二郎（一九一三〜二〇〇四）がいた（樋口陽一 2014：130-138）。

決して長いとはいえないこのリストに、「戦争と知識人」（加藤周一）にしたがって、「背広を国民服に着替えるように「思想」を脱ぎ捨てなかった」少数の人々を加える必要があるだろう。しかし、それにしても、残念ながら、ここで名前をあげた人々はあくまでも例外的な個人だったというほかはない。問題は、知識人も含めて圧倒的大多数の日本人が、「日本独特の「皇道」神話における粗雑きわまる信条に鼓舞された盲目的な軍国主義ナショナリズムの奔流を、結局は進んで受けいれ（た）」（丸山眞男）という惨めな事実の方だからである。

したがって、わたしはやはり次のように考えるべきだろうと思うのである。すなわち、国民が国民（ネーション）にならない限り、国民が公共社会（共和国）を担う「個人＝市民（シトワイヤン）」としての自覚を持たない限り、「所与としての社会秩序への依存性が人間の本来的なあり方である」という儒教的思念から解放されない限り、国民が「ゴム人形」であることをやめ、自らが主体であると同時に客体でもある「抑圧移譲」[*68]に自覚的にならない限り、すなわち「上下の名分、判然として、その名分と共に権義をも異にし、一人として無理を蒙らざる者なく、一人として無理を行わざる者なし。無理に抑圧せられ、また無理に抑圧し、此に向て屈すれば、彼に向て矜るべし。（…）前の恥辱は後の愉快に由て償い、以て其不満足を平均し、（…）恰も西隣へ貸したる金を東隣へ催促するが如し」という諭吉の炯眼を自らのものとし、そのうえで――この点がとりわけ重要なのだが――政治的市民社会の言語的基盤を求めて「抑圧移譲」を現勢化する日本語に固有の言語的実践を揚棄しない限り、「古代は何度でも復活する」（石母田正）、と。

＊68　これは、言うまでもなく、丸山眞男の「超国家主義の論理と心理」に出てくる有名な概念である。その箇所を引用しておく。「（…）自由なる主体的意識が存せず各人が行動の制約を自らの良心のうちに持たずして、より上級の者（従って究極的価値に近いもの）の存在によって規定されていることからして、独裁概念にかわって抑圧の移譲による精神的均衡の保持とでもいうべき現象が発生する。上からの圧迫感を

下への恣意の発揮によって順次に移譲して行く事によって全体のバランスが維持されている体系である。（…）福沢諭吉は「開闢の初より此国に行はるゝ人間交際の定則」たる権力の偏重という言葉で巧みにこの現象を説いている」（丸山眞男 1946：76）。さらに、抑圧移譲のいっそうクリアな説明として、「日本人の政治意識」（一九四八）の次の箇所を引用しておく。「日本では法は治者が作り、治者はその法に拘束されないのである。客観的価値が独立している社会では上官が不当な圧迫を加えた場合、下位者はその客観的価値の名に於て、世論にアピールしたり、上位者に抗議したりする。ところが、権威信仰の社会では、それができないので、上役から圧迫をうけるとそれに黙って従ってその鬱憤を下役に向ってはらす。これが抑圧委譲（この論文では移譲ではなく委譲となっている＝水林）である。職場で叱られて家へ帰って細君にどなりちらすというのも、職場と家庭との間に抑圧委譲が行われている」（丸山眞男 1948a：327）。

「上下の名分云々」という福沢諭吉の言葉は『文明論の概略』（福沢諭吉 1875：236-237）に読まれる至言だが、丸山眞男は「超国家主義の論理と心理」でまさにこの箇所を引用したあとで、あたかも鋭利なメスで病巣をえぐり出す外科医のように、次のような言葉を添えている。「ここでも人は軍隊生活を直ちに連想するにちがいない。しかしそれは実は日本の国家秩序に隅々にまで内在している運動法則が軍隊に於て集中的に表現されたまでのことなのである。（…）今次の戦争に於ける、中国や比律賓（フィリピン）での日本軍の暴虐な振舞についても、その責任の所在はともかく、直接の下手人は一般兵隊であったという痛ましい事実から目を蔽ってはならぬ。国内では「卑しい」人民であり、営内では二等兵でも、ひとたび外地に趣けば、皇軍として究極的価値と連なる事によって限りなき優越的地位に立つ。市民生活に於て、また軍隊生活に於て、圧迫を移譲すべき場所を持たない大衆が、一たび優越的地位に立つとき、己れにのしかかっていた全重圧から一挙に解放されんとする爆発的な衝動に駆り立てられたのは怪しむに足りない」(丸山眞男 1946:77 傍点は引用者による)。日本的思惟・行動様式の本質をこれほど見事に言い当てた言葉はそうざらにあるものではない。[*69]

*69 福沢の「権力の偏重」、丸山の「抑圧移(委)譲」はまた、山本七平が『一下級将校の見た帝国陸軍』で活写した「大に事える主義」と深く共振していることを記しておきたい。「いつも愛想笑いを浮かべ、(…)人あたりがよく、ものやわらかで、肩をすぼめるようにしてもみ手をしながら話し、どんな時にも相手をそらさず、必ず下手に出て、最終的には何かを売って行く」御用聞きが、軍人になり、徴兵検査会場で新兵候補の山本を検査する側にまわると、「おい、そこのアーメン、ボサーッとつっ立っとらんで、手続きせんかーッ」と怒鳴り、「検査が終わるまで終始一貫」「何やかやと罵倒といやがらせの言葉を」浴びせる、恐ろしく傲慢な人間に豹変することを可能にする「事大主義」との共振である(山本七平 1987:15-16)。わたしはおのずと第10章で紹介した、大手商社の四階に君臨する殿様のことを思い出す。最上階で雲上人(社長、専務、常務)を前にしたときの彼の驚くべき豹変ぶりが蘇ってくる。相手(対話者)が同じなのか(御用聞きの相手は山本)、あるいは異なるのか(殿様の相手は、四階と平社員と最上階の雲上人)という相違はもちろんあるが、軍人になった御用聞きも四階の殿様も、対話者のなかに人格としての人間を見ているのではなく、地位の体現者しか見ていないという点では同じである。

白井聡は現代日本を「主権者のいない国」と形容して憚らない。福沢諭吉が解剖した日本「近代」の初発の時点と現時点の両方でまったく同じ診断が下されていることに、絶望的な溜息のもれる音が聞こえるかのようだ。

明治以降の日本について、西欧とは違ったかたちの「近代化」をなしえた国などという言説を弄することはグロテスクであり、日本的問題の本質を見失った駄弁というほかはない。

18　啓蒙と脱領土化されたヨーロッパへの帰依

アンシアン・レジームを克服し〈近代〉を創出した西欧世界が、いやより正確に言えば近代西欧世界の中に胚胎された資本主義が世界化し、地球の隅々まで貫徹するようになった現代が、人類の生き残りが危ぶまれるほど深刻な、未曾有の危機に直面していることは周知の事柄である。近代西欧の国民国家列強は、内では労働者を搾取し、女性を差別し、外では世界を植民地化し、非西洋人を奴隷化し、悲惨な帝国主義戦争を惹起した。帝国主義戦争は、現在、ウクライナを舞台に、アメリカ・NATO帝国主義とロシア帝国主義の戦争というかたちで日々殺戮に明け暮れている。また、原子力によって象徴される科学・産業技術の発達によって、ほとんど後戻りを許さないほど深刻な地球環境の破壊を進行させ、その結果、人間自身の生き残りにさえ疑問符が付けられるようになった。現代日本は先進資本主義の一角を担っているから、日本もまたその災厄の責任をまぬがれ得ない。

けれども、この国には、今述べたような〈近代〉の行き着いた先の由々しき諸問題のほかに、あるいはそれと同時に、前章で詳述したごとき、日本的アンシアン・レジームに内属する、重大な問題が未解決のまま残っているという特殊な事情が存在する。したがって、日本の当面の課題は、依然として、公共社会が全力をあげて守るべき至高の価値とは基本的人権、すなわち「時効によって消滅することのない自然的な諸権利」にほかならないのだという認識を日本国民があまねく共有するにいたるべく、啓蒙のプロジェクトを追求し続けること以外にはない。われわれの社会の根本法、日本国憲法に内在する根本法は、かつての皇祖神（＝国家神道・教育勅語的規範）ではなく、人々の生まれながらの自由と平等を謳う自然法である。それゆえ、わたしは、思惟様式の根本的な転換をはかった八九年の革命を準備したフランス啓蒙（啓蒙のユマニスム）を熱烈に支持するのであり、行論を追ってきた読者にはお分かりのとおり、それを隠そうなどという意思はみじんもない。丸山眞男は、いみじくも「私は十八世紀啓蒙精神の追随者であって、人間の進歩という「陳腐」な観念を依然として固守するものであることをよろこんで自認する」（丸山眞男 1963：171）と言っているが、わたしもまったく同じ気持ちである。

しかし、こういういわば信条告白をすることで、わたしはフランス人から幾度となくフランスを美化しているとか、西欧を盲目的に崇拝しているなどという非難を浴びてきた。極端な場合には、啓蒙に恋する愚か者というような侮蔑的ニュアンスを感じることさえあった。教育レベルが比較的高い人がそういうことを言うのである。わたし自身はフランスを美化しているとは思わないし、する気もない。そういうあまりにも低水準の議論には関心がない。日本を対象化するために八九年のレス・プブリカの精神を軸に考えるということは常にしてきたし、そうすることは絶対に必要であるという確信はまったく揺るがないが、それは現実のフランスを美化することとは大いに異なる。いや、美化するどころか、五十年に及ぶフランスとの付き合いを通じて、レス・プブリカの精神とはかけ離れたフランスの現実とフランス人がよく見せる、「自由」――ルソーが定義する自由や「人権宣言」の自由とは何の関係もない「自由」――の名による自己利益絶対優先主義的な、それゆえにレス・プブリカの破壊に通じる態度や行動をうんざりするほど見てきたので、現実のフランスには時に相当な嫌悪すら覚えるのである。レイシズムや宗教的原理主義、ナチスばりの「共和国の敵」に蝕まれたフランスのことを念頭においてのことではない。日常の、地面すれすれの生活の中で経験した不快な出来事が意識を去らないのである。

窃盗が日常茶飯事なので常に用心を心がけなければならないこと――南仏の大学で学生だったころ、原付二輪車のガソリンタンクの蓋を何度盗まれても新しいものを買いに行くわたしを見て、おまえは馬鹿だ、盗まれたのだから、盗み返せばいい、となりの原付のを失敬すればいいんだよ、とあっけらかんに言ってのけた若い友人に仰天したことを思い出す。大型商店などで従業員に何かを尋ねると、しばしば、それはわたしの仕事ではない、そのために給料をもらっているわけではないという返事が返ってくること。その前に、従業員がこちらに顔を向けるようになるには、彼ないし彼女が同僚との私的な会話を終えるのを待たなければならないこと。職務への誠実な態度と熱心さを欠いているせいなのか、物事が正しくあるいは迅速に処理されず、しばしば膨大な時間とエネルギーを無駄にしてしまうこと――すでに使わなくなった携帯電話の料金自動引き落としの解約手続きのために七回銀行に赴いても問題が解決しなかったという悪夢のような経験がわたしにはある。ついでに言っておけば、この二進も三進もいかない状態から十分とかからなかったたった一度の相談でわたしを救ってくれたのは、同じ銀行のジャパン・オフィスで働く日本人の女性職員だった。要するに、甚だしくいい加減なのである。八九年の個人主義（個人・自然人から出発して社会を構想する考え方、諸個人が協力して社会を作ったのは彼等の自然的諸権利を共同で保全するためであるという意味での個人主義）が最終的には今日のグローバルな資本主義に逢着する経済システムのもとで堕落し、自己利益至上主義に転落すると、こういう光景がはびこるのか、という気持ちにさせられるのである。[*70]

＊70　こういうフランスを間近に経験してきたがゆえに、日本の腐った官僚機構や企業の末端で働いている人々がしばしば見せる仕事に対する熱心で誠実な態度と利用者・消費者として立ち現れる国民に対する献身的ともいうべき態度には、ただただ驚くばかりである。

わたしが帰依しているのは、ある時は醜く、またある時は腹立たしい現実のフランスなどではない。そうではなく、一七八九年のフランスが生み出した精神と価値であり、それを練成した啓蒙的ユマニスムの理念なのだ。そういうわたしを嗤う者は、わたしの目には自分が座っている木の枝の幹に近い部分をノコギリでせっせと切ろうとしているサルのごとくに見える。枝を切り終えれば、サルは地上に落下して、大けがをするか、死ぬしかない。ところが、彼にはそこまで思慮が届かないので、ノコギリ遊びに夢中なのである。

問題は日本の根本的な選択はどうあるべきかという点にかかわっている。人間の始原的な状態（国家成立以前の状態）としての「自然状態」とそこにおける人々の自由と平等を措定し、それを社会のただなかにおいて実現すべき至高の価値とするのか（これこそが日本国憲法のいう「人類普遍の原理」であり、「人権宣言」に内在する論理である）、それとも古代律令天皇制や国家神道・大日本帝国憲法・

教育勅語体制下の明治国家のように、高天原の神々の秩序（皇祖神神話）を至高のものと見なし、その神々に連なる「天皇を戴く国家」に与するのか、という選択である。わたしは一瞬の迷いもなく前者を選ぶのである。ビン・ラディーンかアメリカかという二者択一の前で、一瞬の迷いもなくアメリカを選ぶジャック・デリダのように、である。[*71]「近代」に嫌気が差しているフランス人とて、自由と平等を標榜する近代知は結局のところコロニアリズムを生み、帝国主義を生み、ユダヤ人絶滅収容所を現出させたのだから、その根っこにある「人権宣言」とその思想など破棄すべきだなどとは、まさか考えまい。フランスでは「人権宣言」改正などということは極右も含めて誰も口にしない。自民党のいう憲法構想は、フランスの文脈に置き換えれば、「人権宣言」廃棄という題目に等しいのだということを、日本人はもちろんフランスの日本通もまた自覚すべきである。間違っても自民党を保守と呼んではならない。保守というのは、社会の存在理由は基本的人権の擁護にある（「人権宣言」第二条）という認識を共有するもろもろの勢力を分類する際に、左派とか革新との対抗的関係において用いる用語である。自民党はあからさまに天賦人権論を否定する政党であるから、この共通の土俵の上に乗っていない。

＊71　ジャック・デリダとレジス・ドゥブレがテレビで一時間半にわたって対談した映像が残っており、YouTube で見ることができる。この対談の中で、デリダは、ビン・ラディーンかアメリカかの二者択一の前に立たされたならば、アメリカの、自らのデモクラシーの伝統へのあからさまな裏切りにもかかわらず、迷わず改良可能 perfectible なアメリカを選ぶと言っている。

二〇二二年二月二十二日付の東京新聞に「子どもの権利条約三十年　遅れた法制化」という記事があった。「児童虐待やいじめ、貧困、ブラック校則など子どもを取り巻く環境が悪化しているのを受け、教育関係者らが法制化を強く求めている「こども基本法」」をめぐって、自民党「保守」派に異論があって、議論が一向に進展しないというのである。その理由が、こども基本法の構想がマルクス主義の影響を受けているからなのだそうだ。にわかには信じがたい理由だが、記事を読むと、実際ある自民党衆議院議員の次のような発言が紹介されていた。「マルクス主義の中には、個人主義を重視しすぎ、家族を否定するような行き過ぎた思想が一部にある。そういうものが入ってくる可能性があり、日本の伝統的な家族観が破壊されかねない懸念がある」。マルクスと個人主義の思想についての無知を恥ずかしげもなくさらけ出した妄言で、読む方が恥ずかしくなってしまうが、実は自民党議員からこういう発言が聞こえてくることには少しも不思議はないという点が重要であると思う。社会の存在理由を基本的人権の保全に置く天賦人権論とその思想――「人権宣言」の思想――に発する日本国憲法を敵視し、「天皇を戴く国家」を理想化する政党の議員からは、子どもを基本的人権の主体と見なす発想など出てくるはずもないのである。百歩譲っても自民党を保守政党と呼ぶわけにはゆかない。

二〇一七年のフランス大統領選挙の際に、社会党の候補者ブノワ・アモンが、現大統領のエマニュエル・マクロンと極右のマリーン・ルペンについて述べたことが思い出される。アモンは、マクロンは論敵だが、ルペンは共和国（公共社会）の敵だと喝破したのであった。アモンが日本の事情に精通していれば、ルペンに対する評価をそのまま自民党とその亜流に差し向けるに違いない。

フランスを美化している、西欧を崇拝しているといってわたしを揶揄するフランス人は、祖国ブルガリアでのスターリニズム型全体主義を経験した過去を引きずりつつ、にもかかわらず、いやむしろそれゆえに、フランス国立図書館での画期的な展示会「啓蒙！ 明日への遺産」（二〇〇六）を企画・実現したツヴェタン・トドロフにどういう言葉を向けるのだろうか。ウサーマ・ビン・ラーディンを換喩とする神権政治に対して敢然と「啓蒙」と「脱領土化されたヨーロッパ Europe déterritorialisée」[72]を対置し擁護したジャック・デリダを、あなたは「フランスを美化している」、「西欧を崇拝している」などと口走って罵倒するのだろうか。イスラム世界の神権政治イデオロギーによる自由の圧殺に抗して、啓蒙的価値に依拠しながら命がけの言論を展開しているカメル・ダウードやブアレム・サンサルに「西欧崇拝」の悪罵を浴びせるのだろうか。わたしにはそこまで愚劣なフランス人を――無論、一部の例外を除いて――想像することはできない。だとすれば、「天皇制の呪縛」を依然としてまぬがれていないこの国において[73]、自然法思想・天賦人権論・立憲主義・社会の契約的構成と同輩者的秩序に対する愛着を語り、その地点から「日本の国家構造そのものに内在する」個人抑圧の傾向、福沢諭吉のいう「日本文明の病理」ないし「百千年来の余弊」を批判する日本人が「西欧崇拝主義者」などと言われるゆえんはないはずである。すべては日本の根本問題に対する幾重にも度し難い無知と無理解に由来する、お門違いの「批判」というほかはない。

＊72　ヨーロッパとは今や脱領土化された概念であるという点を、デリダは注71の対談の中で強調している。「脱領土化」されたヨーロッパには、地理的実体としてのヨーロッパ以外の場所で啓蒙的価値、デモクラ

シーのために闘う人々――たとえばフクシマの記憶抹殺に抵抗する人々、沖縄で日米軍事同盟の永続化政策に抗う人々、香港で民主的制度を死守しようとしている人々、すなわち、世界のいたるところで、カメル・ダウードやブアレム・サンサルのように、啓蒙的価値＝「八九年のフランス」＝「個人の尊厳」「自由・平等」「立憲主義」にコミットするすべての人々が入る。

*73 その重要性に鑑みて何度でも繰り返すが、自民党の「日本国憲法改正草案」草案においては、天皇は元首化され、憲法的コントロールの埒外におかれているから、天皇制的契機＝テオクラシー的契機の伸張は危険水域に入っているといわなければならない。

憲法学者で『憲法とラジカルな民主主義――代表民主制の限界を問う』（D・ルソー 2021）の著者ドミニク・ルソーがあるインタビューで「人権宣言」はわれわれの背後にではなく、われわれの前方にあるのだという意味のことを述べていたことが思い出される。「人権宣言」の「人権」は、当時の革命家たちの意識においては「成人男子」のそれに過ぎなかったが、時代の進行とともにその限界が意識され、徐々に克服され、ありうべき「基本的人権」への道程が動き出し、現在もそのダイナミズムが維持されているということなのであろう。つまり、近代知は、あらゆる形態のテオクラシーとは真逆に、「近代」への批判を許容するのであり、改善・改良の契機を含むのである。「前方」とはそういうことである。それゆえ「人権宣言」は一字一句の変更もなく、革命以降二百三十四年を経た今日、憲法的価値を持つ文書としてなおも生き続けているのである。ドミニク・ルソーはまた、「人権宣言」は「権利を獲得する権利 le droit d'avoir des droits」を承認したのだとも言っているが、至言ではないだろうか。近代知の核心には「個人の尊厳」「身体および精神の自由」「平等」「自然人」を発見した

「啓蒙」があり、しかもそれは「前方」に向かってつねに更新・再活性化すべき「啓蒙」なのである。トドロフにとっても、デリダにとっても、「啓蒙」とはそういうものであったと思われる。われわれには、「啓蒙」のヨーロッパとユダヤ人絶滅収容所のヨーロッパを同時に意識し、後者への批判を可能にする前者への帰依を思想の拠点とする以外に道はない。デリダはビン・ラーディンのテオクラシーには「いかなる希望もない」と断言した。それに倣っていえば、「個人」という言葉を抹消した自民党の「憲法改正草案」がかかげる「天皇を戴く国」にも「いかなる希望もない」と言わねばならない。それは、「天皇を戴く国」の至高価値が前国家的な「自然法＝基本的人権」[*74]ではあり得ず、「皇祖神」にほかはないからである。国家神道・大日本帝国憲法・教育勅語的秩序があらゆる理性に沈黙を強い、あらゆる批判精神を押しつぶした徹底的な専制であったことを忘れてよいはずがない。

*74　丸山眞男は、東大法学部の学生時代に、尾崎咢堂（行雄）が学内で行った講演を聞いたという。その際に、咢堂の「われわれの私有財産は、天皇陛下といえども、法律によらずしては一指もふれさせたもうことはできない」という言葉にふれて「電撃」に打たれごとく感動し、「目からウロコが落ちる思い」（丸山眞男 2016a：178）を味わったという。というのは、当時は「自然権としての私有財産、つまり国家以前の権利」という発想が当たり前ではなかったからである。丸山は言う。「私有財産権のようなものは、国家の発達とともにできてきたものとして考えるので、自然権なんていう発想がないわけです。そこが日本の自由主義の弱さだと思うのです。自然法を持たなかったことが、したがって、自然権という考え方がずっとなかったことが」（209）。また、次のようにも言う。「明治一〇年代には、さっきの尾崎咢堂的な自然権的な思想を、哲学とか、そういうハイカラなものではなくても、ほとんど本能的に持っていた、しかしこの自然権という思想は、ある時期以後、なくなったと思うのです。一つは、法実証主義の普及です。法

実証主義の普及ということは、自然法的な観念が減退することです。そうすると権利というのは実定法によって与えられたものだということになるでしょう。そこからは蓴堂の、私有財産には天皇陛下といえども一指も触れられないという言葉は出てこないのです」（243）。また、戦後の西ドイツで、「何がナチに対する抵抗を不可能にしたのかという反省」から、自然法の復興が急速に起こったことを指摘する文脈で、丸山は「自然法が持っている超歴史性というものの強さ」を感じたと述懐している。そして、この「強さ」の反対側には、「自然法なんていう歴史的・時代的制約を超えたような規範はないのだ、すべての規範は社会的・歴史的に制約されている」と考えるマルクス主義者たちが、脆くも、「雪崩を打って自由主義から全体主義へという世界史の動向を肯定して」しまったという苦々しい事実が存在することを指摘している（260-261）。自然法の超歴史性の強さを語る丸山は、ひょっとすると、第7章で話題にした、「「自由と平和と正義の理念」、「この永遠にして不滅なる理念」への帰依を告白する」オットー・ウェルズの姿を思い浮かべていたのかもしれない。わたしはといえば、タブラ・ラーサとしての自然状態の法、すなわち実定法の上位に位置する、書かれていない普遍法としての自然法とそれを回復・実現する方法としての社会契約によるレス・プブリカは、ワンセットなのではないかと考える。日本において自然法論＝社会契約論を最終的に困難にしているのは、天皇制（皇祖神神話）――すなわち自然状態の構想を妨げる認識論的障害――なのではないか、そう思われるのであるが、いかがであろうか。

この国で今も「近代知の復権」（樋口陽一）を語らなければならないのはそのためである。

19 「目覚めの時よ、早く来たれ！　朝よ、早く来たれ！」（渡辺一夫）

加藤周一は一九五〇年代後半のいくつかの文章の中で、日本文化の未来をその雑種性に託す、いわゆる「雑種文化論」を展開している。安倍晋三的なもの＝自民党的なものの隆起によって政治が極端に腐敗し、憲法が無視され、社会が劣化し、民主主義がまともに機能しなくなり、「天皇を戴く国」が亡霊のごとく徘徊する現時点で、加藤のかつての主張はわれわれを勇気づける力を持っているだろうか。

「日本文化の雑種性」の冒頭で、加藤は「シンガポールの西洋式文物は西洋人のために万事マルセーユと同じ寸法でできているが、神戸では日本人の寸法にあわせてある。西洋文明がそういう仕方でアジアに根をおろしているところは、おそらく日本以外にないだろう」と言い、日本文化の特徴を、伝統的な日本と西洋文明という二つの要素が混在し、「深いところで絡んでいる」（加藤周一 1955a：6）という点に求めた。雑種性とはとりあえずそういうことである。ヨーロッパ近代は、高度な技術文明と「人権宣言」を原則とする民主主義によって要約される（加藤周一 1957a：94）。日本の近代化は必須の急務だが、それは西洋化を意味するわけではない。西洋化は、「望ましくないばかりでなく、不可能である」（同 1957a：98）。というのは、西洋は技術文明と「人権宣言」だけで成り立っているわけではなく、近代以前から存在する独自の伝統もまた西洋を構成しているからである。そして、この部分については、当然のことだが、「輸入の余地がない」（同 1957a：98）。こうして、日本の近代化は原理的に不可能な西洋化に求めることはできず、「民主主義の原則と、技術文明と、さらに日本の伝統的文化との結合のある形としてしかあり得ないだろう」（同 1957a：98）という結論が導き出される。

加藤のこのような主張については、海老坂武が「雑種文化論をめぐって」（海老坂武 1981）で深くかつ緻密な批評的考察を展開している。再読、再々読を通じて、ページのあちらこちらで共感し多くを学んだが、何度か二人の間に入って発言を求めたいという気持ちにもなった。というわけで、海老坂の伴奏あるいは譜めくりのつもりで、多少の言葉を記しておきたい。

加藤の文章を読んでいて腑に落ちないのは、「日本的なもの」の輪郭がはっきりしないことである。まず、一九四六年の『１９４６・文学的考察』に収められた「新しき星菫派に就いて」等の文章から浮かび上がる「日本」ないし「日本的なもの」がある。それを海老坂の筆をたよりに列挙すれば、次のような長いリストになる。軍国主義、封建制、専制政治、天皇制、不合理、狂信、神秘主義、万葉の精神、もののあわれと幽玄と武士道、原始的・魔術的・祭政一致的諸々の感情と習慣と本能、国文学者、小綺麗で低能な都会の星菫派、芸妓、和魂洋才、文人の隠者的反政治主義、桜の花と三味線、富士山と「滑稽で浅薄な安物の模倣展覧会の植民地文化の不様な記念碑」である東京の街、「竹ヤリとバケツと愚かな神話」をかかえてそれ以外には何の武器も持たぬ、焼け出された東京の市民（海老坂武 1981：135)。要するに十五年戦争のカタストロフをもたらした一切のものということになるだろう。しかし、このように多様な相貌を持つ一切のものの根源には天皇制があるという認識を加藤は持っていたのではないか。一九四六年の「天皇制を論ず」がそれを証明しているように思われる。いわく「若し天皇制がなかったならば、あれ程極端な歴史の歪曲はあり得なかった。若し天皇制がなかったならば、あれ程深刻な批判精神の麻痺はあり得なかった。若し天皇制がなかったならば、個人の自由意志を奪い、責任の観念を不可能にし、道徳を頽廃させ、愚劣にして奴隷的な沢山の兵隊の培養地をつくったあの陰鬱な封建的家族制度はあり得なかった。(…) 若し天皇制がなかったならば――数えれば全く限りがない、あれ程の搾取に労働者農民を屈従させることも、あれ程明らかな帝国主義政策を何等の批判なしに強行することも、あれ程不合理な、あれ程白痴的な無数の軍国的デマゴーグを国中に氾濫させることも、そして就中あれ程狂信的な、あれ程無責任な軍閥をなにもかも破壊する程強大になるまで育てあげることも、不可能であったにちがいない」(加藤周一 1946a：62)。

ところが、一九五〇年の「日本の庭」あたりから、天皇制に収斂する「日本的なもの」に向けられた加藤の呪詛のような言葉が徐々に影をひそめ、逆に「日本的なもの」が、海老坂の言葉を借りれば、「裏口から、しかし堂々と」復権する。いや、復権などという生やさしいものではない。桂離宮を前にして「ここには、日本的なもののなかでも、もっとも日本的なものがある。しかし、もっとも日本的なものこそは、もっとも普遍的なものであろう」とまで、一切の説明を省いて、豪語するのであるから。海老坂は加藤のこの文章を加藤の読者として発表当時に読んでいたら仰天していただろう、その仰天の度合いは清水幾太郎の教育勅語肯定論への「しらけた驚き」とは比較にならない、とまで書いている。要するに、二種類の「日本的なもの」があるということか。一方に、軍国日本の、思想的ないし社会的次元における忌むべき「日本的なもの」があり、他方に、擁護すべき美的（文学的・美術的）範疇に属する純粋に「日本的なもの」があるということか。いや厳密にそういうことでもなさそうである。

というのも、美的な意味での「日本的なもの」とは多分に国学者による「概念的産物」に過ぎないからである。加藤は言う。「日本文化の雑種的性格は、今に始まったことではない。すでに早く飛鳥から江戸時代まで、明治以後よりも以前に、さらに徹底した形で存在したのである。雑種文化は、いつの時代にも常に日本の現実であった」、と。ところが、江戸の国学者たちは、このような日本文化の本質的な雑種性を認めなかったのである。彼等は、「圧倒的な外国の影響の下に発達した文化の中から、比較的その影響の少ないものを拾い出し、整理することによって」、「もののあわれ」とか「枯淡」という概念をつくり、それを日本の真の芸術的達成とはまったく関係のない「日本的なもの」に仕立て上げた、というのである。この指摘は「日本的なもの」（加藤周一 1957b）という文章でなされているものだが、そこでの結論は、おのずと、日本文化の雑種性を直視し、「日本的なものの概念を根本的に建て直す」ことによって、「外国の作品にも通用する普遍的な尺度」――たとえば、雪舟とセザンヌを同列に論ずることを可能にするような尺度――を手にすることが必要だということになる。つまり、「日本的なもの」はここでは徹頭徹尾雑種的なのである。

しかしまた、こういうこともある。「明治以前と以後の文学（または漫然と文化）が、断絶していて、そこに一貫した伝統を考えることができない」という説を批判する「果たして「断絶」はあるか」

（1956）で、加藤は「要するに仏教渡来以前の原始宗教的世界には、超越的な彼岸思想がなかった。仏教、儒教、および西洋文化の影響も、その点においては、日本人の意識をけっきょく変革しなかったということに尽きる」（加藤周一 1959b：96）と断言している。これは、どう見ても、雑種性の議論とは折り合いがつきにくい主張である。日本人の意識は超越的契機を欠いた此岸的なもので、その構造は外部世界の影響をはねのけて頑として動かず、今日まで続いているというのであれば、それこそが真に日本的と形容できるものなのではないか。

ことほどさように加藤の「日本的なもの」は揺れ動いている。この世に厳密に純粋な文化などというものがあるのかという原理的な問いが意識をかすめるが、いまはそれは脇におく。そのうえで日本の古代を考えてみると、その雑種性は確かにまったく疑いようがない。列島の社会がいまだ極端に未開な段階にあった七～八世紀に、比較にならないほど高度に発達した中国文明の圧倒的な影響のもとで成立したのが、古代律令制であったということがまずある。歴史家の教えるところによれば、この国においてもっとも伝統的でもっとも日本的なものと信じられている天皇制さえ、実は中華帝国の影響なしにはあり得なかった。[*75] 文化の根底にある文字表記すら、われわれは中国に負っているのである。この一事をもってしても、日本文化の雑種性というテーゼには説得力がある。つまり、明治以前の、ヨーロッパ近代に遭遇する以前の伝統的な日本も、すでに十分に雑種的だったということである。しかし、その一方で、超越的普遍者の不在、すなわち此岸的な思惟様式・感性的特質（関心がいま・ここに向かう傾向）というものが、あまりにも短かった中世を除いて、歴史貫通的に動かしがたく存在し、それが舶来の思想をことごとく日本化してしまうという現象が見られることも確かなのである。

＊75 「天皇制は、成熟した〈文明〉(帝政中国)と初期的な〈未開〉(列島)との「婚姻」の「国際児(ダブル)」として誕生した。中国の制度をそのまま模倣したものではないが、しかし、列島に固有のものでもない」(水林彪 2020b：68)。これは「おわりに」の冒頭に読まれる言葉だが、著者はさらに続けてこう書いている。「列島に固有の文化の代表は縄文である。そこにおいて人々は、支配者と被支配者の分裂がないという意味において、自由で平等であった。地位の獲得をめぐって骨肉相食む殺戮戦はもとより、およそ戦(いくさ)というものがなかった。「未開」という日常語が醸し出す印象とは裏腹に、見事というほかはない縄文土器は、きわめて高度な文化的達成を示している。列島人の青年期というにふさわしい時代である。しかも、それは一万数千年というきわめて長い間、持続した。これに比べれば、天皇制は、その十分の一にも満たないわずか千三百年ほどの短い歴史にすぎない」(同 68-69)。これは、自民党の「日本国憲法改正草案」の前文に言う「日本国は、長い歴史と固有の文化を持ち，国民統合の象徴である天皇を戴く国家で」あるというイデオロギー的妄言を木端微塵に粉砕する学問の言葉だが、今触れたいのはそのことではない。わたしは「列島人の青年期」という表現が『人間不平等起源論』(1755)におけるルソーの「世界の真の青年期」を彷彿とさせる点に注目したいのである。ルソーは人々が自由かつ平等に、そして戦(いくさ)というものを知らずに生きていた、人類の「世界の真の青年期」(もはや厳密な意味での自然状態ではないが、いまだに社会的不平等が発生していない中間期)を、社会の只中に実現する方法を求めて悪戦苦闘したあげく、『社会契約論』(1762)にたどり着いたのであった。この国に生きる人々の課題は、日本国憲法の源流を「地位の獲得をめぐって骨肉相食む殺戮戦」の一三〇〇年にではなく、一万数千年の「列島人の青年期」に認め、それを今日のわれわれの社会のなかに回復・再生させることに意を用いるという構えなのではないか。「列島人の青年期」と「世界の真の青年期」が生み出す絶妙な和音は、わたしをそういう思いに導く。

さて、およそ以上のようなやや混乱した姿をとって現れる雑種文化論は、「天皇を戴く国」が大手をふるって闊歩し始めた現代日本の頽廃ぶりを理解し、もう少しまともな社会を求めるための思索に資するところ大であろうか。今から九十年前にあからさまに猛威を振るい出した天皇制ファシズムの激流に知識人も含めて日本中が呑み込まれた、あの痛苦の歴史を思うとき、雑種文化論からわれわれは何を引き出せるだろうか。「良きをとり悪しきを捨てて外国に劣らぬ国になすよしもがな」という明治天皇の「御製」が言うように、富国強兵に役立つヨーロッパの技術文明は積極的に受け入れるが、「国体」と「皇道」に反する悪しき文化（思想や制度）は排除するというのが、明治国家の選別的、つまみ食い的「近代」化だった。切り離せないワンセットとしての帝国憲法と教育勅語の制定は、その象徴的表現であろう。しかし、そのいわば雑種的「近代」化が、結局はあの破滅的な十五年戦争に帰結したという事実を思うとき、われわれは雑種文化論に何を期待できるだろうか。そもそも、外部世界と通時的にいかなる交渉も持たない極端に孤立した文化集団を想定しないかぎり、雑種でない文化などというものはあろうはずがないのであるから、およそ弥生時代から中国大陸の影響を受け続け、幕末以降は西洋の圧倒的な影響を蒙った日本について、今日あえて「雑種」という形容を繰り返すことにいかほどの意味があるだろうか。繰り返すが、「国体」（日本的なもの）と「近代」（西洋的なもの）は絶対的矛盾の関係にあり、足して二で割るなどという馬鹿なことはあり得ないのである。

問題の少なくとも一つは、加藤の参照系がほとんどつねに美術・芸術ないし文学に限定された狭義の文化の枠を出ないということだろう。引き合いに出されるのは、例えば日光・月光菩薩であり、桂離宮であり、光琳であり、雪舟であり、『今昔物語』である。

加藤は一九六〇年代にカナダの大学で日本文学史を講じた。その経験が日本思想史の本質的な特徴を土着思想（此岸性と集団志向性に集約される）と外来の普遍思想の合成から成るものとしてとらえる視点を生み、その成果が記念碑的ともいうべき『日本文学史序説』(1975-980)に結実した。美術・芸術の分野では、NHK教育テレビの番組を経て、決定版『日本、その心とかたち』(ジブリ版2005)が書かれた。根底にある基本的モチーフは文学の場合と変わらない。そして、死の前年の二〇〇七年には、加藤自身が「日本の思想史について(…)考えてきたことの要約」と見なす『日本文化における時間と空間』が上梓された。三冊を前にすると、これが一人の人間の手になるものかとにわかには信じられないほど、豊穣かつ巨大な仕事である。しかし、それにしても、「天皇制を論ず」であれほど激しい批判にさらされた天皇制とそこに内在する思惟様式・精神構造に向かう求心的思考が、それ自体として全面的な展開を見なかったのはどうしてなのか。もちろん、この三著作に、「痛苦の歴史」を考えるための材料が満載されていることは疑いようがない。それだけに、口惜しさが残るのである。いずれにせよ確かなことは、現在の、とりわけフクシマ以降の、そして第二次安倍政権以来の、想像を絶する政治の腐敗とそれを許容する国民の頽廃を前にするとき、かつての雑種文化論ではとうてい太刀打ちできないということである。

そこでわたしは、五十年代の雑種文化論には見切りをつけて、一気に二十年以上も飛んで、一九八四年の「日本社会・文化の基本的特徴」を開いてみた。この文章は「日本文化のかくれた形」を共通テーマに国際基督教大学で行われた三つの講演のうちの一つである。他の二人の講演者は木下順二と丸山眞男だった。丸山の講演については、後で触れる。

さて、加藤の講演だが、これは雑種性についてはもはや何事も語らず、今日あるがままの日本社会をその深層において規定している根本的傾向を洗い出そうとしたもので、知的遺書ともいうべき『日本文化における時間と空間』と重なる部分が少なくない、まことに説得的な論述となっている。少なくとも、十五年戦争の災厄と現在の悲惨の両方を視野に収めたいと願う者にとっては、雑種文化論よりもはるかに緻密で求心的な考察を、「知的遺書」よりもはるかに簡便にまとめているという意味で、非常に魅力的な文章である。[*76]

*76　NHK教育テレビ番組をもとにした『日本、その心とかたち』DVD版（スタジオジブリ）がある。このセットには晩年の加藤自身による「特別講義」が付録としてついている。この特別講義も興味深い。「日本社会・文化の基本的特徴」ならびに『日本文化における時間と空間』の内容を彷彿させるものとなっている。

この講演で、加藤周一は、日本社会の内的構造を「一つの統一ある全体として理解する」ために、三つの切り口、三つの説明原理を提示している。第一は、競争的集団主義、第二は、普遍者・超越的価値の不在という意味での世界観の此岸性とその帰結としての現世主義。第三は、おのずと二点日と関連するが、「いま・ここ」を尊ぶ現在主義。これに、集団が集団として維持・再生産されるための装置＝文化的実践についての考察が加わり、最後に、上記の三つの内的原理によって動く日本社会は「外＝外国」に対してはどのように振る舞うかという問題が扱われている（加藤周一 1984）。

わたしの注意を惹くのは、次のような指摘である。

まず、集団主義について。その第一の特徴は「みんなが同じ様なことをして、同じような意見をもつのが理想」という大勢順応主義conformismeで、これは企業、運動競技のチーム、大学、そして国全体をも貫く一大原理だということ。いわゆるずるずるべったりの傾向。ある状況の中で、多数が「イエス」という場合、「ノー」と言いづらいということ。これは、すなわち、個人の「自由」の確保が困難だということである。

第二に、第一の特徴の結果として、少数意見が望ましくないものとされること。「少数意見の存在は、不幸な事件とみなされ、極端な場合には、そういう意見をもつ成員を集団の外に追い出す」。民主主義の核心の一つが少数意見の尊重――多数の意見が正しいという保証はどこにもないし、逆に少数意見の方が結局は正しかったという事例は歴史を参照すれば枚挙にいとまがない――があることを思えば、これは日本の民主主義にとって致命的な欠陥ということになる。結党以来のお家芸ともいうべき「強行採決」を繰り返し、果ては憲法に従って国会開催を要求する議員の声をさえ平然と無視する自民党は、少数意見圧殺を主たる傾向として持つ日本的集団の完璧なまでの戯画である。少数意見が無視されるということは、カタストロフに見舞われるまで政治ないし政策の見直し、方向転換ができないということを意味するだろう。十五年戦争はその見事な、そして悲惨な証明である。[*77]

＊77　神島二郎の次のような鋭敏きわまりない指摘にも注意したい。「多数決制の伝統のないところに多数決制が導入されると、それは、ややもすれば、少数者の権利を無視して「数の暴力」となる。なぜなら、多数決のみが導入され肝心の救済原理たる少数者の権利を伴わず、かえって、旧来の全員一致性の救済原理たる村八分と結びつくことになるからである。（…）なぜ多数決が村八分と結びつき、既成事実の援用によって全員一致を先取りしたか？　それは利害を整理すべき討論過程が感情を整理する儀式と化してい

たからである。(…)こうして大勢というものが支配するとき、個人の主導性は背後に隠され、個人の名における意見の表明は「血まつり」の危険にさらされる。戦争末期には、指導者らも、終戦のほかなきことを知りつつ、口々に「焦土抗戦」を唱えて相手の意思をさぐりあい、庶民や出征兵士のあいだでは、戦争のなりゆきを「コックリさん」に尋ねることがはやった。結局集団の名における発言は神にのみ許された特権だったからであり、終戦が「聖断」によって決定されざるをえなかった理由はそこにある」(神島二郎 1961：54–56)。

第三の特徴は、集団内部における厳格な上下関係、垂直的構造である。加藤は、日本には元来「平等」的要素もあり、それがまず明治維新によって、次に敗戦によって徹底したが、「自由」の方は徹底しなかったと述べているが、この点には従えない。加藤が言っているのは形式的な文言上の「平等」にすぎない。福沢的意味での人間交際の実質的な平等、「権力の偏重」を伴わない対等な、あるいは、より厳密に言えば、同輩者的関係が社会の隅々で実現しているかとなると、否というほかはない。実際、上意下達(あるいは、超越的な倫理を欠く支配服従関係の裏面にすぎない忖度や同調圧力)とそれを現勢化させる日本語固有の言語的規制が頑として存在し、それを阻んでいるではないか。真実は、「平等」(すなわち支配とは別種の秩序としての同輩者的関係)がないからこそ「自由」が徹底しないということなのではないか。すでに指摘したように、法的な平等と両立しないのが近世幕藩体制に発する「上下関係」「垂直的構造」なのであった。日本社会のいたるところで猛威を振るういわゆる「パワハラ」や「過労死」の現実を無視してよいはずがない。加藤はまた、フランス革命が価値化した「兄弟愛 fraternité」を国民の団結ととって、それが日本には「あり過ぎる程ある」という指摘しているが、これもまたわたしには完全に的外れのように思われる。「フラテルニテ」とは、ばらばらな個人がまるで兄弟のように意思的に結び合うということであって、森有正の至言をふたたび借りるならば、「「あなた」と「あなた」がわあわあ集まっている」状態を指すのではないからである。

第四の特徴は集団責任という考え方と慣行である。これもまた、集団主義それ自体と同様に、会社などの小組織を越えて、国全体にまで及ぶ原理として作用している。加藤は言う。「あの十五戦争で、日本側には、戦争責任者というものが、個人としては一人もいない。みんなが悪かった、ということになります。戦争の責任は日本国民全体が取るので、指導者が取るのではない。「一億総懺悔」ということは、タバコ屋のおばさんも、東条首相も、一億分の一の責任になる。一億分の一の責任は事実上ゼロに近い、つまり無責任ということになります。みんなに責任があるということは、誰にも責任がないというのと、ほとんど同じことです。(…) 日本の戦争指導者たちは、みんな、自分は戦争をしたくなかったけれども、何となく空気が戦争の方向に動いていたから、賛成したのだという。一九四一年の東条内閣に、戦争をやろうと思っていた大臣は一人もいなかった。——これは、まことに驚くべきことです。日本の集団の無責任体制が、これほどあざやかに現れたことも稀でしょう」。今日にいたるまで、日本人自身による戦争犯罪の究明がなされていないことは人の知るとおりである。

次に世界観の此岸性について。個人が集団に埋没しているところでは、世界とは集団それ自体だということ。この国では、目に見える現実の集団を超える超越的世界の観念が弱く、例えば、お盆の慣行に象徴的に現れているように、「生きていた時の集団への所属性は、死んでも変わらない」ということがある。死後の世界は「集団の延長」と言ってよく、それゆえ「此岸から断絶し、独立した彼岸は、ない」ということになる。そのことを示す最もよい例は、大陸から渡来した仏教がたどった運命だろう。あの世（彼岸）での魂の救済を約束する仏教は、日本に来て「現世利益・此岸的効用」の方へ変化し、挙げ句の果てには世俗権力（徳川幕府）に取り込まれて、人民支配の道具にまで成り下がったという経緯のなんと示唆的であることか。日本文化の此岸的傾向は仏教を完全に骨抜きにしてしまった。

重要であるがゆえに、何度でも繰り返し強調しなければならない点は、日本文化・社会の著しい特徴の一つは、帰属集団――家族、村、会社、国家等々――に超越する価値が「決して支配的にならない」ということである。その子細は、例えば、今泉善珠監督の『村八分』（1952）に描かれている。村ぐるみで平然と行われていた不正選挙を新聞への投書によって告発した女子高校生とその家族が文字通り村八分の犠牲になる物語である。村という集団では正義と不正義が逆転する。そうであるがゆえに、新聞が象徴する集団外の価値に依拠して不正を告発した高校生の正義の行動が、逆に村の平穏を乱した忌むべき行動に貶められる。これと類似する出来事は、日本のあらゆる組織の中で起こりうるに違いないし、現に起こっている。安倍政権下で、公文書の改竄などということは、良心という超越的な価値に照らして、決して許されることではないと考える官吏が自殺に追い込まれた事件があったが、事件の構造は「村八分」の場合と少しも変わらないではないか。

加藤は、戦前および十五年戦争の時代を意識して次のように書いている。「明治以後の支配層は天皇を絶対化しようとしました。しかし天皇はまさに国民という集団の象徴であり、天皇の絶対化は、集団に超越する価値（たとえば儒教の「天」、キリスト教の「神」）の絶対化であるどころか、集団そのものの絶対化に他なりません」（傍点は引用者による）。あえて付言すれば、問題が深刻なのは、日本のように宗教が政治的権力から独立していないところでは、言い換えれば、かつての皇室のように政治権力即宗教権力という仕組みができあがったところでは、同じ構造――すなわち集団を越える価値がないという構造――が、「ガンが転移するように」[*78]、あらゆる社会集団・組織――既存の秩序に批判的な左翼的勢力でさえ例外ではない――に浸透する傾向が濃厚であるという点である。

＊78　この表現は丸山眞男の次の発言からの借用である。「どんなに俗権が強く、長い歴史をもとうとも、地上の権力を越えた絶対者・普遍者に自分が依拠しているのだということが、抵抗権の根源であり、同時に教会自身が宗教改革を生みだした原因です。（…）宗教の政治からの独立は、学問・芸術の政治からの独立の基礎であるし、政治集団とちがった社会集団の自立性の基礎ですね。ギルド・都市・大学などが国家権力に対して持つ自治の考え方の基礎です。（…）政治的な価値と違った価値というものの自立性は宗教から初めて出てきたのです。日本の皇室は政治権力であり、同時に宗教権力であったわけで、それ自身特殊の絶対化で、これでは政治学はもとより、一般国家学さえ出てくる余地はない。したがって、そういう考え方があるところでは、ガンが転移するように、あらゆる社会集団に同じ考え方がはびこる傾向が強いのです。マルクス主義の中にも入りやすい。これが左翼天皇制といわれているもので、もとは部族信仰です。その点、日本とヨーロッパとちがいますね」（丸山眞男 1964：62–63 傍点は引用者による）。政治的権力と精神的権威の一元化が、「ガンが転移するように」、あらゆる社会集団に浸透するという現象は、福沢諭吉が、「天秤」と「三角四面の結晶物」の比喩を使って日本社会のあらゆる集団に見出されるとする「権力の偏重」現象と同じであろう。注64を参照。

文化の此岸性はおのずと「いま・ここ」の特権化に向かうという指摘が次に来るが、この点についての立ち入った説明は必要あるまい。というのは、「いま」も「ここ」も全体と部分（「いま」は時間的な「部分」、「ここ」は空間的な「部分」）の関係――全体よりも部分にこだわる、あるいは全体を見ずに部分だけに注意を向けるという思惟様式に現れる関係――という主題系に繋がり、参照事項が芸術の分野（例えば、仮名物語、随筆、絵巻物、武家屋敷の平面図など）に集中する傾向を見せるからである。

なにゆえに、この国では民主主義が根付かないのか。その巨大な証拠が今この瞬間の日本に生きるわれわれの前にその醜態をさらけ出している。なにゆえに、狂人が運転するだれにも止められない機関車のごとき十五年戦争が終結するには、前代未聞の一大カタストロフの出現を待たなければならなかったのか。なにゆえに、日本を越える思想が微弱で、「おまえはそれでも日本人か」がはびこるのか。なにゆえに、日本中が、そしてきわめて少数の例外を除く大多数の知識人が天皇制ファシズムに文字通り一網打尽にやられてしまったのか。こういった疑問への説得力のある説明がここには確かに見いだされる。加藤周一の明晰な精神は十分に称賛されなければならない。しかし、それでは、われわれは何に希望を見出せばよいのか。「雑種的日本文化の希望」（加藤周一 1955b）を越える「希望」がわれわれには必要である。

どうすれば、われわれの上に宿命のようにのしかかる社会の負の条件を克服できるのか。どうすれば、底知れぬ頽廃の沼から這い出ることができるのか。答えは依然として少しも明らかではない。もちろん、問題を正確に把握することが問題解決の第一歩であることは了解しているつもりである。にもかかわらず、わたしは、希望はいったいどこにあるのかという問いと、いやそんなものはどこにも

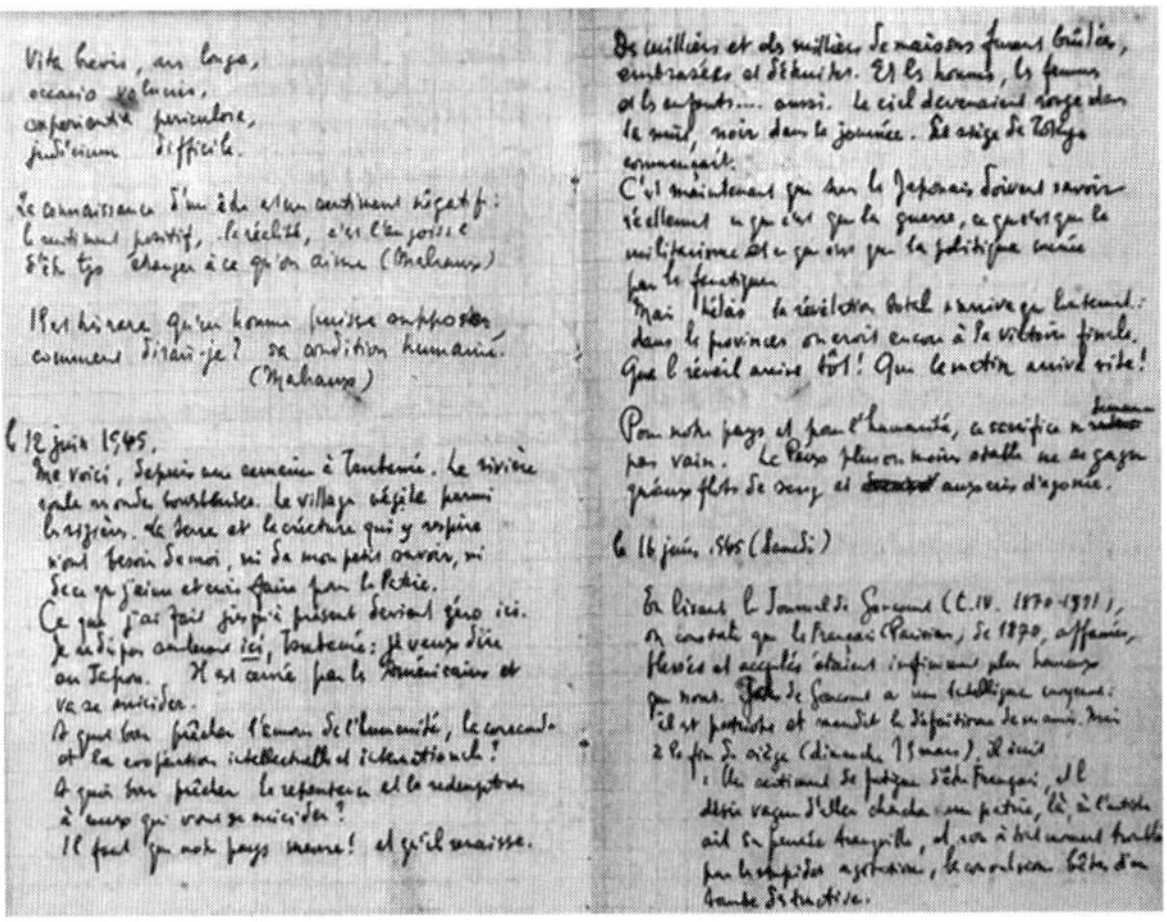

Vita brevis, ars longa,
occasio volucris,
experientia periculosa,
judicium difficile.

le 12 juin 1945.

Que le réveil arrive tôt! Que le matin arrive vite!

le 16 juin 1945 (samedi)

渡辺一夫『敗戦日記』「目覚めの時よ、早く来たれ！」のページ（右）

ありはしないのではないかという疑念のあいだを揺れ動いている、というのが正直のところであろうか。

『しかし、それだけではない。加藤周一、幽霊と語る』（二〇一〇）というドキュメンタリーがある。最晩年の加藤が、時には死を目前にした痛々しい姿で、十五年戦争の時代とそれと地続きの現代について語る様子を収めた映像である。その中に死の前年の六月に東京大学の本郷キャンパスの片隅に座って学生時代を回顧する場面がある。アメリカの爆撃機が宮城の上を飛べば嵐が起きてみな落ちてしまうなどという戯言を国全体が真面目に信じていた時代、日々精神への拷問を耐えねばならなかった時代に出会った二人の教師、理性に対する攻撃に抵抗し、戦争に異を唱えていた二人の教師について語っている。ラテン語の手ほどきを受けた神田盾夫とフランス文学者渡辺一夫である。渡辺一夫については、彼が戦時中にまことに美しい筆跡のフランス語で綴っていた日記が紹介されている（渡辺一夫 1995)。精神の自由の発現の場をフランス語に求めていた渡辺は、一九四五年六月十二日に「戦争とは何か、軍国主義とは何か、狂信の徒に牛耳られた政治とは何か、今こそすべての日本人は真にそれを悟らねばならない。しかし無念なことに、真実は徐々にしかその全貌を露わにしない。地方では未だに最後の勝利を信じている。目覚めの時よ、早く来たれ！　朝よ、早く来たれ！」と書いていて、その箇所が大きく映し出されている。渡辺は敗戦とともに日記をフランス語で記すことをやめ、「母国語で思ったことを書く歓び」をかみしめているから、「目覚めの時」は八月十五日に訪れたということになるのだろう。精神への拷問がなくなり、理性に対するあからさまな攻撃は影を潜めたから、それは確かに目覚めの時であり、朝であったに違いない。

しかし、本当にそうか。

渡辺一夫の幽霊と語り合いながら、加藤はここでも「しかし、それだけではない」と言いたげである。というのも、日本国憲法の平和主義が徹底しないことを痛切に意識している加藤は、心の奥底で日本は本当には少しも変わっていないと確信しているからである。少なくとも、本郷の庭の木陰で神田盾夫と渡辺一夫に思いを馳せながらあの狂気の時代を静かに回顧する白髪の加藤の姿を見るに、わたしはその感を深くするのである。「国体」がそのど真ん中を貫く日本的なものと「西欧近代」を掛け合わせて雑種をつくるなどという呑気で牧歌的な話ではあり得ない。結局は、当たり前のこと（文化の雑種性）とあり得ないこと（「国体」と「民主主義」の調和ないし「皇国」と「市民社会」の両立）を同時に言ったにすぎないかに見える雑種への希望など、木っ端みじんに吹き飛んでしまった感がある。日本は本当には変わっていないことを示す兆候が、加藤が亡くなった二〇〇八年以降、常軌を逸して増え続け今日にいたっていることは、付言するのも愚かである。

何が目覚めを、朝の到来を妨げているのか。

20 希望について

石母田正・丸山眞男・水林彪

六〇年代に『古事記』の昔にまで遡る必要を感じた加藤周一の問題関心を期せずして共有していたのが、丸山眞男であった。「古代からの持続的な契機の理解なしには、近代も現代も把握できない」という認識の共有である。「歴史意識の「古層」」(1972)、「日本における倫理意識の執拗低音」(1979)、「日本思想史における「古層」の問題」(1979)、「原型・古層・執拗低音」(1984)、「政事(まつりごと)の構造——政治意識の執拗低音」(1985)などに、古代への遡及の様子をうかがうことができる。

すでに引用した言葉だが、敗戦後の丸山の学問的出発点にある問いは、「日本の知識人たちが、日本独特の「皇道」神話における粗雑きわまる信条に鼓舞された盲目的な軍国主義ナショナリズムの奔流を、結局は進んで受けいれるにいたり、あるいは少なくとも押しとどめるのにあれほど無力であった、という事態はなぜ生じたのか」であった。また、これもすでに記したことだが、丸山は一九四六年に「超国家主義の論理と心理」を脱稿することで、「裕仁天皇および近代天皇制への、中学生以来の「思い入れ」にピタリと終止符を打」ち、「日本人の自由な人格形成——みずからの良心に従って判断し行動し、その結果にたいして自ら責任を負う人間、つまり「甘え」に依存するのとは反対の行動様式をもった人間類型の形成――にとって致命的な障害をなしている」のは天皇制にほかならないという結論に達したのであった。

丸山が二十歳代に書いた戦中の労作に『日本政治思想史研究』がある。この著作の基底にあるのは、「普遍史的な歴史的発展」というものがあるという考え方である。丸山は「当時のマルクス主義者の「反動」とか「進歩的」とかいう思想の規定の仕方に疑問をもち」つつも、基本的には「封建的な世界像の胎内に、どういうプロセスでブルジョワ的な、あるいは市民的な世界像が成熟して来るか」という視覚から、徳川時代の思想史を考えていたと述懐している。いわゆる、封建制から近代市民社会へという発展段階論的歴史観である。しかし、この書物が出た一九五二年には、早くも、その後の研究が、「新たな視覚と照明の投入によって」（この部分の引用はすべて、丸山眞男 1984による）、かなり違ったものになるだろうと予測していた。つまり、そこに、日本思想史の古層への遡及が予告されていたわけである。果たして、丸山は「何となく何物かに押されつつ、ずるずると国を挙げて戦争の渦中に突入したというこの驚くべき事態」（丸山眞男 1946：76）を可能にした精神のあり様[*79]、「重大国策に関して自己の信ずるオピニオンに忠実であることではなくして、むしろそれを「私情」として殺して周囲に従う方を選び又それをモラルとするような「精神」」（丸山眞男 1949a：156–157）のあり様にメスを入れるべく、以後の探求を開始したのであった。その批判的検討については、わたしなどの出る幕ではないので、ひたすら水林彪の長大な丸山眞男論「原型（古層）論と古代政治思想論」の参照をお願いするのみである。ここでは、前章で表明した「希望」との関係で、古代から中世を経て近世にいたるこの国の歴史にかんする次のような見通し――石母田正と丸山眞男、そしてこの二人を読む水林彪に学んで得られる見通し――を取り出すことでよしとしなければならない。石母田正、丸山眞男、水林彪に鼓舞された以下の祖述[*80]は、すでに第6章で点描した「中世的世界」の自生的展開の決定的重要性を改めて思い起こすためのものだが、あえてそうするのは、われわれの「希望」は、結局のところ、そこにしか見いだせないのではないかと考えるにいたったからである。

＊79　「何となく何物かに押されつつ、ずるずると国を挙げて戦争の渦中に突入した」という指摘は、加藤周一の、日本的集団においては少数意見が尊重されないがゆえに、カタストロフが起こるまで政治の方向転換が難しいという指摘と、見事に重なる。

＊80　あまりに煩雑になることを恐れ、いちいち出典は示さないが、依拠しているのは主として、石母田正『中世的世界の形成』（石母田 1946a）、丸山眞男『丸山眞男講義録［第五冊］日本政治思想史一九六五年』（丸山 1999）、水林彪「原型（古層）論と古代政治思想論」（水林彪 2002）、「近世の法と国制研究序説」（同 1977-1982）、『天皇制史論』（同 2006）、「マグナ・カルタと六角氏式目――日本国憲法の歴史的起源を訪ねて」（同 20017a）などである。

・まず、日本思想の「古層」と言われるものは具体的に何を指しているのか。それは端的に大化改新以前の土着的思惟様式のことである。そしてこの土着的思惟様式の特徴は何かといえば、それは、加藤周一も指摘するように、超越的世界観の欠如であり、普遍者（普遍的価値の体現者）の観念の稀薄ないし不在である。この土着的古層が執拗低音として底辺に伏在し、外来の普遍思想（古代の場合は仏教）が奏でる主旋律を変容させる力として働く。

・国制のレベルに目を転じると、大化前の大王制（天皇の称号はまだ成立していない）には二つの特徴があった。一つは大王の決め方が選挙王制的であったこと。つまり、先帝の死後、臣下たちが血統上の資格保有者の中から一人を推挙し、これにレガリアを献上することによって次の大王が決定される仕組みだったことである。もう一つは、支配の仕組みが一君万民的なものではなく、個別的人的支配の算術的総和であったことである。このような社会はまた古代豪族による在地首長制社会とも定義される。

・律令制の成立はこのような大化前の国制に根本的な変容をもたらした。まず、選挙王制的大王位決定が放棄され、先帝による後継者指名方式によって取って代わられたことが重要である。被支配者は、先帝によって指名された新たな天皇に自発的に服属する。この方式は、明治時代の皇室典範による変更にいたるまでおよそ千二百年の長きにわたって維持された。支配の構造についていえば、天皇王権・律令国家による全国土および全臣民に対する包括的な支配の理念が確立したことが大きい。天皇による「天下」「天下公民」「天下百姓」に対する一般的包括的支配を行政規則の体系として実定化したものが、六八九年の飛鳥浄御原令、七〇一年の大宝令であった。

・しかし、律令制は弛緩した。七世紀の日本は未だに非常に未開的な状態にあり、そこに高度に発達した中華帝国の法的仕組み（律令）を輸入・移植したという事情が働いていたからである。注目すべきは、古代律令制から中世社会への移行の過程で、「古層」の隆起現象が起こったことである。それは在地首長制から在地領主制への発展というかたちを取った。律令制国家は地方豪族による私的所有・領民支配を否定し、公地公民制を打ち立てることを目指したが、それがうまく進行せず、歴史はかえって「大化前代における地方豪族たちによる「私地」「己民」支配形成志向の帰結」として、中世の在地領主制に向かって動いた。「律令の規定がそのままのかたちでは貫徹しえなくなり」、各地に「在地領主の共同組織の法として」の「慣習法＝国衙法が形成」されたが、それは「律令が予定しないところの、新たに形成されてきた生きた生活関係に根ざした」法であった。そしてその延長線上に、在地領主階級＝中世武士団が生み出した公権力である鎌倉幕府によって制定された『御成敗式目（貞永式目）』があった。

・『御成敗式目（貞永式目）』は、在地領主＝武士たちがみずからの生活の中からみずからの意思で、みずからのために作った法である。「平安貴族は律令法を否定し得なかったと同じく、中国の学芸をも否定し得なかった（…）中国文化からの真の独立は貴族自身によってではなく、その外部の新しい勢力によってはたされた」。そしてそのことを示すものの一つが『御成敗式目（貞永式目）』の出現であった。律令法は漢字の読める少数者のための法であったが、『御成敗式目（貞永式目）』は仮名しか読むことのできない多数者のために制定された法であった。「この式目はただかなをしれるものゝ世間におほく候ごとく、あまねく人に心えやすからせんために、武家のひとへのはからひのためばかりに候」という北条泰時の書簡に読み取れるように、「法は世間一般の大衆に理解されるものでなければならない」という思想がここに生まれた。「律令法と漢文と貴族社会との切り離し得ない三つのものは、ただ中世的な法思想によってのみ本質的に否定されることができた」わけである。在地の武士たちは「律令法を摂取しつつ成長し」たのであるが、その帰結として彼等は「律令法（は）もはや死せる形骸にすぎない」という認識に到達したのである。中世武士団は「御成敗式目（貞永式目）」の制定によって法の主体——みずからが作った法に従うことが「自由」であるとするルソーの言う意味での法の主体——の地位に登りつめた。『御成敗式目（貞永式目）』が「農村から出発した中世が古代を克服した典型的なものとして、わが国の中世的世界の本質的な構成要素をなす」と言われるゆえんである。

・そもそも、法については二つの対蹠的な考え方が存在する。一つは、日本古来のもので、それによれば、「法とは、上から宣布される「のり」（宜＝法）であり、垂直的な構造」を持つ。この考え方では「政教一致」で、「倫理と権力が癒着」している。明治以降、この伝統的「のり」観念はドイツ法の観念と結びつき、「法律—命令—執行が、整然たるヒエラルヒーをなすシステムを形づくり」、権利は実定法によって与えられるものと見なされた。このような法観念のもとでは、「紛争<conflict>はシステムを外から攪乱するもの」であるから、それ自体悪いものと見なされ、したがって、それを排除して秩序を回復することが法の支配ということになる。これに対して、市民法における法の精神は水平的構造を持っている。「事実上の権利が立法に先行し〈思想史的には自然権の思想〉、横の紛争〈conflict〉の実存性から出発するがゆえに、「原告と被告の間の水平的なDialektikのプロセスから判決が生まれ、それが道理＝社会通念」の形成につながる。「貞永式目制定期は、驚くほど、この市民法的考え方によって全体の法思想が浸透されていた時代であった」。

・『御成敗式目（貞永式目）』の核心には「道理」の観念があった。そして「道理」は神意と深く結びついていた。価値判断の最終的な根拠はもはや古代の皇祖神ではなく、神ないし天として観念されるな存在であった。それゆえに、「道理」は「権力とか権威とか上からの事実上の力にたいする対抗物として措定され」得るものであった。「事実上の権力、伝統的権威、あるいは自然的な（感情的・血縁的いずれの意味でも）親疎関係によって、裁判なり政道なりの決定がひきずられ、左右されないことが「道理」なのであった。「道理」的中世は、したがって、古代の、そして明治以降の政教一致のイデオロギーとは完全に断絶した、自然法的・市民法的論理の上にたつ世界であった。

・これと軌を一にするかのように、在地領主の時代はまた『歎異抄』に代表される浄土信仰と『平家物語』の時代でもあった。前者はもはや「単に一族の現世利益を祈るにすぎない氏寺氏神の信仰」ではありえず、「身分、出身、生業の如何を問わず、ただ信仰するもののみが往生しうる」という彼岸的思想であり、したがって現世に超越する普遍者の発見を意味した。後者は貴族社会を越える広汎な読者・聴衆を念頭において書かれているところに、それ以前の文学との断絶がある。そしてその広汎な読者・聴衆とは、「領主＝武士団に率いられた庶民層」にほかならなかった。要するに、「農村社会がその古代的構造を克服して武士領主の階級を広汎に成立せしめ、その上に鎌倉幕府の政権が確立されたこと、かかる新しい情勢のみが貴族的な作者をして新しい庶民層をその読者聴衆として発見せしめ、その貴族的立場を揚棄せしめたのであり、『平家物語』を中世的＝国民的文学たらしめたのである」。よって、「『貞永式目』と『平家物語』と『歎異抄』は日本の中世的世界を支えている三本の柱である」と言えるわけである。そして、この三つの柱に共通しているものは、「国民の発見」であり、「啓蒙的教育的精神」の躍動であった。

・中世はまた、一揆契約状の時代でもあった。「揆」は「はかりごと」を意味する。「一揆」とは、したがって、心を一つにして何事かを共同で行うことを意味する。それゆえ、一揆はそれに参加する武士たちが水平的に結びつく契約——要するに、一つの共同世界を創出する社会契約——にほかならなかった。頼朝に臣従した熊谷直実は「御家人は皆同輩者なり」と言ったという。そして、さらに注目すべきは、彼等が、鎌倉幕府評定衆が『御成敗式目（貞永式目）』を定めるにあたってそうしたように、起請文をしたため、神仏に誓約するのが常であったということである。神仏が天皇に代わって最終的権威と観念されたわけである。訴訟制度の中心に神判が置かれたのはそのためであった。

・このような中世的世界は、その根底に武士団の自生的な形成と発展を孕んでいたという意味において律令制の否定であり、その限りにおいて、大化前代の「古層」の隆起と言えるものであった。しかし、それは単なる隆起ではなかった。なぜなら、例えば、『御成敗式目（貞永式目）』や一揆契約状の起請文に現れている「道理」と「神意」を至高の価値とする中世武士たちの意識世界は、此岸的な「古層」を内破する力を持ち、間違いなく普遍者の発見と自覚に向かっていたからである。

・このように、日本の中世は、超越的普遍者・普遍思想、みずからが作った法にみずから従う法主体の意識、同輩者たちが天ないし神の庇護のもとで契約を交わし、そのことによってひとつの共同世界（レス・プブリカ）を構築する一揆等によって特徴づけられる、古代天皇制を克服した世界を生み出したのであったが、かくのごとき中世的世界は、その後、徳川幕藩体制によって無惨に葬られてしまった。幕藩体制とは、「一切の宗教と宗教集団」を「地上の権威に従属させ」、「教団、ギルド、自治都市など中間的とりでを圧服した」ところに成立する支配体制だったからである。その意味で、幕藩体制の成立と発展は、現在に及ぶこの国のその後の歴史に計り知れない影響を及ぼすことになった。

以上が、古代から現代の直接的起源としての徳川幕藩体制までの歴史的展開の見取り図である。際立っているのは中世の在地領主＝武士たちの世界、皇祖神が背後に退いた中世的世界の輝きである。中世的世界の豊穣である。『平家物語』『歎異抄』という三つの太い柱によって貴族的・古代的世界を克服した中世的世界を正しく表象するために最後に特筆しておきたいのは、『御成敗式目』と『平家物語』の成立には言語革命的な側面が含まれていたのではないかと思われることである。すなわち、あえて繰り返すが、一つには『御成敗式目』が仮名しか読むことのできない広汎な大衆のために制定された法であったということ、二つには『平家物語』もまた在地の武士たちに率いられる庶民を聴衆として想定していたということ、これである。二つのテクストを実感することも、また子細に検討することも、そのための訓練を受けていないわたしにはできない相談だが、人々の生活実践の中で人間交際の新しい様式が現実化すれば、それを媒介する言語がそれにふさわしい仕方で変容したであろうことは容易に想像できる。

この国に生きた人々が、かつて、それほど長い期間に及んだわけではないし、結局は徳川体制によって息の根を止められてしまったにせよ[*81]、一度は自生的に普遍者の自覚に到達し、小規模とはいえ正真正銘のレス・プブリカ的経験、社会契約の経験を持ちえたということ、したがって、西欧近代との雑種を語るまでもなく、市民的精神を胚胎した西欧近代と同質の歴史的経験がこの国の歴史にも深く刻まれているということ、これこそが今を生きる日本人が社会を蔽っている泥沼のような頽廃から抜け出すための拠り所、かすかな「希望」なのではないか。そういう思いが深まってくるのである。

＊81　したがって、当然、なにゆえに中世から近世へのそのような展開が生じたのかという問いが浮上する。丸山が手を付けることのなかったこの問題に取り組んだのが水林彪である（水林彪 2002：34 を参照）。

わたしは希望の大地を求めて狭い道をとぼとぼと歩いている。あたりはほの暗く、人影はまばらだ。不安は尽きないが、この道を進む以外の選択は今のところない。わたしはしばし立ち止まり、水林彪が作成した広大な歴史の比較俯瞰図をポケットから取り出し、一瞥を加える。

歴史的論理的端緒概念としての「自然状態」を出発点として、西欧においては〈①自然状態（ルソー的原始共同態）→②中世立憲主義（マグナ・カルタ的国制）→③近代市民社会＝近代立憲主義〉という国制史が展開した。わが列島についても、それとパラレルに、〈①自然状態（縄文・弥生などの原始共同態）→②中世立憲主義（御成敗式目、多くの一揆契約状、六角氏式目など）→③近現代立憲主義（日本国憲法）〉という国制史の基本像を描くことができる。列島においては、①と②の間に、公孫氏・魏の直接介入によるヤマト王権の形成、および、唐の決定的影響下での律令天皇制の形成、②と③との間には、日本型律令体制とも評される近世幕藩体制の確立、および律令天皇制の近代的変形としての帝国憲法体制の成立という国制史的大事件が介在し、これらによって、「自然状態」から「近現代立憲主義」への自然的発展の道がおおきく歪められたことは事実である。日本型中世立憲主義といいうる②の時代において、律令天皇制の崩壊は明らかではあったけれども、しかし、粉々に砕けたガラスの破片が身体の各所に突き刺さっているかのごとく、官位制などの律令天皇制の残骸およびその派生形態としての武家官職制（守護職など）が、中世の統治者集団（領主層）の身分階層性的編成を可視化する標識として、あるいは、統治機構における支配権原として、中世社会の奥深くに拡散し沈殿して、西欧中世のような中世立憲主義の満面開花とはいかなかったこともまた、否定しがたい事実である。帝政中国の国制が、日本化をとげつつも、今にいたるまで、日本社会に執拗に影を落とし続けているのである。しかし、それにもかかわらず、「自然状態」を起点とする一筋の道そのものは途切れることなく、「自然状態」の高次復元形態としての civil 原理の実定化（日本国憲法を「国の最高法規」とする法体系）にまで到達したこともまた、確かな事実にほかならない。（水林彪 2018b：110–111）

現在の日本を十分に理解するためには、どうしても古代にまで遡る必要があるのだということを納得して、わたしは俯瞰図をポケットにしまい、ふたたび歩き始める。

21 結語

来たるべき社会の言語的基盤を求めて

二〇二一年十月三十一日に、第四十九回衆議院議員総選挙が行われた。結果は与党の自民・公明が解散前に比して幾分減らしたものの、二九三議席を獲得して、揺るぎない強さを示した。これに大躍進した維新と議席増を実現した国民民主を加えると、凄まじい数の議席を改憲勢力が奪った格好になる。マスメディアは与党（自民・公明）と野党の当選者数を比較しているが、真に重要な境界線は与党と野党のあいだにあるのではない。日本国憲法が掲げる基本的人権を至高の価値とし、それを擁護する勢力か、それともそれを否定する改憲勢力か、これが真の対立軸であるはずである。そのような観点から見ると、改憲勢力は今回の選挙で衆議院の三分の二どころか四分の三近くを獲得したことになる。ここまで勢いがつくと、自民党の「憲法改正草案」を最終的な着地点として見定める改憲への動きがにわかに活発化するのではないか。

そういう暗澹たる気持ちを抱えて町を歩いていたら、案の定、自民党の「憲法改正の主役はあなたです」という真新しいポスターが目に飛び込んできた。メディアでは市民連合が媒介するかたちで成立した立憲民主と共産党のいわゆる野党共闘が失敗に終わったという宣伝がけたたましく行われているようだが、表層の議席獲得数に目を奪われるのではなく、山口二郎や中島岳志が強調するように〔たとえば、中島の「東京新聞」(二〇二一年十一月二十四日夕刊)における論壇時評「野党共闘、進化を探れ」を参照〕、野党統一候補の惜敗率等に注目して分析してみれば、共闘に効果があったことは明らかである。自民党とその亜流に対抗し続けるためには、現在の選挙制度の下では、基本的人権の思想に基づく社会・政策構想で一致する反改憲勢力(ということは、現下の情勢では立憲民主党と共産党とそれを取り巻く広汎な国民的動員ということになろう)による共闘以外の選択肢があるとは思えない。野党共闘見直し論は、野党共闘を恐れる自民党とその周辺勢力によるプロパガンダと言うべきだろう。

それはさておき、もっとも由々しいのは五六パーセントという投票率の低さである。特に二十代の投票率が三〇～四〇パーセントと極端に低いらしい。選挙権有資格者の中のおよそ半数が投票しないという事実にかんして、いわゆる識者と呼ばれる人々の中にはそれがあたかも積極的な選択であるかのように言う人がいるが、わたしは賛成できない。現在の政治に失望しているがゆえに、そして自民党に代わりうる政党が見いだせないという理由からあえて投票しない人々が残りの四四パーセント、あるいはその相当部分なのだというのである。本当にそうだろうか。わたしにはそのようには思われない。いわゆる「受け皿不在論」なるものがあるが、これは自民党の反立憲的本質という致命的欠陥から目を背けているので話にならない。

棄権はどう見ても自覚的・積極的な選択などではない。自覚的・積極的どころか、それとは正反対の、狭隘な私事へののめり込みの裏返しともいうべき、公共社会・公共的事柄(政治)への根源的な無関心なのだと、わたしには思えるのである。今回の総選挙にあたっては、安倍・菅政権下で進行した政治の極端な腐敗と私物化、民主主義的ルールの破壊の醜態が明るみに出た以上、改憲勢力が三分の二を超えるような事態は避けられるのではないかと密かに思いかつ願っていたのだが、期待は完全に裏切られた。二〇一二年以来あれだけのことがあったにもかかわらず、自民党の支持率は他を圧倒して高い。頽廃は底なし沼のように深く、どす黒い。

この国の政治は、大局的に見ると、何が起ころうとも何も考えずに自民党候補に投票する人々、何代にもわたって自民党議員を出している家系の世襲候補者に代々ずっと投票してきたので、毎回、何事にも左右されずに、目をつぶって必ずその候補者に一票を投じるというタイプの人々（A）と、政治がどれほど腐敗しようが、目を蔽うばかりの不正がどれほどはびころうが、民主主義がどれほど危機的状況に陥ろうが、そういった天下の状況にはまったくお構いなく、ひたすら私事に埋没し、政治は自分の知ったことではないと思い込んでいる人々（B）の両方が大勢を決めているように見える。（A）の投票を規定しているのは政策や政治的信条でもなければ、あるべき社会のヴィジョンを基準にした合理的・知的判断ではなく、縁故・地縁・利権などの政治外的理由である。彼らは必ず投票所に足を運んで自民党候補者に一票を投じる。いわゆる盤石の支持層と言われるものだ。（B）は、あるいはアルバイトで疲れ切り、あるいは仲間と歓楽街を闊歩し、あるいはパチンコ、ドライブ、ゲーム等に興じ、あるいは一刻一刻を常にスマートフォンの小画面の中で過ごしているというふうで、投票が意識をよぎることはまずない。

自民党の得票数が増える要因がもう一つあるとすれば、それは金だろう。自民党には大企業・財界から巨額の資金が集まり、それが、「またか」という驚きが的外れなほど頻繁に起こる不正選挙事件が示しているように、票集め（買収）に使われるということが常態化しているように思われるからである。これが自民党政権が半永久的に圧勝する秘密ではなかろうか。かつて、首相だった森喜朗（またしても！）が「選挙に関心がないといって寝てしまってくれれば、それでいいんですけれど」と口走ったことがあったが、これは（A）だけがしっかり投票して、（B）が寝ていてくれれば天下太平という本音がつい口から漏れてしまったということだろう。[*82] 要するに、（A）と（B）の意図せぬ協力によって、自民党は勝ち続けるのではないか。

＊82　きだみのるの次の文章には、日本の選挙の原型＝ひな形が写し取られているように思われる。『部落人がどんな風に村人の中に自分或は他人を見ているかの段階は各人の生活に一旦緩急あるとき、とくに選挙のときに一番明瞭に解る。／八百屋のシンさんは日本降伏以来毎期村会議員に当選しているが、彼が先ず動員するのは半分他人で半分自分であるところの親類だ。シンさんの毎期当選を羨ましがる連中は何しろシンさんは親類が多くて、親類の票だけだって八、九十票あんべえ、それだけありゃ当選しちまわあとケチをつけるが、しかしここいらみたいに子沢山の村では何処だって親類は多いに決まっている。ただ親類と云っても放っとけば他人になるし、仲違いしたら一〇〇％の他人以上の敵になるものだ。シンさんの偉さは平生から親類を涵養していることだ。その次には部落の者、これは彼が嫁入り婿入りの媒酌をして親分になっている家々が中核になって働いてくれる。準親類だ。次いで同じ寺の檀家、音曲仲間、――シンさんは功成り、名を遂げ、名誉の職である村会議員になってから三味線とドドイツを習い、怖ろしくエロな歌を教わって来て披露するのでオマ×コ話の盛んな部落では、その点でも人気者になっている――自分の家に茶飲みに来る連中、最後に一〇〇％他人という順に働きかける。／シンさんは能弁なので何時も野党、与党じゃ黙った並び人形みてえだという。そこで前の選挙の時には村長派の総攻撃を食ったが、八十何票かで当選した。他のすべての票は動いたが親類の票が動かなかったのだ。／――なあ、とシンさん

は嘆息した。人間て脆えもんだわ。百円の金で気持が変わるんだからなあ」（きだみのる 1956：91-92）。選挙をめぐる不正が自民党周辺で後を絶たないのは、日本の「デモクラシー」が、本質的には、このような部落型選挙――しかし、それはもはや本来の意味での選挙ではなかろう――を依然として克服していないからであろうか。

わたしは政治学者ではないし、ジャーナリズムとも縁遠いが、選挙権を得てから現在までの長きにわたって、十年一日のごとく少しも変わらないこの国の選挙運動のあり方を見ていて、こういう考えを持つようになった。ウグイス嬢が選挙カーの拡声器を使って候補者の名前と「お願いします」をひたすら連発し、候補者が同乗していれば「～みずからが手を振ってのご挨拶でございます」などと叫び散らす選挙運動が「多事争論」（今風にいえば熟議・討議）とは何の関係もないことは、あまりにも明らかではないか。選挙は公共社会の構成員たちがどのような社会をともにつくるのかという、本来のあるべき政治意識とはかけ離れたところで行われているように見える。

つい最近のことだが（二〇二二年七月）、わたしは白井聡の近著『長期腐敗体制』を読み、多くを学んだ。収穫の一つは、堀内勇作の「マーケッティング視点の政治学――なぜ自民党は勝ち続けるのか」（『日経ビジネス』二〇二一年十二月二十七日号）の存在を知ったことである。堀内の調査が明らかにしたのは、第一に、「有権者はおおむね政策を基準にして投票先を決めているという」政治学者の「常識的な前提」に反して、日本の有権者は各党の政策などろくに読んでいないということであり、第二には、どんな政策であろうと「自民党の政策」として提示されれば、大いに支持されるという「衝撃的」な事実である。要するに、白井の言葉を借りれば、「ただ何となく自民党に入れるという有権者がかなり多くいる、あるいはそうした有権者が標準的な有権者」だということである。これはわたしにとっては恐ろしいことではあるが、驚くべきことではない。わたしは、むしろ、我が意を得たのである。日本の「民主主義」とは何とも憐れな、民主主義の残骸のごとき代物ということになろうか。「有権者の大半がこのように思考停止しているのであれば、そんなところで選挙などやっても無意味である、ということです。これはもう野党の実力がどうだとか政策の打ち出し方がどうだとか以前の問題です。「これまでは自民党、これからも自民党」という観念に凝り固まった有権者が多数存在しており、そうした「政権担当能力は自民党にしかない」という、コロナ禍によって完全に根拠なしと証明されたはずのイメージは、ここ十年余りの間にかえってますます強固になったと考えられます」（白井聡 2022：222–223）。政権党が腐って、腐って、腐り果ててもほとんど微動だにせず選挙に勝ち続けるこの国の頽廃の深部にメスを入れる容赦のない白井の言葉に、反論の余地はない。

（A）と（B）は一見したところ対極的であるかに見えるが、実は両者はある一点において共通している。その一点とは公共＝パブリックの欠如である。（A）は長年の地縁・人的繋がり、それとは意識されない組織的半強制によって、昔から自分たちに実益をもたらしてくれると信じられている候補者を選ぶわけで、そこには公共社会全体に向かう視線はない。フランス「人権宣言」の序文には「人民の代表」という表現が見えるが、自民党の議員はおそらく自分を全人民の代表としてではなく、各地域、各選挙区の利益代表として意識しているに違いない。（A）が生きる世界にはタテの公はあっても、福沢諭吉のいう人民交際・人間交際、すなわちパブリックなヨコの関係、アカの他人との関係がない。「アカの他人」という日本語はまったく関係のない人を指す言葉であるから、「アカの他人との関係」は形容矛盾なのであるが、すでに詳しく論じたように、まさにそれこそが「社会」、市民社会というものなのである。他方（B）は、意識が極めて狭い自分の身辺を越えることがないのであるから、自分を公共社会のメンバーとしてとらえる機会を持たない。図式的にいえば、そういうことだろうと思うのである。この国には、敗戦後ほぼ一貫して政権の座にある政党の性格からして、日本国憲法が深々と根をおろしている西欧近代の社会思想・政治哲学に基づいて、社会とは何か、何のために存在するのか、公共とは何か、市民とは何か、といった根源的な問いへの覚醒を促すことが教育――初等・中等教育から高等教育まで――の第一の任務なのだという了解[*83]がなく、したがってその制度化への努力もなく、逆に政権党は国民の側にそのような覚醒が生じては困るとさえ思っているふしがあるのだから、当然の結果といえるのかもしれない。

＊83　フランス型共和国の根底にある理念の一つが教育に対するこのような了解であることは、やはり強調しておかなければならない。

だとすれば、残された課題は明白である。選挙があるたびに、選挙管理委員会をはじめ色々な団体がひたすら「投票しましょう」と呼びかけるが、喉が渇いていない馬が水を飲むことはない。ただ投票しましょうと呼びかけることには何の意味もない。ともに生きるという現実、ともに社会を形成しているという現実の根幹にある主要概念を、各人が心の奥底で理解し納得したうえで投票することに意味があるのである。したがって、われわれの眼前にあるのは、端的に言えば、いかにしてこの国の人々の意識に公共社会成立の論理についての自覚を胚胎・成長させるかという、優れて教育的な課題だということになろう。言い換えれば、自由をはじめとする自然的諸権利（基本的人権）の主体としての自然人がそれらの権利を保全するために社会契約を媒介にして生み出したのが一個の共同世界としての公共社会にほかならないということ、そしてその創出にかかわった一人ひとりの個人が主権者であり、市民と呼ばれる政治的主体なのだという認識の国民的共有を志向するということである。そして、そのように定義された市民たちによる討議・熟議のうえに成り立つのがその名に値する政治であり、デモクラシーなのだという理解の徹底をはかるということである。福沢流にいえば、多事争論を核心とする人民交際・人間交際を実現すべく、社会生活のあらゆる場面で、少年少女から大人までの諸主体の自己陶冶を目指すゲリラ的・全方位的な啓蒙運動を展開すべく、各人がやれることをやるということになろうか。ただし、どうすれば、有意の市民たちによるこのような啓蒙への意思がスポーツやSNS等の巨大な娯楽的機能[*84]に打ち勝つことができるのかという戦術的な問題は残るのであるが。十八世紀におけるヨーロッパ啓蒙の敵は宗教の娯楽性であった。今日の啓蒙の敵はかつての宗教に勝るとも劣らない強力な娯楽性を有している。多事争論と人民交際・人間交際は、精神が娯楽に埋没しているところでは絵に描いた餅に過ぎないだろうから、娯楽との闘いの重要性は大いに強調しておかなければならない。

＊84 「娯楽」にあたるフランス語は divertissement であるが、これは動詞 diverter から来ている。この動詞は「楽しませる」という意味だが、語源的には「人の注意を本来向かうべき所から引き離し、別の方に向かわせる」を表している。わたしはここで「娯楽的」にそのような意味を込めている。「娯楽」はきわめて政治的・イデオロギー的機能を果たすのである。

『文明論の概略』が出て百五十年以上が経過したが、すでに何度か指摘したように、この国は依然としてこの書物の問題圏のただ中にある。[*85] したがって、結論は、何度でも繰り返すが、われわれは諭吉が抉り出した「日本文明の病理」をつねに意識化・対象化し、それを克服する努力を惜しんではならないということになろう。簡単なようで、これほど困難な作業はない。百五十年たっても病状がよくならないのであるから。

＊85　丸山眞男が一九六〇年に書いた「暗い時代の救いの書物」という短い文章がある。この書物とは『文明論の概略』で、冒頭に次の引用が掲げられている。「単一の説を守れば、其説の性質は仮令ひ純精善良なるも、之に由て決して自由の気を生ず可らず。自由の気風は唯多事争論の間に在て存するものと知る可し」。また、「「日本の武人の権力はゴムの如く、其相接する所の物に従て縮張の趣を異にし、下に接すれば大に膨張し上に接すれば頓に収縮するの性あり」（注66と対応本文を参照）などというくだりを読んで溜飲を下げることが、情けない話しながら当時の私にとって日々の救いだった」とも書いている。「当時」というのは、言うまでもなく、十五年戦争の時代である（丸山眞男 1960a：161–162）。

慣習（「爺さんの代からずっと自民党」など）、あるいは組織の命令ならざる命令（企業ぐるみの選挙や宗教団体の信者がその団体の出先機関的政党に盲従する場合など）に従って投票する人々、そして決して投票しない人々の意識が公共（すなわち、あえてもう一度言うが、社会契約によって生成する公共的人格・政治体・共和国としての公共）へと覚醒するならば、頽廃的自民党政治が崩壊すること必定である。どれほどの時間を要するかはわからない。天皇と貴族の古代が天ないし神を参照しつつ一揆的に結合する武士たちの中世によって揚棄されるのにかかったのと同じほどの、あるいはそれ以上の年月を必要とするかもしれない。確かなことは、取るべき道は思惟様式の転換、意識の革命を可能にする広い意味での教育・自己陶冶の道以外にはないということである。

最後に残るのは、「対話のない社会」（中島義道 1997）、討論文化のないこの国に、多事争論的状況を可能にする人民交際・人間交際を促す言語的実践の問題である。来るべき市民社会（言うまでもなく、市民的政治社会、同輩者としての市民たちの社会という意味での市民社会である）の言語的基盤を固める作業を自覚的に進める必要があるということを強調しておきたいのである。気の遠くなるような長い時間を必要とする作業であることは初めからわかっている。この国にヤクザ的構造と最終的に縁を切った市民たちの社会が建設されるならば、そこには市民たちの新しい言語的実践が存在するはずである。そういう未来を意識しつつ、今を生きたい、生きなければならないと思うのである。ローマは一日にして成らず。

前章で、『御成敗式目』と『平家物語』における言語革命的側面に触れたが、それとの関連でぜひとも記しておきたいことがある。社会と言語は相互規定的である。社会の変容は言語の変化を促す。他方、言語への自覚的な働きかけは社会の変容を促す力の一端をになうだろう。そういうことを示唆してくれる興味深い例を、大野晋がすでに第12章で取り上げた『日本語の文法を考える』で紹介しているので、自分を勇気づける意味でぜひとも略述しておきたい。

注目したいのは、第九章「東西の力関係と主格の助詞」である。大野はここで、歴史が律令的・貴族的古代から東国出身の武士の時代に移行したときに、言語がどのような変化を蒙ったかということ、別の言い方をすれば、東国武士の言語的実践が日本語にどのような変化をもたらしたかということを、「ガ」と「ノ」の用法をもとに整然と論じている。

すでに触れたとおり、古代における「ガ」と「ノ」の使用の論理とは次のようなものであった。古代日本人の想像世界は「ウチ」と「ソト」の二分法にしたがっており、前者にはコレ系の代名詞（ココ・コレ・コナタなど）が対応し、後者にはカレ系・アレ系の代名詞（カシコ・カレ・カナタ／アシコ・アレ・アナタなど）が対応していた。「ウチ」のもの、それもとりわけ「ウチ」の人間を承けるときに「ガ」が使用された。ここでいう「ウチ」とは、「自分を中心にして自分の回りに輪を描いた、その内部」を指している。「ウチ」には自分がおり、「自分の夫・妻・親・子が入る」。しかし、この輪は、ムラの境界にあると考えられれば、自分のムラが「ウチ」で、他のムラが「ソト」になり、国の境界にあると意識されれば、自分の国が「ウチ」で他の国が「ソト」になるというふうに、きわめて弾力的・相対的だった。翻って、「ソト」は「具体的には家の垣根の外」を指す。「垣根の外にいる人、外にあるもの、外にある景色、山でも川でも雲でも」、みなすべて「ソト」に位置づけられた。そして、「ソト」の対象を承ける助詞が「ノ」であった。「ソト」は「ウチ」という親しみ深い安堵の場の外部であるから、「自分の知らないものがいる所」、恐怖の対象がいる場所であった。「ソト」はまた畏敬の対象、敬遠の対象の領域であり、それゆえ「神」「皇祖」「大君」などは「ノ」で承けた。以上が、「ガ」と「ノ」の使い分けを支配する原則である。

ところが、『平家物語』の時代になるとこの原則が崩れ始めた、と大野は指摘する。古代的貴族と中世的武士、京都と東国の力関係に変動が生じて、「ウチ」と「ソト」の意識に混乱が生じた。『平家物語』では、第一級の存在、法皇・関白・大納言などにはノを使って敬意を表わし、動詞にも敬語を使っている。ところがそれより低い段階でソト扱いの「人々」「者」「女」などにはノを使っているが、動詞には敬語を用いなかった」。これに対して、「ガ」は、「軽蔑の対象だけでなく、どんな対象でも尊敬に無関係」な場合に広く使われるようになり、用法が拡がっていった。そのことを如実に示しているのが『平家物語』と『天草本平家物語』における「ガ」と「ノ」の割合の著しい変化である。『天草本平家物語』は、室町時代にキリシタンたちが『平家物語』を当時の口語的な文体によって語り直したものである。鎌倉時代までの作品では「ノ」の使用例が「ガ」を圧倒しているが、室町以降になると「ノ」の「ガ」に対する割合が激減する。要するに、かつてはソト扱いのゆえに「ノ」で承けていたものを「ガ」で承ける頻度が著しく上昇したということである。大野は言う。「これはガで承ける名詞とノで承ける名詞とがほとんど同じものになってしまったという現象で、結局、社会において何をウチとし何をソトと扱うかという観念が混乱し、従来のような固定的なウチとソトの扱いがくずれてきたことを意味している」(大野晋 1978：167)。このような言語変化を誘発したのが、東国武士たちの階級的上昇であり、彼等の「非尊敬語に広くガを使うという」言語習慣だったわけである。わたしが特にかみしめたいのは大野の次のような結論である。

関東の人間は畿内・西国の人々から軽蔑の対象であり、また畿内に対してみずから卑下する存在であった。それゆえ関東では早くからガが多く使われていた。それが、社会の階層の激動に伴ない、また言語変化の自然な推移とも重なって、関東風なガの使い方が社会の表面に現れてきて、正式な表現にまで広まってきた。従来の都の言い方では、主語の下にノとガとを使う際には、主語になる人間や物に対する尊敬か蔑視かの観念を伴なわないことはありえなかった。しかし東国風なガの使い方では、非尊敬の対象ならば、ソトのものでもウチのものでもその下にガを使う。それが進むことによって、尊卑の意識なく、主語であることを示す中性の助詞としてガを使うことが広まってきた。ここにおいて、日本語は、はじめて尊卑観念から離れた主格表現の助詞を獲得したといえる。（大野晋 1978：171 傍点は著者、傍線は引用者による）

奈良・平安時代の古代的・律令制的・天皇制的・貴族的世界に代わって、限定的な現象であったとはいえ、一揆契約を介して水平的に結びつき、一個の同輩者的秩序を創出するにいたった中世の武士たちが、彼等に固有の言語的実践によって、日本語に重要な変化をもたらしたということになろうか。となると、中世的世界を破砕し現代にまで及ぶその後の日本社会に甚大な影響を与えた徳川幕藩体制下において、日本語とその実践がどのような変化を蒙ったかということが気になる。さらには、日本語の歴史を命令・服従的秩序と同輩者的秩序の相克という観点を念頭に置きながら勉強するという課題さえ、否応なしにせり上がってくる。[*86] わたしは、フランス語なら十七世紀の作品も容易に読めるが、日本語では十九世紀でも一筋縄ではいかない。そういうわたしが死ぬまでにどれほどのことを探求できるかは心許ないかぎりだが、今後の宿題とするほかはない。

＊86　小著ながら、奈良時代から現代までの日本語の歴史を整然とまとめてくれている山口仲美『日本語の

歴史』を読むと、下の者が上のものにただひたすら隷属するがんじがらめの身分制社会だった江戸時代に、現代の日本語の直接的な起源があるということが知られる。「江戸時代は、近代語の始まり。われわれ現代人が共通語で使う発音や語彙に相当近くなって」いるというのである（山口仲美 2006：166）。人称詞の「アナタ」「オマエ」「ワタシ」「ワシ」や「いらっしゃる」「おっしゃる」「くださる」「なさる」といった今日ごく普通の敬語表現も、江戸時代から使われるようになったと著者は断言している。今日、身分制という社会的構造はそれ自体としては廃棄されたが、社会関係を媒介する言語はその身分制的特徴を内部に温存しているということになろうか。江戸時代（近世）とは、すでに指摘したとおり、官僚制と主従性の抱合的構造の完成によって、「日本文明の病理」としての「権力の偏重」が定着した時代であったことを思い起こしておきたい。

最後の最後にもう一つ。今日われわれが親分・子分のヤクザ的社会と決別し、一揆の時代よりもさらに進化し徹底した同輩者的秩序を希求するならば、どのような言語的実践がありうるかという点について、ひとこと記して本書を閉じることにしたい。

一個人が言語を変えるなどということはあり得ない。アリが象に挑むがごとき無謀な挑戦である。万人が使う言語は一人の試みだけでは微動だにしないが、大多数が動き出せば変化する。つまり、渡辺清『砕かれた神――ある復員兵の手記』の例が示しているように、一人ひとりが言語に自覚的になれば、変化をもたらす可能性がまったくないというわけではない。たとえば、わたしは本書で誰かを引き合いに出す場合、この国ではほとんど知られていないJ＝B・ポンタリスを唯一の例外として――わたしは時に彼の名字の下に「老師」という言葉を付けている――、その人が自分の父親であろうと、兄であろうと、いわゆる「えらい」先生（「えらい」については、注41を参照）であろうと、見知らぬジャーナリストであろうと、年長者であろうが若輩であろうが、そういうことにはまったく影響されずに分け隔てなく名字と名前、あるいは名字だけで呼んでいる。「氏」も付けなければ「先生」とも呼ばない。本来ならば、父親と兄は呼び捨てにし、師弟関係があれば「先生」と呼び、そうでないならば「氏」を付けるのが普通のやり方である。また、存命の人物には「氏」などを付けるが、鬼籍に入った人は、どんなに「えらい」人でも何も付けないのが慣わしである。今日、福沢諭吉を福沢諭吉氏という人はだれもいないだろう。わたしはそういう慣習には従わず、だれでも一様に名字と名前、あるいは名字だけで呼ぶことにした。これは、どんな人にも、上下尊卑の配慮なしに同じように接することをよしとする気持ちの表れである。わたしは相手によって態度が変わるゴム人形でありたくはない。生者と死者の両方を包含するフラットな仲間的共同体を想定し、自分もまたその中で生きる普遍主義者でありたい、そう思うのである。かくして、わたしは、高名な憲法学者でわたしよりもはるかに年長の樋口陽一を迷わず単に樋口陽一と呼ぶ。

　このような言語的実践は対話者の存在を捨象する「である調」の論文・エッセイではそれほど困難なことではない。ところが、話し言葉となると事情は一変する。[*87] 樋口陽一と対面で話すとなると、樋口からわたしに向かっては「〜さん」だろうが、わたしの方から「樋口さん」は不可能で、ましてや「樋口」は大地がひっくり返ってもあり得ない。それがいかんともしがたい日本語による強制というものである。J＝B・ポンタリスを何の苦もなく「ジーベー」と呼び、『メロディ、あるパッションの記録』に序文を寄せてくれた、わたしよりも三十以上も年長でガリマールの大御所的存在だった今は亡きロジェ・グルニエを単に「ロジェ」と呼んでいたのとは大違いである。かつて、わたしは、最初の留学で二年を過ごしたモンペリエで、大学教授が門衛の奥さんとファーストネームで呼び合う姿を目の当たりにしたり、知遇を得た中世文学を専攻する教授が喜々として知り合いの婦人服仕立て職人の女性とやはりファーストネームで会話する様子を目の当たりにして、心底仰天したものだが、それから数十年後に、今度は自分がジーベーとロジェを相手に同質の状況を生きることになったわけである。

＊87　本書執筆中に繰り返し読んだ『戦後思想の模索――森有正、加藤周一を読む』の中で、海老坂武は次のように書いている。「私は固有の意味での敬語を使いたくない、また敬語を使うのが上手な奴ほど別の場所では人を見下しているに違いないという偏見さえ持っているが、日本的社会空間は私の言葉を奥深くで規定し、話し言葉の中にはどうしても敬語が付着してくる。けれども、対象化が十分可能な書き言葉からはこれを完全に追放することができるし、（そのためにこの文章が〈先輩〉である加藤氏に対して〈無礼〉であると人に見えたとしてもやむをえない）、才能のある作家ならば逆に、敬語をふんだんに使いながらそのグロテスクな様相を浮かびあがらせることも可能だろう」（158）。わたしは海老坂ほど楽観的ではなく、現時点では書き言葉から敬語（というよりはむしろ敬卑語）を完全に追放できるとは思わない。海老坂においてさえ、森や加藤には「氏」が付き、サルトルはもちろん、大江健三郎や辻邦生には何も付かないという言語実践を背後から支えているのは何なのだろうか。自分の家を「拙宅」といい、自分の論文を「拙論」といい、自分の著作を「拙著」などという習慣を根絶やしにするのは相当に困難な話ではないかと、根絶を望みつつも、思うのである。

その昔、大学に勤め始めたころ、こういうことがあった。わたしよりも十歳は年上の教師がいて、その人は自分よりも年長の同僚は「～先生」ないしは「～さん」（年齢差が小さい場合）と呼び、年下の同僚は呼び捨てにしていた。呼び捨てされる方はその人と対面しているときは「〜先生」を使い、別の誰かとその人のことを話題にするときは「〜先生」か「〜さん」であったと思う。そういう言語環境のなかで、わたしはある時、その人に対して意図的に「〜先生」とは言わずに、「〜さん」と呼びかけた。一瞬、小さな震えのようなかすかな驚きの表情がその人の顔に走った。この出来事以降も、その人はわたしに対して呼び捨てを繰り返したが、わたしは「〜さん」で通した。そしてそれが定着した。この場合、呼び捨ては明らかに相手を「若輩の者」「下の者」と見なしていることを表すサインで、「〜さん」は相手を「上の者」とみなすことの拒否の意思なのだが、両者がともに「〜さん」を使う事態に発展することはなかった。呼び捨てが常に相手を見下していることの証拠かというと、そういう訳ではない。深い親愛の情で結ばれている友人どうしはお互いをただ名字だけで呼び合うこと、しばしばだからである。例えば『しかし、それだけではない。加藤周一、幽霊と語る』の中で、加藤は学徒出陣で出征し戦死したかけがえのない友人中西哲吉を単に「中西」と呼んでいる。これは彼を見下しているからではなく、逆に幽霊となった彼がごく親しい同輩の者として加藤の心の中で強烈に生き続けているからである。翻って、わたしのかつての年上の同僚による呼び捨ては、親愛の情の表れとは見ることのできない類のものだった。

親愛の情は「〜君」という形をとることもある。わたしは何人かのかつての学生と今でも付き合いがあるが、その人たちをわたしは、親しみを込めて、男性ならば「〜君」、女性ならば「〜さん」と呼ぶ。彼等はわたしを「先生」と呼ぶ。それ以外の選択、例えば「さん付け」は甚だしく困難だろうと思う。わたしの方も、「〜君」「〜さん」以外の呼び方は想像できない。呼び捨ては問題外だし、女性に「〜君」では親しみが失われ、居丈高な感じが前面に出てしまう。男性に「〜さん」ではあまりにもよそよそし過ぎると感じる。なんと微妙なことか。男性と女性を区別することはやめたいと思うのだが、どうにもならないのである。加えて、両者の相手方へのこのような呼びかけ方は、死ぬまで変わらないということがある。すでに指摘したことだが、日本語では、学校の先生と生徒など、一度出来上がった関係に変更を加えることはきわめて困難なのである。

ことほどさように、日本語で相手をどう呼ぶかは、相手との関係があらかじめ社会的にどのように規定されているかによって決まるわけで、話者・対話者の自由にはならないのである。関係は主体的に作りあげるものではなく、反対に自分で選び取ったわけではない社会的所与の方が他者との言語行為のあり方を決定づけるのである。[*88] かくして、日本語話者の自由裁量範囲は極端に狭い。にもかかわらず、わたしは、状況に左右されること大であるから常にそうなったというわけではないが、年長の同僚をあえて「〜先生」ではなく「〜さん」と呼び、同時に年下の同僚に向かってはお互いに「〜さん」で行きましょうと提案したものである。以上は、わたしのまことにささやかな個人的・日常的実践の一端である。

*88　このような言語の性質と、この国において理性的な自己決定としての自由（ルソー、そして丸山眞男を想起！）の観念が乏しいこととのあいだには、深い関係があるのではないかと、わたしは密かに思っている。

しかし、わたしは日本語の敬卑語体系の中に閉じ込められ、監禁されている自分を常に意識しているがゆえに、正直にいえば、それが時に大きな苦痛となってわたしの上にのしかかってくることしばしばであることを、告白しなければならない。そういう場合、苦痛から逃れるためにできることは日本語をなるべく使わないことである。独りになることである。かくしてわたしは、ある時点から学会・研究会等の日本的集団から意識して遠ざかった。ごく少数の親しい「友人」との親交をあたため、路上・商店等で出会う見知らぬ人との一対一の「人間交際」を求める一方、その他の、何らかの集団に取り込まれた付き合いをなるべく抑える方向に向かった。これは日本語に閉じ込められているという感覚から来る疲労の現れであっただろう。

そういうわたしではあるが、一人ひとりの日常的な実践——生活の中での実際の振る舞いとそれに付随し密着した言葉の使用法——の重要性を無視することはできないという点を、わたしはやはり強調したいのである。それゆえわたしは、海老坂武の次のような言葉に深く、深く共鳴する。

東大のある学部では教授会の席次がきまっていて、毎回各メンバーの座る椅子は席次どおり一定していたそうだが、そのような教授会でなされる会議が〈民主的〉であるわけがない。（…）思想と生活の食い違いを、思想の外来性のせいにしてはなるまい。（…）思想の外来性を云々するのではなく、（…）思想そのものに対するあり方、また生活そのものに対するあり方はどうであったかを、またそれのみを問題とすべきである。私ならば森有正氏から経験という言葉を借りてきてこう問うであろう。生活は生活で出来事を受け身に蒙るだけの体験の集積というにすぎず、したがって対象化、自覚化、個別化によって特色づけられる経験として生きられていなかったのではないか。(…) それが外来であれ何であれ、平等の思想が経験を構成するとすれば、電話一本のかけ方、手紙一通の書き方にもそれは貫徹されるはずである。逆に平等の思想の可能性とは、われわれの祖先の作り出したものの中に超越的な意識構造を検出できるかどうかではなく、目下の者には目下の者を使って電話をかけさせるとか、目上の者の手紙にはすぐ返事を出すが目下の者の手紙は無視するといった風習を、〈私〉が一つずつ打ち崩していくかどうかにかかっている。思想が生活に浸透していないと見えたなら、思想の国籍に因を求めるのではなく、当人の思想そのものを疑い、生活を疑うべきであろう。
(海老坂武 1981: 154-155)

この文章を読み返すたびに必ず思い出すことがある。フランス留学を終えて帰国し、学会での研究成果の発表を準備していたときに遭遇した出来事の思い出である。発表時間が短く制限されている分科会発表のほかに、かなり余裕をもって報告できる別枠が一つ設けられていたので、わたしは迷うことなくその別枠を希望した。しばらくすると、所属する大学の研究室の助手から電話がかかってきた。「～先生」からお話があるそうですという助手のひとことのあと、電話口に出た研究室の主任教授から、事務局から連絡があって、学会発表の別枠というのは「えらい先生」のためのものなので、わたしの発表は分科会に切り替えてもらいたいという要請があったという話を聞かされたのである。もちろん、わたしは「ああ、そうなんですか」と応じて、分科会発表に切り替えた。申し込み要領には別枠は「えらい先生」用とは書かれていないなどと言って、抵抗するほど世間知らずではなかった。今でもこのときの電話の件が脳裏に焼き付いているのは、別枠を使えないことが残念だったからではない。そうではなく、発表枠組の変更の要請が学会の事務担当者からではなく、わたしが所属する大学研究室の主任教授を経由して寄せられたことに何ともいえない違和感を覚えたのである。事務局が平々と頭を下げて主任教授に事の仔細を伝え、その教授が目下の助手を使ってわたしに電話をかけさせたこと、主任教授の命令ではない命令に従わないことはあり得ないと踏んだうえでの事務局の依頼、権力の構造が手に取るように分かるこういう情報伝達のあり方に嫌悪感を抱いたのであった。四十年が経過した今でもこの電話の一件がまざまざと思い出されるのは、その時の嫌悪感の深さが尋常ではなかったことを物語っていよう。教授のことをわたしは興味深い授業をする有能な研究者だと思い尊敬の念さえ抱いていたし、普段よく言葉を交わしていた助手も感じのいい人だと思っていた。しかし、権力構造はそういう個人的資質とは無関係に、それを越えたところで機能するものなのである。ふたたび海老坂武を引こう。

> 戦後〈自由〉、〈平等〉、〈民主主義〉が、前近代の見本のような大学の研究室の住人たちに主として担われてきたのは、われらの〈近代〉にとってたいへん不幸なことであった。いまだ弟子とか師匠とかいった言葉が堂々といささかのイロニーもなしにまかりとおっているこうした場所の住人たちが、何冊かの本を読んで自由や平等や民主主義の思想的伝統がこの国の歴史の中にも見出されることを証明したからといって、思想の内発性が保証されるなどというお目出度い話にはならないはずで、そんな暇があったら研究室の人間関係の平等とは何かを考えるところから始めるべきだったのである。
>
> （海老坂武 1981：170）

まったくその通りである。[*89] わたしならば、福沢諭吉および諭吉を読み抜いた丸山眞男の語彙を用いて、「権力の偏重」と「抑圧移譲」という「百千年来の余弊」とそれを現勢化する言語的実践を意識化・対象化し、改変の方向に向かって動き出すと言い換えたいところではあるが、海老坂の発言に異論を差し挟む余地はない。とはいえ、海老坂がここで日本語という言語の構造が日本語話者たちを否応なしに「前近代」に閉じ込めるという側面を明示的に強調していないことはやはり気になる。言語は一種の牢獄である。大学の研究室はもちろんのこと、企業など、あらゆる組織における人間関係の平等を考えぬくには、日本語における言語的実践の質を問わなければならない。幕藩体制下の大名屋敷よろしく、教授会メンバーが席次順に座る大学、そういう大学で師匠や弟子、先輩、後輩といた語彙が無意識のうちに構造化・序列化する人間関係に閉じ込められている人々が、閉じ込められているということそれ自体を自覚することなく、近代とか、ポストモダンとか、最新流行の現代思想だとかを悠々と語る光景は滑稽を通り越してグロテスクというほかはないだろう。批判精神の頂点にあるはずの大学にしてそうだとすれば、一般の会社組織は推して知るべしである。もっとも、大学が会社化しつつある（あるいはすでにしてしまった）ことを差し引いても、大学とてこの国の組織であり集団であることに変わりはないのであるから、両者を区別することにどれほどの意味があるかは疑問なのかもしれない。出口はどこにあるのか。

＊89　民主主義についての、森有正と丸山眞男の次のようなやり取りを思い起こしておきたい。「〔森〕日本の場合、民主主義はあるわけですね。一応制度としては。ただ、それが適用される社会はどうもまだ十分

に社会ではないという面が非常につよい。アメリカ社会でもフランス社会でもともかく社会だと思うんですね。その点、日本は単なる共同体という……。〔丸山〕私はね、それを「制度はあるけれども」とは言わないんですよ。民主主義的な法律はあるんですよ、実定法はある。六法全書にちゃんと書いてある（笑）。けれどもそれは制度とはいえない。すくなくとも社会制度になっているとはいえない。社会制度というものは習慣と切り離しえないものだと思うのです。習慣の蓄積が社会制度なのですね。たとえば、戦前の日本の「家族制度」はこの意味でまさに制度といえる。しかし民主主義はまだ制度に十分になっていない。（…）民主主義が実定法制度を上すべりしてしまうかどうかは習慣できまる。習慣とは大変なものだと思います。」（丸山眞男 1968：194）わたしは、この箇所を読んで、森は丸山に一本取られたという印象を持った。丸山の発言にわたしが付け加えたいと思うことは、次の一点だけである。それは、習慣とは言語的実践と切り離せない、いや言語的実践そのものであるという峻厳な、しかし盲点的事実である。

加藤周一が「戦争と知識人」に記した皮肉たっぷりの強烈な指摘を今一度思い起こしておきたい。一部はすでに引用済みだが、何度でもかみしめるに値する言葉である。「「七月十四日」のフランスは、日本の大学における「フランス文学」の研究によっては、日本の知識人に肉体化されなかった。フランス文学は、イギリスの造艦技術や、原智恵子のピアノ演奏法と同じように、その背景の歴史的文化とはきりはなして、純粋に抽象的な技術としても学び得るものだ。ドビュッシー Debussy は、日比谷公会堂の舞台に「すめら会」ののぼりをぶら下げた上でも演奏することができる。フランスの小説は、うれしそうに国民服を着た東京のほんやく業者が、「このフランス小説の頽廃的な面をわれわれは批判しなければならぬ」などと「解説」しながら、ほんやくすることもできるものである。しかしかつて『珊瑚集』をつくった荷風は、うれしそうに国民服は着なかった。少なくとも荷風は、かの「頽廃的な」小説が、総じて制服というものを好まぬ一国民の精神に浸透されているということを、骨身に徹して知っていたようである」（加藤周一 1959a：389-390 傍点は引用者による）。

だとすれば、何にもまして重要なのは、われわれは日本語という言語に繫ぎとめられ、縛られているまことに不自由な存在なのだという事実を直視し、「骨身に徹して」知ることであろう。そして、この事実を鮮明に意識するには日本語の対極にあると思われる外国語（例えばフランス語）を、技術としてではなくもう一つの生き方の実践として深く学ぶ以外にはないと、わたしには思われるのである。ここでも、海老坂武の次のような言葉はわたしの心奥に響く力を持っている。

文化には、階級支配には還元されない抑圧装置としての側面があることに私は目をつぶりえない。まず第一に、人は文化を自国の文化として蒙るということがある。人は好きなように文化を選び取るのでも創り出すのでもなく、わけもわからぬ肉の塊の頃から自国の文化によってこねあげられるのである。人はまず一定の仕方で感じさせられ、見させられ、振舞わされ、話させられるのだ。自然や肉親への愛情において、色彩や音や空間の知覚において、条件反射から行動様式、言語からイデオロギーにたるまで。この点において、先進的独立国における文化習得と、植民地における文化強制とは根本において違いがない。一言で言えば文化とは出発点において〈私〉にのしかかり私を一色に染めあげる〈他者〉であり、文化について考えざるをえないのはまさにそのためである。（…）与えられた文化的伝統をどれだけ対象化し、そこからどれだけ離陸しうるか、文化的にいかに自分を自分でつくり変えていくか、そこに人間の可能性が賭けられるということにもなるだろう。というふうに考えてくるとき、理想的な教育とは、自国の文化の伝達という側面を含みながらもそこからの剥離の可能性を最大限に与える教育ということなる。

（海老坂武 1981：157–158 傍点は著者による）

海老坂は抑圧装置としての文化について実に説得的に語っている。「人は女に生まれるのではない、女になるのだ」というボーヴォワールの言葉をもじれば、人は日本人に生まれるのではなく、日本人になる、いや日本語・日本文化によって日本人にさせられるというわけである。わたしは先に海老坂が言語の牢獄的側面に触れていないと指摘したけれども、彼の主張と言語を牢獄になぞらえるわたしとのあいだに、大きな隔たりがあるようには思われない。文化を根底から支え、構造化し、制度化しているのは何よりも「言語」であり、「言語」を媒介にしない文化などというものはおよそ考えられないからである。海老坂の文章の「文化」を「言語」に置き換えても文意に大きな変更が生じるとは思われないが、どうであろうか。教育の使命が人を不断に自由へと押し上げることにあるとするならば、それは自分がその中に生まれ落ちた文化と言語の対象化、そこからの遠ざかりの努力を含むものでなければならない。来るべきレス・プブリカの学校とは、児童・青年にそういう知的訓練を提供する場にほかならないだろう。

バルバラ・カッサンという哲学者が次のように書いていたことが忘れられない。「一つの言語を話しているということを自覚すると同時に、自分が話しているのは紛れもなく言語なのだということを自覚するには、少なくとも二つの言語を話す（愛するだけでもよい）必要があるということを、わたしは承知している」（Barbara Cassin 2018）。「愛するだけでもよい」という生やさしい言い方には満足できないが、二つ以上の言語を知ってはじめて自分の言語、いや言語それ自体を意識化できるという点には、諸手をあげて賛同する。いや、カッサンを引き合いに出すまでもないのかもしれない。というのも、彼女よりもはるか以前に、かのゲーテが次のような名言を残しているからである。「異邦の言語を一つとして知らぬ者は、自分の言語について何も知らない」（ゲーテ 2003）。なんとも凡庸なしめくくりになってしまったが、要するにそういうことなのである。しかし、「語学の恐ろしさ」（一九〇ページ）にかんする森有正の言葉にあるとおり、異邦の言語を知るということがそうたやすいことではないことは肝に銘じておくべきであろう。

わたしは、これからも、日本語という牢獄のあり様を絶えず意識化するために、フランス語で／を生きること、書くことをやめないだろう。もちろん、フランス語ももう一つの別の牢獄であるということを忘れることなく、である。

引用文献・資料

日本語文献

青木理（2021）「投票でけん制、監視を」『東京新聞』二〇二一年九月八日夕刊
阿部謹也（1992）『西洋中世の愛と人格――「世間」論序説』朝日新聞社
阿部謹也（2003）『日本社会で生きるということ』朝日文庫
網野善彦（1989）「史料としての姓名・系図」『週刊朝日百科　日本の歴史別冊　歴史の読み方8　名前と系図・花押と印章』朝日新聞社
網野善彦（1993）『日本論の視座』小学館ライブラリー
飯田泰三（2006）『戦後精神の光芒――丸山眞男と藤田省三を読むために』みすず書房
石母田正（1946a）『中世的世界の形成』岩波文庫（一九八五）
石母田正（1946b）「中世における天皇制の克服」『石母田正著作集』第八巻、岩波書店（一九八九）
石母田正（1952）「言葉の問題についての感想――木下順二氏に」『石母田正著作集』第十五巻、岩波書店（一九九〇）
石母田正（1988）「歴史学と「日本人論」」、『石母田正著作集』第八巻、岩波書店（一九八九）

井上ひさし（1984）『私家版　日本語文法』新潮文庫
色川大吉（2008）『明治精神史』（下）岩波現代文庫
上村忠男（2023）「奥崎謙三の戦争（残照録４）」季刊『未来』（No. 612）未來社
海老坂武（1981）『戦後思想の模索　森有正、加藤周一を読む』みすず書房
大野晋（1978）『日本語の文法を考える』岩波新書
大野晋編（2002）『対談　日本語を考える』中公文庫
奥泉光・加藤陽子（2022）『この国の戦争――太平洋戦争をどう読むか』河出新書
加藤周一（1946a）「天皇制を論ず――問題は天皇制であって、天皇ではない」『加藤周一自選集1』、岩波書店（二〇〇九）
加藤周一（1946b）「天皇制について」『加藤周一自選集2』岩波書店（二〇〇九）
加藤周一（1955a）「日本文化の雑種性」（一九五五年、雑誌『思想』に発表）『加藤周一自選集2』岩波書店（二〇〇九）
加藤周一（1955b）「雑種的日本文化の希望」『加藤周一自選集2』岩波書店（二〇〇九）
加藤周一（1957a）「「近代化」はなぜ必要か」『加藤周一著作集7』平凡社（一九七九）
加藤周一（1957b）「日本的なもの」『日本人とは何か』講談社学術文庫（一九七六）
加藤周一（1959a）「戦争と知識人」『加藤周一自選集2』岩波書店（二〇〇九）
加藤周一（1959b）「果たして「断絶」はあるか」『加藤周一自選集2』岩波書店（二〇〇九）
加藤周一（1971）「日本語Ⅱ」『加藤周一著作集』第七巻、平凡社（一九七九）
加藤周一（1975）『日本文学史序説（上）』筑摩文庫（一九九九）

加藤周一（1984）「日本社会・文化の基本的特徴」加藤周一・木下順二・丸山眞男『日本文化のかくれた形』（武田清子編）岩波書店、『加藤周一自選集7』（二〇一〇）
加藤周一（1995）「精神の往復運動」『丸山眞男集』第四巻月報、岩波書店
加藤直樹（2019）「私たちは政府と対決する国歌をなぜ持たないのか」『週刊金曜日』（No. 1230）（二〇一九）
神島二郎（1961）「天皇制ファシズムと庶民意識の問題」（『近代日本の精神構造』岩波書店、所収）
亀井孝（1974）「天皇制の言語学的考察」田中克彦『カルメンの穴あきくつした』（田中克彦セレクションⅠ）所収、新泉社（二〇一七）
きだみのる（1956）『日本文化の根底に潜むもの』講談社
久野収・鶴見俊輔（1956）『現代日本の思想―その五つの渦』岩波新書
黒澤明（1988）『全集　黒澤明』第四巻、岩波書店
島薗進（2014）『国家神道と戦前・戦後の日本人――「無宗教」になる前と後』河合ブックレット39
島薗進（2020）『国家神道と日本人』岩波新書
清水誠（1999）「フランス人権宣言を、どうぞ」『法律時報』（一九九九年六月号）
白井聡（2021）『主権者のいない国』講談社
白井聡（2022）『長期腐敗体制』角川新書
竹内好（1966）「権力と芸術」『新編日本イデオロギイ　竹内好評論集』第二巻、筑摩書房

田中克彦・遠藤織枝（1990）「往復書簡〈文化の現在〉――「日本語の国際化」について」『読売新聞』夕刊一九九〇年四月三日〜六日
田中克彦（1999）「敬語は日本語を世界から閉ざす」『カナリヤは歌をわすれない』（田中克彦セレクションⅢ）、新泉社（二〇一八）
田中克彦（2003）『言語と思想――国家と民族のことば』岩波現代文庫
田中克彦（2016）「石母田正とスターリン言語学」『カナリヤは歌をわすれない』（田中克彦セレクションⅢ）、新泉社（二〇一八）
時枝誠記（1941）『国語学原論――言語過程説の成立と展開』岩波書店
中島義道（1997）『〈対話〉のない社会』ＰＨＰ新書
樋口陽一（2008）『ふらんす――「知」の日常をあるく』平凡社
樋口陽一（2013）『いま、「憲法改正」をどう考えるか――「戦後日本」を「保守」することの意味』岩波書店
樋口陽一（2014）『加藤周一と丸山眞男――日本近代の〈知〉と〈個人〉』平凡社
福沢諭吉（1875）『文明論の概略』岩波文庫（一九九五）
福沢諭吉（1880）『学問のすすめ』岩波文庫（一九七八）
福沢諭吉（1899）『福翁自伝』岩波文庫（一九七八）
福田歓一（1970）『近代の政治思想――その現実的・理論的諸前提』、岩波新書
藤田省三（1966）『天皇制国家の支配原理』『藤田省三著作集１』みすず書房（一九九八）
藤田省三（1962）（対談者：掛川トミ子）「現段階の天皇制問題」『藤田省三対話集成３』みすず

書房（二〇〇七）
藤田省三（1963）（座談会参加者：石母田正・大江志乃夫・遠山茂樹）「天皇制について」『藤田省三対話集成1』みすず書房（二〇〇六）
丸山眞男（1946）「超国家主義の論理と心理」『丸山眞男集』第三巻、岩波書店（二〇〇三）、杉田敦編『丸山眞男セレクション』平凡社（二〇一〇）
丸山眞男（1947a）「日本における自由意識の形成と特質」『丸山眞男集』第三巻、岩波書店（一九九七）
丸山眞男（1947b）「福沢に於ける「実学」の転回——福沢諭吉哲学研究序説」『丸山眞男集』第三巻、岩波書店（二〇〇三）、丸山眞男著、松沢弘陽編『福沢諭吉の哲学』岩波文庫（二〇〇一）
丸山眞男（1948a）「日本人の政治意識」『丸山眞男集』第三巻、岩波書店（二〇〇三）
丸山眞男（1948b）「政治嫌悪・無関心と独裁政治」『丸山眞男集別集』第一巻、岩波書店（二〇一四）
丸山眞男（1949a）「軍国支配者の精神形態」杉田敦編『丸山眞男セレクション』平凡社（二〇一〇）（『丸山眞男集』第四巻、所収）
丸山眞男（1949b）「ジョン・ロックと近代政治原理」『丸山眞男集』第四巻、岩波書店（二〇〇三）
丸山眞男（1949c）「肉体文学から肉体政治まで」杉田敦編『丸山眞男セレクション』平凡社（二〇一〇）（『丸山眞男集』第四巻、所収）

丸山眞男（1952）『日本政治思想史研究』（新装版）、東京大学出版会（一九八三）
丸山眞男（1957）「日本の思想」『丸山眞男集』第七巻、岩波書店（二〇〇三）
丸山眞男（1960a）「暗い時代の救いの書物」『丸山眞男集』第八巻、岩波書店（二〇〇三）
丸山眞男（1960b）「拳銃を……」（『丸山眞男集』第八巻、岩波書店）（二〇〇三）
丸山眞男（1960c）「復初の説」（『丸山眞男集』第八巻、岩波書店）（二〇〇三）
丸山眞男（1963）「『現代日本政治の思想と行動』英語版（一九六三）への著者序文」『後衛の位置から――『現代政治の思想と行動』追補』、未來社（一九八二）
丸山眞男（1964）「普遍の意識を欠く日本の思想」『丸山眞男集』第十六巻、岩波書店（二〇〇四）
丸山眞男（1968）（鼎談参加者：森有正・木下順二）「経験・個人・社会」『丸山眞男座談7』岩波書店（一九九八）
丸山眞男（1972）（対談者：加藤周一）「歴史意識と文化のパターン」『丸山眞男座談7』岩波書店（一九九八）
丸山眞男（1976）『戦中と戦後の間』みすず書房
丸山眞男（1977）「日本思想史における問答体の系譜――中江兆民『三酔人経綸問答』の位置づけ」『丸山眞男集』第十巻、岩波書店（二〇〇三）
丸山眞男（1979）「森有正氏の思い出」『丸山眞男集』第十一巻（二〇〇三）
丸山眞男（1984）「原型・古層・執拗低音―日本思想史方法論についての私の歩み」『丸山眞男集』第十二巻（二〇〇三）

丸山眞男（1989）「昭和天皇をめぐるきれぎれの回想」『丸山眞男集』第十五巻、岩波書店（二〇〇四）
丸山眞男（1986c）『「文明論の概略」を読む』下巻、岩波新書
丸山眞男（1986b）『「文明論の概略」を読む』中巻、岩波新書
丸山眞男（1986a）『「文明論の概略」を読む』上巻、岩波新書
丸山眞男（1999）『丸山眞男講義録〔第五冊〕』東京大学出版会
丸山眞男（2016a）『定本　丸山眞男回顧談』上巻、岩波書店
丸山眞男（2016b）『定本　丸山眞男回顧談』下巻、岩波書店
水林彪（1977～82）「近世の法と国制研究序説（一）～（六）」『国家学会雑誌』第九十巻－一・二号、第九十巻－五・六号、第九十一巻－五・六号、第九十二巻－一一・一二号、第九十四巻－九・一〇号、第九十五巻－一・二号
水林彪（1987）『封建制の再編と日本的社会の確立』（日本通史Ⅱ）山川出版社
水林彪（2002）「原型（古層）論と古代政治思想論」『思想史家　丸山眞男論』ぺりかん社
水林彪（2006）『天皇制史論』、岩波書店
水林彪（2013）「市民法の不全――わが国における「旧体制」の残存と克服の課題」『日本社会と市民法学―清水誠先生追悼論集』（広渡清吾・浅倉むつ子・今村与一編）日本評論社
水林彪（2016a）「立憲主義とその危機――歴史的考察」（『法律時報』二〇一六年五月号）
水林彪（2016b）「比較憲法史論の視座転換と視野拡大――ドゥブレ論文の深化と発展のための一つの試み」「思想としての〈共和国〉――日本のデモクラシーのために」増補新版、みす

ず書房
水林彪（2016c）「支配と自己統治――憲法「改正」問題についてのヴェーバー的読解の試み」『マックス・ヴェーバー研究の現在――資本主義・民主主義・福祉国家の変容の中で』（宇都宮京子・小林純・中野敏男・水林彪編）、創文社
水林彪（2017a）「マグナ・カルタと六角氏式目――日本国憲法の歴史的起源を訪ねて」『早稲田法学』（二〇一七年三号）
水林彪（2017b）「象徴天皇制――法史学的考察」『戦後日本憲法学70年の奇跡』日本評論社
水林彪（2018a）「人権宣言における droit 概念の再考」（『法律時報』九十巻十号）
水林彪（2018b）「〈反 civil〉――日本国制史における天皇制的契機」、水林彪・吉田克己編『市民社会と市民法―― civil の思想と制度』日本評論社
水林彪（2020a）「法とは何か」「日本法の成り立ち」「日本法の現在」、『日本の法』（緒方桂子・豊島明子・長谷川亜希子編）、日本評論社
水林彪（2020b）「古事記神話天皇制論――支配の正当性ないし根本法の視点から」『私の天皇論』（小路田泰直・田中希生編）東京堂出版
水林章（2007）『モーツァルト《フィガロの結婚》読解――暗闇のなかの共和国』、みすず書房
水林章（2016）「すべては、人民をつくる政治的結合からはじまる」『思想としての〈共和国〉――日本のデモクラシーのために』増補新版、みすず書房
三輪正（2000）『人称詞と敬語――言語倫理学的考察』人文書院
三輪正（2005）『一人称二人称と対話』人文書院

三輪正（2010）『日本語人称詞の不思議』法律文化社
村上淳一（1983）『「権利のための闘争」を読む』岩波セミナーブックス4、岩波書店
森有正（1963）『城門のかたわらにて』『森有正全集』第二巻、筑摩書房（一九七八）
森有正（1969）「日本語についての感想」『森有正全集』第五巻（一九七九）
森有正（1971）「市民意識と国民意識の乖離――日本人のどこに欠陥があるか」『森有正全集』第五巻（一九七九）
森有正（1972）『日本語教科書』大修館書店
森有正（1970～1972）「出発点　日本人とその経験」『経験と思想』『森有正全集』第十二巻（一九七九）
森有正（1974）「「ことば」について（講演）」「森有正をめぐるノート6」『森有正全集』第五巻（一九七九）付録
森田良行（1998）『日本人の発想、日本語の表現』中公新書
安丸良夫（2012）『現代日本思想論――歴史意識とイデオロギー』岩波現代文庫
山口仲美（2006）『日本語の歴史』岩波新書
山下秀雄（1986）『日本のことばとこころ』講談社学術文庫
山本七平（1987）『一下級将校の見た帝国陸軍』文春文庫
渡辺一夫（1995）『敗戦日記』（串田孫一・二宮敬編）博文館新社
渡辺清（2004）『砕かれた神――ある復員兵の手記』岩波現代文庫

翻訳文献

ゲーテ、ヨハン・ヴォルフガング・フォン（2003）『箴言と省察』（岩崎英二郎・関楠生訳）、『ゲーテ全集』第十三巻、潮出版社
スタロビンスキー、ジャン（1993）「ルソーの思想について」『病のうちなる治療薬』（小池健男・川那部保明訳）、法政大学出版会
ディドロ、ドゥニ（1964）『ラモーの甥』（本田喜代治・平岡昇訳）、岩波文庫
ハーバーマス、ユルゲン（1975）『公共性の構造転換』（細谷貞雄訳）未來社
ホメロス（1994）『オデュッセイア』（下）（松平千秋訳）岩波文庫
レヴィナス、エマニュエル（2008）「ある犬の名前、あるいは自然権」『困難な自由』増補版・定本全訳（合田正人監訳・三浦直希訳）所収、法政大学出版局
ミズバヤシ、アキラ（2021）『壊れた魂』（水林章訳）みすず書房
ルソー、ドミニク（2021）『憲法とラジカルな民主主義―代表民主制を問う』（山本元訳）日本評論社
ルソー、ジャン＝ジャック（1979）『山からの手紙』第八の手紙（川合清隆訳）『ルソー全集』第八巻、白水社
ルソー、ジャン＝ジャック（2008）『人間不平等起源論』（中山元訳）光文社古典新訳文庫
ルソー、ジャン＝ジャック（2008）『社会契約論』（中山元訳）光文社古典新訳文庫
ロドリゲス、ジョアン（1955）『日本大文典』土井忠生訳註、三省堂（原著は「長崎学林」より一六〇四～一六〇八年に刊行）

フランス語文献・資料

Barenboïm, Daniel (2008) «Pourquoi je suis devenu Palestinien?» *Le Nouvel Observateur*, 21–27 février.

Cassin, Barbara (2013) *La nostalgie. Quand donc est-on chez soi*? «Arendt: avoir sa langue pour patrie», Autrement.

Derrida, Jacques et Régis Debray, *Entretien*: https://www.youtube.com/watch?v=QLQT5rl9Cwg.

Diderot, Denis (1983) *Le neveu de Rameau*, édition de Jean-Claude Bonnet, GF Flammarion.

D'Holbach, Paul-Henri Thiry (2010) *Essai sur l'art de ramper àl'usage des courtisans*, Rivages poche /Petite Bibliothèque.

Mizubayashi Akira (1988) «De l'amitié, —Histoire d'une carence», *Littoral*, no 14, Éditions Erès.

Mizubayashi Akira (2011) *Une langue venue d'ailleurs*, Gallimard, col. «L'un et l'autre».

Mizubayashi Akira (2014) *Petit éloge de l'errance*, Gallimard, Folio 2 euros.

Mizubayashi Akira (2019) *Âme brisée*, col. Blanche, Gallimard.

Rousseau, Jean-Jacques (1961) *Julie ou La Nouvelle Héloïse, Œuvres complètes* de Jean-Jacques Rousseau, Tome II, édition de la Pléiade.

Rousseau, Jean-Jacques (1964) *Discours sur l'origine de l'inégalitéparmi les hommes, Œuvres complètes* de Jean-Jacques Rousseau, Tome III, édition de la Pléiade.

Rousseau, Jean-Jacques (1964) *Du contrat social, Œuvres complètes* de Jean-Jacques Rousseau, Tome III, édition de la Pléiade.

Rousseau, Jean-Jacques（1995）*Dictionnaire de musique, Œuvres complètes* de Jean-Jacques Rousseau, Tome V, édition de la Pléiade.

Starobinski, Jean（2012）«Jean-Jacques Rousseau: la partie de campagne et le pacte social», dans *Jean-Jacques Rousseau. Accuser et séduire, Essais sur Jean-Jacques Rousseau*, Gallimard.

映画

伊丹十三監督、脚本（1985）『タンポポ』山崎努、宮本信子、役所広司、大滝秀治ほか出演。ジェネオンエンタテインメント（伊丹十三ＤＶＤコレクション、二〇〇五）

今泉善珠監督（1953）『村八分』中原早苗、藤原釜足、英百合子、乙羽信子、山村聡ほか出演。WORLD BELL（ＤＶＤ、一九五三）

黒澤明監督、脚本（1954）『七人の侍』三船敏郎、志村喬、津島恵子、藤原釜足、加東大介ほか出演。東宝（東宝ＤＶＤ名作セレクション、二〇一五）

黒澤明監督、脚本（1960）『悪い奴ほどよく眠る』三船敏郎、加藤武、森雅之、志村喬ほか出演。東宝（東宝ＤＶＤ名作セレクション、二〇一五）

黒澤明監督、脚本（1961）『用心棒』三船敏郎、仲代達矢、司葉子、山田五十鈴、加東大介ほか出演。東宝（東宝ＤＶＤ名作セレクション、二〇一五）

黒澤明監督、脚本（1962）『椿三十郎』三船敏郎、仲代達矢、小林桂樹、加山雄三、団令子ほか出演。東宝（東宝ＤＶＤ名作セレクション、二〇一五）

溝口健二監督（1952）『西鶴一代女』田中絹代、山根寿子、三船敏郎、宇野重吉、菅井一郎ほか

出演。東宝（ＤＶＤ、二〇〇六）

溝口健二監督（1954）『近松物語』長谷川一夫、香川京子、南田洋子ほか出演。KADOKAWA、角川書店（ＤＶＤ、二〇一七）

あとがき

わたしは『壊れた魂』*Âme brisée* を二〇一九年八月に、『心の女王』*Reine de cœur* を二〇二二年三月に、フランスのガリマール書店から上梓した。そして、次の作品『忘れがたき組曲』*Suite inoubliable*（Suite という単語には実は二重の意味が込められているので、二つの意味を一つの言葉で汲み取る翻訳は困難である）の原稿の執筆を終えた今、今夏に控えた出版に向けてガリマール社との打ち合わせ等をつつがなく進めるために、パリに滞在している。当初は三部作にする意思はまったくなかったのだが、『壊れた魂』で一挺のヴァイオリンをめぐる物語を想像し、ついでヴィオラが重要な役割をはたしている『心の女王』を構想したので、この作品がほぼ出来上がったころにはおのずと次はチェロを中心に展開する物語を書きたいという気持ちが強くなり、二〇二二年の五月ないし六月頃から徐々に『忘れがたき組曲』の世界にのめり込むことになった。啓蒙の時代に誕生しベートーヴェンで一つの完成を見た弦楽四重奏というジャンルに強い愛着を感じているということも大いに関係していよう。三作はそれぞれ別個の物語であり、互いに独立しているけれども、十五年戦争時代の狂信的天皇制ファシズムの暴力に斃れた人々の記憶の音楽を通じての再生という主題系を共有しているので、三部作を形成しているといえると思う。

本書『日本語に生まれること、フランス語を生きること』の構想は二〇二〇年の夏頃に遡る。

日本の底なしの腐敗と頽廃の根底にあるものを探るための勉強はそれよりもかなり前から進めていたので——直接のきっかけは二〇一四年七月一日のクーデタであろうか——断片的に文章を書きためてはいたが、一冊の書物をはっきりと意識しはじめたのは二〇二〇年の夏頃であったと記憶している。しかし、それはフランス語で『心の女王』を書いていた時期でもあり、筆の進み方はまことに緩慢であった。二〇二〇年の年末から翌年の三月までは、思いもよらず『壊れた魂』の日本語訳にみずから携わることになったから、その間、本書に割く時間はほとんどなかった。第一稿が出来上がったのは二〇二二年の春であったが、二〇二一年三月以降は、『壊れた魂』の日本語版のために中断を余儀なくされていた『心の女王』に沈潜していた時期でもあったから、わたしは文字通り二足の草鞋を履いていたわけである。

二〇二二年四月、わたしは、本書の初稿を出版社Pに託してパリに飛んだ。三月に出たばかりの『心の女王』をめぐる書店でのイベントや討論会、ラジオ番組への出演要請に応えるためであった。フランス滞在中は、国中の大中小さまざまな都市で『心の女王』をめぐる言葉の交換の場に身を置くまことに忙しい毎日で、あっという間に三ヶ月が過ぎた。東京にもどったのは、奇しくも、安倍晋三が狙撃された七月八日のことだった。

そのとき、わたしはすでに『忘れがたき組曲』の構想を胸に秘めており、すぐにでも書き始める用意ができていたが、気になるのはP社に預けてあった本書の原稿のことであった。帰国後ほどなくして、P社から断りのメールが届いた。意外であった。「外の思考」が生きておらずわたしの本領が発揮されていないというのである。わたしは自分の意図が伝わらなかったことを残念に思ったが、いささかも気落ちすることはなかった。本書の原稿に、ある種の誇りに加えて現代日本に必要な言葉であるという静かな自信さえ感じていたからである。

その後、いくばくかの紆余曲折があったが、『日本語に生まれること、フランス語を生きること』は幸いにも春秋社が引き受けてくれることになった。本年二〇二三年三月末のことである。一読してわたしの原稿の価値を認め、すぐさま出版に向けて大いなる努力を惜しまれなかった同社の編集者、高梨公明、林直樹、中川航の三氏に巡り会えたことは、僥倖の極みというほかはない。

春秋社のお三方と出会う前のことであったが、わたしは本書を読者公衆に届けてくれそうな出版社を見つけるために、インターネットを頼りに、ホームページ上で知ることのできるいくつかの書肆の出版姿勢・傾向を検討したことがある。その際に知って驚いたのは、少なからぬ人手出版社が「企画の持ち込みお断り」という方針を掲げていることであった。英語でいうpublisher、すなわち文章をパブリックなものにすることを業務とする企業がパブリックとの直接の繋がりを拒絶しているということなのであろうか。フランスでは持ち込みこそが本筋であるから(ちなみに、わたしの作品の編集担当者ジャン＝マリ・ラクラヴティーヌによれば、ガリマール書店には毎年七〜八千の見知らぬ人たちからの原稿が郵送されてくるという)、わたしの驚きは大きかったのである。しかし、よくよく考えてみれば、たとえば、学生が新卒として就職するにはどこかの大学に所属していることが肝腎で、すでに卒業してしまったどこの馬の骨とも分からない若者はまったく相手にされず、新卒市場に参入できないことを思えば、持ち込みお断りはじつは少しも驚くべきことではない。これもアカの他人との交流に優れない、日本の社会ならざる「社会」の特徴なのであろう。わたしは「持ち込みお断り」を明示的には掲げていない出版社に当たってみるほかはなかった。春秋社はそのような出版社のひとつだったのである。

三月下旬のある日、わたしは高梨公明、林直樹、中川航のお三方に深い感謝の気持ちを伝え、その数日後に羽田を発ち、パリに向かった。『日本語に生まれること、フランス語を生きること』の初稿は、わたしが東京に戻る六月末にあわせて準備するという言葉に勇気づけられ、四月から六月にかけての三ヶ月間はパリでの仕事に集中できることになった。

この「あとがき」をいまわたしはパリの寓居で書いている。

日本の腐敗と頽廃を示す兆候は、昨年来、安倍晋三狙撃事件をきっかけに一挙に明るみに出た「統一教会問題」等に見られるように、減少するどころか増加の一途をたどっている。この国はどこまで落ちるのであろうか。時事的な問題を無視するわけではないけれども（本文を読まれた方はそのことを納得されていると信じる）、それは本書の主眼ではないのでここでは二〇二二年七月以降の動向について述べようとは思わない。その代わりに、今回の滞仏中に経験したことで、本書の主張と響き合う出来事について若干記しておきたいと思う。

本書の中心的モチーフの一つは、フランス人権宣言に遡る近代市民社会ないし市民的政治社会は同輩の者たちによる自己統治的秩序であり、それゆえにそれら同輩の者たちは同じ資格で語る言語的主体でもあるという事実である。別言すれば、まったくの似た者同士で丸裸の、すなわち未だにいかなる社会的外皮も獲得していない自然人たちが社会契約によって形成する公共的人格は、みずからのうちに自然人の契機を保存する市民という自由で平等な言語主体＝発話主体によって構成されるコミューン（自己統治的秩序）であるということ、これである。このような社会と言語のあり方は、言うまでもないことだが、一七八九年に突然生まれたわけではない。それには前史があり、そのなかの重要なモメントとして啓蒙時代における文芸的公共性（サロン文化）の成立があるだろうというのが、わたしの見立てである。第4章でJ＝B・ポンタリスの「月曜会」を紹介した際に引いたユルゲン・ハーバーマスの言葉を想起されたい。「持続的討論」の組織化としてのサロンに参集する私人たちを特徴づけているのが対等性の作法であることを指摘したうえで、ドイツの高名な哲学者は次のように続けていた。

この対等性を地盤にするときにのみ、論理の権利が社会的ヒエラルヒーの権威に対抗して主張され、やがては貫通されるのであるが、この対等性は、同時代の自己理解においては、「単に人間的なもの」の対等性を意味している。人間 les hommes、民間紳士 private gentlemen、私人 Privatleute は、公職の権力や権利が効力を停止されるという意味で公衆を形成するだけでなく、そこでは経済的従属関係に物を言わすことも原理的には許されない。国家の法律も市場の法則も、ともに効力を停止されるのである。

サロンには多くの大貴族・大ブルジョワたちに混じって、例えば一時計職人の息子にすぎないルソーのような民衆層出身の文人たちの姿があった。書物・知識・学芸の前では「国家の法律も市場の法則も」その効力を失い、身分制社会の階層的秩序を無効にする対等性の原理が、少なくとも理念的には、確保されていたからである。サロンとは、ある意味で、すでに同輩者たちの世界なのである。わたしが今回のフランス滞在であらためて痛感したのは、この啓蒙時代の伝統がフランス人の生活のなかに現在も脈々と生き続けているということであった。どういうことか。

かつてのサロンにあたるもの、サロン的な文化実践が現に存在するのである。わたしは本文でポンタリス老師の「月曜会」をそのようなものとして紹介したが、「月曜会」的なものは今日では社交の例外的な形態だろうと思っていたのである。ところがそうではなかった。

春の陽射しの中を冬の冷たい風が吹き抜ける四月初旬、わたしは財務・法務関係全般のコンサルティングを専門とするある多国籍企業のフランス・オフィスの招待を受け、『心の女王』について話をすることになった。かつての文学サロンよろしく、定期的に著作家を呼んで、四十人ほどの社員の前で作品について語ってもらい、質疑応答のあと、軽食とワインで自由に歓談する習いだというのである。その数ヶ月前にわたしにこの話をもちかけてきた年配の男性社員ベルトランはすでに退職していたが、わたしたち夫婦を西新宿の高層ビル街を思わせるデファンス地区に立つ巨大なタワーに案内してくれたのはほかならぬベルトランであった。ベルトランの友人でプロのヴァイオリニストのジャン゠クロードも一緒である。三十九階にあるガラス張りの大きな会場にたどり着くと、わたしは文学サロン運営の後継者・司会者エリックに紹介された。ベルトランとジャン゠クロードはわたしにあてがわれた発言席に近い一角に腰を下ろした。仕事を終えたどちらかといえば若い社員たち（男性・女性半々）が無料で配布された『心の女王』を片手に参集してきたのは、夕陽という言葉が似つかわしくない明るい太陽がいまだに会場を照らしていた十九時少し前だった。男女の服装は極めて多様。司会のエリックを除けば、スーツ姿の男性は一人もいない。会が始まった。エリックの紹介の言葉のあと、わたしは『心の女王』とこの作品が生まれた経緯について語った。若い男女からいくつもの質問が寄せられ、わたしはそれに誠実に答えた。会場には、驚いたことに、そのむかし東京外国語大学の教室でわたしのフランス語の授業に出ていたという女性社員もいた。フランスで働き、フランスで結婚し、フランスで生きることを選び取った日本人女性である。歓談の時になって、わたしはサインの要請に応じて参加者の何人かと個人的に言葉を交わした。いずれも忙しい生活のなかで書物との出会いの時間を確保している人たちであった。最後に『壊れた魂』と『心の女王』の両方を読んだというジャン＝クロードが近づいてきて、わたしに自身が演奏するバッハの「無伴奏バイオリンのためのソナタとパルティータ」全六曲のCDをプレゼントしてくれた。「ガヴォット・アン・ロンド」が『壊れた魂』で重要なモチーフとして使われていることを考慮してのことであろう。彼はフランチェスコ・ルッジェリが一六七三年に制作したヴァイオリンを弾いているという。今からちょうど三百五十年前に作られたヴァイオリンが奏でる艶やかな音色のバッハに、わたしは心を揺さぶられた。

以上のような文学サロンが、大企業の内部であたりまえのごとく催されているのである。わたしは少なからず驚いた。文学サロンが多くの大企業で一般化しているなどという馬鹿げたことをいいたいのではない。新自由主義的資本主義の波頭のごとき場所（デファンス地区）に一つでもぽつんと存在しうることに驚いたのである。そこに集う人々は年齢も役職も大いに異なる社員なのであるが、一冊の本についての言葉の交換に参加するために三九階にあがってきたのである。本にサインしながら時折立食パーティーの様子を至近距離から観察していたわたしは、会社内の官僚制的機構の中では明確に上下に位置づけられるはずの参集者たちが『心の女王』を肴に談笑している光景を見ながら、ハーバーマスの対等性の作法という表現を思い起こしていた。そして、おのずと対等性の作法が欠如し、それゆえに対話・会話・討議が成り立ちにくい日本社会のことを思った。思い出していただけるだろうか。日本では、近世幕藩体制のもとで、高度に発達した官僚制に人的な主従制的階層関係が食い込んだ抱合的構造が成立したことの結果として、本来ならば「客観的で没価値的な分業的秩序に過ぎない社会的上下関係の中に、上の者が下の者よりも「えらい」という価値判断（…）が紛れ込み付着してしまう」ことになったと、わたしは書いた（二三三〜二三五ページ）。水林彪の仕事を咀嚼してのことである。われわれは、ある意味ではいまだに中世の一揆的秩序を破砕し「古代」（天皇制）を復活させた江戸時代を生きているのである。そしてそれゆえに福沢＝丸山の「権力の偏重」あるいは「抑圧移譲」の克服は、依然としてわれわれの課題であり続けているのである。

デファンス地区の巨大企業タワーの三九階で開かれた文学サロンの二週間後、わたしはパリ十七区に住むフランス人夫妻のアパルトマンで類似の経験をした。今度は企業ではなく、ローランス・ヴィエノが自宅で主催する個人のサロンである。二〇〇八年に始まった「文学の夕べ」はわたしで九四回目だという。過去の資料を見ると、ジャン＝マリ・ラクラヴティーヌをはじめ、タハール・ベンジェルーンなど、知り合いが何人も登場している。広い応接間には四十脚ほどの椅子が並べられていた。参加者は『心の女王』を読了していなければならない。参加者全員に送った資料でローランスはその点を朱色の文字で強調していた。開催時間に遅れないこと、そして本を読んでいること、それが「ゲームの規則」だという。参加費はない。八時半頃、始まりの合図もあいさつもないまま、会が始まった。まずは相当数の本が壁を埋め尽くしている図書室での立食形式による食事である。中央に置かれた大きなテーブルに何種類ものローランス自身による手料理が並べられている。一時間ほど談笑したあと、ローランスのかけ声で全員が席についた。彼女はわたしのフランス語による著作をすべて読んでおり、五分あまりのスピーチで実に手際よくわたしを紹介し、最後に、西欧クラシック音楽と弦楽器への強い愛着があなたの作品を貫いているのはなぜなのかと結んで、わたしの話につないだ。本書を通読された方には容易に想像できることと思うが、わたしは本書の15章、16章で展開されていることに相通じる話を提供した。要するに、弦楽四重奏というジャンルの誕生・発展とモーツァルトの傑作オペラは、「人権宣言」という同輩者的世界の誕生を告げる歴史的文書と厳密に同時代的な芸術的達成であるという点に参集者の注意を促したのである。ジャン・スタロビンスキーの『一七八九年——理性の標章』を引きつつ、即興的に繰り出した言葉であった。

ローランス・ヴィエノのサロンに集まる人々は必ずしも旧知の間柄であるわけではないようだ。すべての参加者と言葉を交わしたわけではないのではっきりしたことは言えないが、出版社のエディター、医療器具分野のエンジニア、辞典専門出版社の社員、元教員、元オペラ歌手、銀行員、軍人等々、多様な分野で活躍しているか、あるいはかつて活躍していた人たちである。ローランスはいっさい紹介の労をとらない。だれがどういう人なのかはまったく分からないのである。お互いのことを知りたければ、立食中に、あるいは招待作家の話のあとのシャンパーニュを片手にしながらの語らいのときにご自由にどうぞ、ということなのだろう。会の目的はただ一つ、取り上げられた作品の話をすることである。その目的の前では参集者の素性などどうでもよい。サインが終わり、大方の参加者が帰宅の途についたあと、妻とわたしはヴィエノ夫妻としばし歓談した。わたしが啓蒙の世紀のサロンが現代に生き返ったようですね、というと、サロンという言葉が今日持つにいたったニュアンスはあまり好ましいものではないので、「文学サロン」とは言わずに「文学の夕べ」と呼んでいるが、エスプリとしては啓蒙時代の伝統を受け継いでいるつもりだと、夫君のパスカル・ヴィエノが応えた。

こういう次第であるから、ここフランスでは確かに書物を媒介にした対等性の作法が人々の生活のなかに根を下ろしているという印象を持つのである。しかし、立ち止まって考えてみれば、書物をめぐる言葉の交換・討議は、企業や私邸のサロン的空間を越えて、フランス中の書店で行われる「著者との出会い」やあまたの都市・市町村（大はパリから小は人口四百二十人の村サン＝レオン＝シュル＝ヴェゼールまで）で開催される「書物の祭典」にも及んでいると言わなければならない。いや、そればかりか、ラジオ局フランス・キュルチュールの実に多くの番組が討論番組であり、その中心には書物、あるいはより広く「作品」（文学作品、映画作品、政治・哲学・社会・歴史等に関する書物）が置かれていることを思えば、人権宣言を生み出した国の文化の中心には「社会的ヒエラルヒーの権威」を無効にする、啓蒙の世紀に発する対等性の作法が生き続けていると言えるのではないか。

いや、このような読書をめぐる文化的実践をことさらにフランスに限定すべきではなかろう。というのは、『公共性の構造転換』の著者が示唆しているように、啓蒙とその核心的精神としての対等性の作法は汎ヨーロッパ的現象にほかならないからである。たとえば、ルソーの故郷のジュネーヴ（ジュネーヴ・カントン＝州国家の首都）やジュネーヴから列車で四〇分のローザンヌ（ヴォー州国家の首都）には、それぞれジュネーヴ読書協会 Société de Lecture de Genève（一八一八年創立）、ローザンヌ文学協会Cercle littéraire de Lausanne（一八一九年創立）が存在し、読書と討論的社交性の場として現在も活発に活動しているからである。注目すべきは、どちらも市民のイニシアティブによるアソシアシオンとして誕生したという事実である。五月末にわたしはジュネーヴ読書協会のデルフィーヌ・ドゥ・カンドルに招待され、参集した多くのジュネーヴ市民の前で、『壊れた魂』と『心の女王』について文芸ジャーナリストのパトリック・フェルラと言葉を交わす機会を持った。そのとき、わたしは、レーニンが一時会員だったという二十万冊を所蔵する図書館の威容に接して（司書がロシアの革命家の登録申込書と彼がエルネスト・ルナンの『イエスの生涯』の欄外に遺した鉛筆書きのコメントを見せてくれた）、創設以来、ジュネーヴの中心にあって、ヨーロッパ啓蒙の精神を育み続けてきた象徴的な場所に身を置いていることを強く意識した。旧市街を南北に走るグラン・リュ四十番地には、ジャン＝ジャック・ルソーの生家が残っている。ルソーの死後四十年を経て設立されたジュネーヴ読書協会は、そこから数十メール先のグラン・リュ十一番地に今も悠然と立ち続けているのである。

講演を終えて、わたしは古い町並みを十一番地から四十番地に向かってゆっくりと歩いた。すると、どういうわけか、ジュネーヴ滞在の三週間前にフランスのオータン市で経験したことがよみがえってきた。オータンの市民的アソシアシオン（一九〇一年のアソシアシオン法による「結社」）が組織する「書物の祭典」の一場面である。わたしの脳裏を離れなかったのは、招待された作家たちとボランティアの人々が単なる分業の原理にしたがって隔てなくつきあうまことに印象的な光景であった。そこには本書で問題にした「えらい」の感覚―官僚制のなかへの主従制の食い込みが生み出す独特の価値感覚――に囚われている人は皆無のように思われた。それは、言うなれば、あの菊千代の世界だったのである（本書第10章を参照）。

官僚制機構における「えらい」の感覚の欠如というと、もうひとつの出会いに触れないわけにはゆかない。『壊れた魂』原書に与えられた複数の文学賞のうちのひとつに「セーヌ・マリティム県公務員読者賞」というものがあり、それをわたしは二〇二〇年十一月に受賞した。コロナ禍の影響で渡仏は不可能だったので、受賞式はオンラインで行われた。しかし、県庁の職員が独自に審査委員会を形成し、討議を通じて受賞候補作品の中から受賞作品を決定するというプロセスが県庁の内部に存在するということに興味をそそられ、受賞から二年以上の月日が流れてはいたが、今回、感謝の気持ちを伝えるためにも、わたしはルーアンにあるセーヌ・マリティム県の県庁を訪れることにしたのである。わたしは賞の生みの親であり、審査委員会（毎年交代）の組織責任者のマルティーヌだけに挨拶するつもりで出かけたのであったが、わたしども夫婦を待っていたのは一八人の審査委員（ほとんどが女性）との昼食をともにしながらの懇談であった。食事がなかなか進まないほど話をすることに忙しいひとときであった。わたしの関心は、今や察していただけることと思うが、どのようにしてこの文学賞が生まれ、審査委員会がどのように形成され、実際にどのように運営されているのかという点に集中していたので、まずマルティーヌに尋ねてみた。すると次のような説明が返ってきた。まず、フランスには国家的な意思として書物の文化的・教育的役割を重視し、読書を促すための政策があり、それを地方公共団体がそれぞれ独自のやり方で実践しなければならないという前提があるというのである。そのうえで、各地方公共団体が書物と読書をめぐる政策を構想するのであるが、セーヌ・マリティム県では、その一環あるいは延長として、マルティーヌの提案で「セーヌ・マリティム県公務員読者賞」が作られたのだそうである。県庁には千五百人余りの職員がいるが、職員ならばだれでも審査委員になれるという。希望者が多いときにはマルティーヌを中心とする事務局が調整するらしい。県立図書館専門員による候補作リストをもとに最終候補作品五点が選定され、そのうえで二十人ほどの審査委員による討議によって受賞作品が決定されるとのことであった。とりわけ印象深いのは、昼食懇談会の際にひときわ活発に発言したシルヴィーの言葉である。彼女によれば、審査委員はみな仕事場が違うので審査委員会で初対面という場合がほとんどだということ。そして、とりわけ、役職上の違い（厳密に概念化すれば、官僚制的な垂直的機構における上下関係）は当然存在するのであるが、受賞作の決定に至る討議プロセスと役職上の相違はまったく関係がないということ、これである。シルヴィー自身の表現を借りるならば、「仕事上の上下関係は書物の前では消滅する」のである。「えらい」の感覚を知らないがゆえに、職務的には上下の分業関係にある審査委員たちはまさに同輩の者として討議に参加するということだろう。わたしは心のなかで、ハーバーマスの文芸的公共性にかんする鋭い指摘と福沢諭吉を論じつつ「えらい」という言葉が残っているのは「価値がまだ単一に社会的または政治的階層の「上級者」に集中している証拠のようなものです」という丸山眞男の論述を反芻していた。

一七八九年における同輩者的世界の出現を準備したのは、間違いなく、以上の、わたし自身が経験したいくつかの事例に共通する作法、とりわけそれを現勢化する言語的作法の隆盛と伝搬であり、徳川幕藩体制から抜け出したばかりの日本にあって、人民交際・人間交際の——ということは社会の——不在を問題化し、アカの他人どうしの多事争論の重要性を論じた福沢諭吉の透徹した精神が見つめていたのもそれ以外ではなかったであろう。

本文で触れたとおり、わたしは二〇一一年以降、日本語を括弧に入れた、あるいは日本語を不在にした、という気持ちを抱いている。実際、フクシマ以降、『思想としての〈共和国〉』増補新版に寄せた二つの短い文章と『壊れた魂』の翻訳を除けば、わたしは日本語ではいかなる文章も書かず、ひたすらフランス語での執筆に沈潜してきた。したがって、本書はわたし個人にとっては日本語への帰還を画す一つの出来事なのである。四十年を越えるフランス語歴を土台に、十年余りのあいだ外の世界で、外の思考に浸って、外の言語と文化の中で仕事をしたうえでの、本当に久しぶりの外からの帰還である。その外が、議員職が世襲制という前近代的な悪弊によって家産化・私物化され、社会関係が少なからずヤクザ的・親分的論理によって蹂躙された国から見ると、どれほど異他なる世界であるかは、これまでに紹介したいくつかの「文学サロン」についての記述から幾分かは想像していただけるのではないかと思う。こちら側はといえば、首相が、あろうことか、自分の息子を臆面もなく補佐官に任命し、しかもその息子が何の後ろめたさもなく首相とその親族を首相官邸に呼んで忘年会を開くなどという驚天動地の腐敗が生じる世界である。首相は息子を辞めさせたが自分は居残り、ただ内閣支持率と来るべき選挙結果を慮って汲々とするというこちらが恥ずかしくなるほどの凄まじい醜態である。こういう、「国民」の無知・無関心・無能力を当てにしたシステムをこの国では「政治」と称し、「民主主義」というらしい。何とも気の滅入る話である。公共を食い物にし、利権に凝り固まり私腹をこやすことしか頭にない「政治」の専門家を一掃するにはどうすればよいのか。これは日本の病である。病は治療しなければならない。しかし、本書で詳しく論じたように、この病の治療には相当に長い時間を要するのである。しかし、そうであるにしても、首相以下、日本国憲法を敵視するすべての「政治」専門家たちには、ぜひともすぐに、例えば本書第十七章で紹介したアンブロジオ・ロレンゼッティの「よき統治のアレゴリー」と「悪しき統治のアレゴリー」について深く学習することから始めて(シエナの九人の行政官は二ヶ月ごとに交代し、再選には少なくとも二十ヶ月を置く必要があったというし、また彼らは行政官の職にあるあいだは自宅を離れてパラッツォ・ブブリコ=市庁舎に住まなければならなかったというふうに、幾重にも腐敗=私欲の専横・公共の私物化を防ぐ仕組みがあったようだ)、近代〈政治〉についての教養を深めてもらいたいと切に願うが、おそらくは、というよりは絶対的に、無理な相談であろう。

「近代」日本は〈近代〉を裏切ってきたし、今も裏切り続けている。日本に〈近代的〉という形容詞を使うなどという馬鹿げた冗談はいい加減やめにしてもらいたい。本文で詳しく論じたとおり、究極の問題は天皇制という社会的であると同時に言語的でもある構造である。森有正はそれを遍在的天皇制と呼んだ。『中世的世界の形成』の石母田正は、天皇制を根こそぎにするにはどうしたらよいのかという問いに導かれていた。他方、丸山眞男も、「敗戦後、半年も悩んだ揚句」、天皇制が日本人の自由な人格形成にとって致命的な障害になっているという認識に到達した。三人の巨匠の思いをわたしなりに言い換えれば、天皇制が〈近代〉の核心にある自然法思想、社会契約の思想、そしてその両方と不可分の基本的人権の思想、さらにはその論理的帰結としての自由かつ平等な言語主体による同輩者的世界(自己統治的秩序、つまりは民主主義)の構想という根本的な概念枠組に対して、重大かつ深刻な認識論的障害として作用しているということである。この点にかんして、わたしがとりわけ強調しておきたいのは、日本語の具体的な発話状況に依存する厳密な運用規則（適切な人称詞・名詞・動詞語尾の選択等）、すなわち話者と対話者の関係を否応なしに強弱・上下・敬卑関係として表象する言語の拘束力が、発話の当事者たちをして、同輩者的関係に入ることを困難にしているという点である。白井聡のいう、日本人の中枢神経に注入された毒のごとき「完成した奴隷根性と泥沼のような無関心」の淵源には、天皇制に発する認識論的障害が潜んでいるというのがわたしの診断なのである。
問題の解決は問題の認識から始まる。絶望はしまい。

このたび『日本語に生まれること、フランス語を生きること』を日本語話者に届けることができるのは、すでに触れたとおり、ひとえに春秋社の高梨公明、林直樹、中川航の三氏のご厚意と熱意のおかげである。三氏には衷心より御礼の言葉を申し上げげたい。御礼の気持ちを伝えたい方はほかにも何人かおられるが、ここではただ一人、四十年来の知己の名前を挙げるにとどめる。かつて筑摩書房の編集長の職にあって『マラルメ全集』等の瞠目すべき成果を上げたことで知られ、今ではわたしのフランス語の作品を原書で読むほどにフランス語に熟達している岩川哲司さんである。長らく出版の世界を歩いてきた岩川さんのアドバイスは、わたしにとっては暗闇を照らすたいまつのようであった。

この「あとがき」を閉じるにあたってさらにもうひとこと。
本書を、わたしは、今は亡き両親、水林次郎・池田愛子の霊前に捧げたいと思う。二人の息子の教育をあらゆることに優先させた両親への感謝の印として、である。二人の息子のもう一人は、お察しのとおり、水林彪である。わたしの、称賛と分かちがたい感謝の気持ちは、彪にも向かう。情けないことに、わたしは、彪の眩暈を覚えるほど広大な学問世界――西欧および中国との比較を念頭に置きながら、法・支配・国制の観点から列島の全歴史に迫ろうとする破格のスケールの考察は、遠く縄文・弥生の時代から現代の突端にまで及ぶ――のほんの一角を知り得たにすぎないが、その一角を探査する工程を経なかったならば、本書がこのような形で存在することはとていありえなかったと思うからである。本書を肴のひとつにして彪夫妻の山荘「楽学庵」で惜しみなく議論できる日が今から待ち遠しい。

二〇二三年六月吉日

パリ十四区の寓居にて

水林　章

索引

あ行

か行

さ行

た行

な行

は行

ま行

や行

ら行

わ行

著者略歴

水林　章（みずばやし・あきら）

1951年生まれ。東京外国語大学フランス科卒業（1976年）。東京大学大学院人文科学研究科博士課程満期退学（1984年）。ポール・ヴァレリー大学（モンペリエ）留学（1973–1975年）。ENS パリ高等師範学校およびパリ第七大学留学（1979–1982年）。パリ第七大学第三期課程博士（1982年）、東京外国語大学論文博士（学術）（2001年）。明治大学、東京外国語大学、上智大学等でフランス語・フランス文学を講じる。1994年から2016年までに、『幸福への意志』、『ドン・ジュアンの埋葬』、『公衆の誕生、文学の出現』、『『カンディード』〈戦争〉を前にした青年』、『モーツァルト《フィガロの結婚》読解』、『思想としての〈共和国〉』増補新版（共著）等でフランス18世紀文学・思想研究の成果を発表。2011年に最初のフランス語による著作 *Une langue venue d'ailleurs*（2011年）（『他処から来た言語』）をガリマール書店より上梓。同書は2011年度のアカデミー・フランセーズ仏語・仏文学大賞を受賞した。以後、フランス語による執筆を継続。現在までに 8 冊の作品（エッセイ、小説等）を発表している。とりわけ、2019年の *Âme brisée*（『壊れた魂』）はフランス書店大賞など八つの文学賞に輝き、多くの読者を獲得した。*Âme brisée*、2022年刊行の *Reine de cœur*（『心の女王』）、本年 8 月刊行の *Suite inoubliable*（『忘れがたき組曲』）の三作はいずれも暗黒の15年戦争時代に音楽を拠り所として狂信的ファシズムに抵抗した人々を描いており、いわば三部作を形成している。著者の日本語への久方ぶりの帰還をしるす本書『日本語に生まれること、フランス語を生きること』は、この国がかかえる根本問題に、ほかならぬ日本語を切り口に光をあてた力作である。なお、著者みずからが翻訳した *Âme brisée*（『壊れた魂』）は、第72回（2021年）芸術選奨文部科学大臣賞を受賞している。

日本語に生まれること、フランス語を生きること

来たるべき市民の社会とその言語をめぐって

2023年9月20日　初版第1刷発行

著　　者――――水林　章
発 行 者――――小林公二
発 行 所――――株式会社 **春秋社**
〒101-0021東京都千代田区外神田2-18-6
電話03-3255-9611
振替00180-6-24861
https://www.shunjusha.co.jp/
印　　刷――――株式会社 太平印刷社
製　　本――――ナショナル製本 協同組合
装　　幀――――伊藤滋章

Printed in Japan, Shunjusha.
ISBN 978-4-393-33397-6　C0036
定価はカバー等に表示してあります。

原武史　菅孝行　磯前順一　島薗進　大澤真幸　片山杜秀

これからの天皇制
令和からその先へ

6人の講師それぞれが、過去の天皇制、主に昭和、平成の天皇を振り返って戦後天皇制の特徴を明らかにし、令和からその先の天皇制がどうなるか、どうあるべきかを論じる。

2420円

網野善彦　宮田登　上野千鶴子

日本王権論

天皇制はいかなるものに支えられ、どのような機能を果たしてきたか。その特異性、存続の理由は。歴史学・民俗学・文化人類学の視角から日本精神史の深層に迫る討論。〈新装版〉
2750円

佐藤直樹

なぜ日本人は世間と寝たがるのか
空気を読む家族

事件の当事者家族がメディアで発言する意味は。なぜ男性は妻をママと呼ぶのか。世間が作り出す「同調圧力」に侵食される日本の家族の謎を「世間学」から読み解く。〈新装版〉
1760円

稲垣久和　土田修

日本型新自由主義の破綻
アベノミクスとポスト・コロナの時代

新自由主義の病理をアベノミクス、東京五輪、羽田都心ルートなどを例に総括し、国民を欺く政権中枢を痛烈に批判。デモクラシーの基礎を再考するための好著。望月衣塑子氏推薦！

1980円

鈴木聖子

掬われる声、語られる芸
小沢昭一と『ドキュメント 日本の放浪芸』

萬歳・ごぜ唄・猿回しをはじめとした稀少な音楽芸能から節談説教、さらにはストリップにいたるまで、「放浪芸」を追いながら自身の芸と向き合い続けてきた小沢昭一の姿に迫る。

2750円

P＝A・ドネ　神田順子監訳　清水珠代　村上尚子訳

世界を喰らう龍・中国の野望

いまや世界最大の問題児・中国。ウイグル・チベットの人権問題や政治体制から環境破壊・拡張主義など、問題を総合的にとらえ、対策を考える老練のジャーナリストの意欲作。

2750円

▼価格は税込（10％）。